医者が教える

健康断食

けんこうだんじき

医学博士
ジェイソン・ファン ／ ジミー・ムーア 著
Jason Fung　Jimmy Moore

山王病院内科部長
東京医科大学特任教授
小田原雅人 監修　鹿田昌美 訳

文響社

イントロダクション

INTRODUCTION

断食《ファスティング》——シンプルに「何も食べない」という選択

✓ 肥満に苦しむ人々を救ってきた「断食ドクター」

はじめまして。私はカナダのトロントを拠点に診療をしている腎臓専門医、ジェイソン・ファンです。「腎臓専門医」という肩書き以外に**「断食ドクター」**として、糖尿病（2型）の患者の治療にあたっています。

2型糖尿病というのは腎臓病の主な原因とされるもので、私はこの病気のある何百人もの患者を治療しています。**ほとんどの2型糖尿病患者は、肥満にも苦しんでいます。**難題を解きたいという気持ちと、肥満・2型糖尿病への専門医としての関心から、特に**ここ10年以上にわたり、興味の中心を「食事」と「栄養学」に絞って活動してきました。**

腎臓専門医の私が、なぜ、従来的な治療から**「ファスティング（断食）」をはじめとする集中的な食事療法**へとスタイルを変えたのか、その経緯についてお話しします。

✓ 医師の多くは「栄養」のことをよく知らない

意外に思われるかもしれませんが、**栄養学は、実は医学の分野で広く扱われているト**

ピックではありません。私が学んだトロント大学や多くの学校では、栄養学を教える時間は最低限になっています。

実際私自身の経験でも、医学部1年目に栄養学に関する講義が数コマ行われただけで、その後は大学の講義でも、インターンシップ、研修医、フェロー（特別研究員）として働く間も、**栄養学についての教育は、ほぼ皆無**だったのです。

正式な医学教育に費やした9年間のうち、栄養学について受けた講義は4時間ほど。

そのため、当時の私の栄養学に対する関心は一過性のものにすぎなかったのですが、2000年代半ばに変化が起こりました。**低炭水化物食を促進する「アトキンスダイエット」が大流行**したのです。

どこもかしこも「ローカーボ食」で、私の身内の何人かが実践し、喜ばしい結果を出していました。しかし私は、従来的な研修を受けた医師の大半がそうであるように、最終的には動脈になんらかの異常が出ると考えていました。

低炭水化物ダイエットは単なる流行《はや》りで、低脂肪ダイエットが最善だと証明されるだろう――他の何千人もの医師と同じように、私はそう教えられ、当然のように確信していました。

✓「低炭水化物ダイエット」の効果が実証された!?

その後、低炭水化物ダイエットに関する研究が、世界で最も権威のある医学雑誌『ニューイングランド・ジャーナル・オブ・メディシン』に掲載され始めました。ランダム化比較試験で、アトキンスダイエットと、ほとんどの医療提供者が推奨する標準的な低脂肪ダイエットの比較が行われ、これらの研究はすべて、**目を見張るような同じ結論**に達しました。

低炭水化物ダイエットは、低脂肪ダイエットよりも減量に関して著しい効果が認められたのです。

さらに驚くべきなのが、コレステロール、血糖値、血圧など、**心血管疾患のすべての重要な危険因子が、低炭水化物ダイエットによって大幅に改善された**(*1)こと。

この結果は、謎解きを超える本物の難問でした。

私の旅は、ここから始まりました。

(*1) 総コレステロール、悪玉コレステロール(LDL)は、増加したとの報告もある。

✓「肥満」の本当の原因を突き止めよ

新しい研究によって低炭水化物へのアプローチが実用的なことが証明されましたが、私には解せませんでした。

従来的なアプローチである「カロリーイン、カロリーアウト(CICO)」——減量する唯一の方法は摂取カロリーを消費カロリーよりも減らすこと——に慣れ親しんでいたからです。

アトキンス・メソッドに基づく食事は、**必ずしもカロリー摂取量を制限するわけではないのに、体重が減っています。つじつまが合わない**のです。

1つの可能性は、新しい研究が間違っていることでした。しかし複数の研究がすべて同じ結果を示したとなると、これは考えにくい。さらに、臨床治験の数千人の患者全員が、アトキンスダイエットで体重を落としたという報告が確認されたのです。

研究が正しいことを受け入れるためには、CICOのアプローチが間違っていなければならない。そして、いくら否定しようとしても、CICOの仮説を救うことはできませんでした。

CICOの仮説が間違いなら、何が正しいのか？
体重増加の原因は？
肥満の根本的な原因は、なんなのだろう？

✓「食事を減らして、運動を増やす」だけではやせない理由

医師は、こういった疑問について考える時間をほとんど持ちません。

なぜなら、すでに答えを「知っているつもり」だからです。

肥満を引き起こすのは、過剰なカロリー摂取であり、食事のカロリーが多すぎることが問題なら、解決策は、食事のカロリーを減らし運動量を増やして、より多くの燃焼をはかること——つまり、「食べる量を減らし、運動量を増やす」というアプローチです。

しかし明らかな問題があります。**過去50年間「食べる量を減らし、運動量を増やす」ことが推奨され続けてきたにもかかわらず、うまくいっていない**のです。実用の目線で考えると、「なぜ」うまくいかないのかは、あまり重要ではありません（ただしこれについては5章でくわしく説明します）。

肝心なのは、あらゆる人が試したのに効果が出なかった、という事実です。

そして、**肥満の根本的な原因は「カロリー」よりも「ホルモン」の不均衡の問題**であることが判明したのです。

インスリンは脂肪蓄積ホルモンです。食べるとインスリンが増加し、食物エネルギーの一部を後で使うために脂肪として貯えるように、体にシグナルを出します。

これは人間が何千年もの間、飢饉《ききん》を生き抜くのを助けてきた自然で不可欠なプロセスですが、**高インスリン値が継続すると、結果的に肥満になります。**この仕組みが理解できれば、おのずと解決策がわかります。

過剰なインスリンが肥満を引き起こすなら「インスリンを減らす」が答えであるのは明白です。つまり**「ケトジェニックダイエット（低炭水化物、中程度のタンパク質、高脂肪の食事）」と**

「間欠的ファスティング（12章参照）」は、高インスリン値を下げ、肥満を解消するための最高のメソッドと言えます。

✓ 薬では治療できない「インスリン抵抗性」

けれども、2型糖尿病に関する私の研究から、**密接に関連しているはずの肥満と2型糖尿病の治療には、矛盾がある**ことに気がつきました。

インスリンを減らすことは、減量に効果的かもしれません。一方で私は、**医学的な知見から、1型2型ともに糖尿病の治療法として、インスリンを処方していた**のです。インスリンは確かに血糖値を下げますが、**確実に体重増加を引き起こします**。

私はようやく、ごくシンプルな「答え」が用意されていることに気がつきました。**私たちの処方の仕方が間違っていた**のです。

1型と2型は、まったく問題が違います。

1型糖尿病では、体の免疫系が膵臓のインスリン産生細胞を破壊します。結果として生じる低いインスリン値が、高血糖につながります。つまり、インスリン値がそもそも低いため、インスリンを補う従来の治療法が理にかなっています。そしてもちろん効果も出ます。

一方、**2型糖尿病では、インスリン値が低いのではなく、高い状態**(*2)なのです。血糖値が上がるのは、体がインスリンを作ることができないからではなく、インスリンに抵抗する

（インスリンが効きにくくなる）ためです。

つまり、**2型糖尿病の治療のためにインスリンの投与をいくら増やしても、高血糖の根本的な原因（インスリン抵抗性）は治療できていなかった**のです。やがて2型糖尿病が悪化し、ますます高用量の薬が必要となるのは、そのせいです。

（＊2）欧米白人とアジア人では病態が異なり、日本人ではインスリン低値の人が多い。

✓「過剰なインスリン→インスリン抵抗性が高まる」悪循環

「そもそも、インスリン抵抗性が高くなる原因はなんなのか」――これは大切な問いです。原因がわからなければ、病気を治療できる見込みはありません。

結果、判明したのは**「インスリンが、インスリン抵抗性を引き起こす」**ということでした。**体は、なんらかの物質の濃度が高くなりすぎると、それに反応して抵抗性を生み出します。**たとえば、アルコールを飲みすぎると、いわゆる「許容範囲」と呼ばれる程度までは体に抵抗性が生じます。ヘロインのような麻薬や、ベンゾジアゼピンのような処方睡眠薬を使うと、体に抵抗性が生じます。これらと同じことが、インスリンにも言えるのです。

過剰なインスリンが肥満を引き起こし、過剰なインスリンはインスリン抵抗性を引き起こす。これが2型糖尿病として知られている病気なのです。

このことが理解できると、2型糖尿病の治療法の問題点が明らかになります――**そもそ**

もインスリンの過剰な状態に原因があったにもかかわらず、医師はその治療のために、わざわざインスリンを処方していたのですから。

ほとんどの患者は、本能的に私たち医師の間違いに気づいていました。

患者たちは私にこう言いました。

「先生はいつも、（2型糖尿病の）治療には減量が重要だとおっしゃっていますが、先生が処方するインスリンのせいで、こんなに体重が増えてしまいました。本当に私に合っているのでしょうか？」

私は、答えに窮しました。

しかし、今ならわかります。患者たちの意見は正しかったのです。

患者がインスリンを摂取すると体重が増え、それにより2型糖尿病は悪化し、より多くのインスリンが必要になる。

インスリンの投与が増え、さらに体重が増える。

体重が増えるにつれてさらに多くのインスリンが必要になる。

古典的な悪循環です。

私たち医師は、２型糖尿病の治療を完全に間違えていました。２型糖尿病は、適切に治療すれば治療可能な病気です。２型糖尿病は、一般的な肥満と同じように**「インスリンが多すぎる病気」**（＊３）なのです。**治療にはインスリンを増やすのではなく、減らさなければなりません。**私たちが行っていたのは、**症状を良くするのではなく悪化させる治療**でした。まるで、ガソリンをかけて火事を消そうとするように。

（＊３）やせ型の日本人、アジア人ではインスリン値が低い傾向にある。

✓インスリン値を下げる唯一の治療法

「肥満や2型糖尿病に苦しむ患者のインスリン値を下げるために、最善のアプローチはなんなのか？」

この問いを即座に解決してくれる薬がないのは確かでした。肥満外科手術（胃を小さくする減量手術。１７４ページ参照）のような外科的なオプションもありますが、体を傷つけることになる上、元には戻せない多くの後遺症や副作用の可能性があります。

実践できそうな唯一の方法があるとすれば……それは**食事療法**でした。

食習慣、すなわち「食べ方」を変えることで、インスリン値を下げるのです。

私は２０１２年に、肥満と2型糖尿病という〝双子の問題〟に対処する治療法として、食事療法に特化した「インテンシブ・ダイエタリー・マネジメント・プログラム（「ＩＤＭ」＝集中的な食事管理プログラム）を創出しました。

最初に指導したのが、先にも登場した**低炭水化物ダイエット**です。精製された炭水化物はインスリンを強く刺激するので、こういった炭水化物の摂取を減らすのがインスリン値を下げるのに効果的だ、と考えました。

私は患者たちに、長時間にわたるレクチャーや食事療法のアドバイスを行いました。患者たちの食事日記をチェックし、激励したりやさしく諭したりして、指導を行いました。

しかし、ダイエットは成功しませんでした。いざ実践となると、従いづらいアドバイスが多かったのです。

患者たちはみんな忙しい生活を送っていて、食習慣を変えるのは簡単ではありません。アドバイスの多くが、「低脂肪と低カロリーの食事」という従来的なアドバイスの逆だったことも、抵抗感を生みました。

しかし私はあきらめることができませんでした。**患者たちの健康、ひいては生命は、インスリン値を下げることにかかっている**のです。「特定の食べ物を避けるのが難しいのであれば、できるだけ簡単な方法はないだろうか……そうだ、**シンプルに『何も食べない』という方法なら、実践できる**のでは？」

こうして導き出した解決策が、他ならぬ**「断食《ファスティング》」**でした。

✓万病を予防する鍵は「断食」にあり

肥満と2型糖尿病の治療法として断食を挙げると、
「絶食なんて無理！」
「患者を飢餓状態に追い込むのか！」
とあきれたような反応が返ってきます。けれども、それはまったくの誤解です。

私は患者に「飢《う》えなさい」と言っているのではなく、**「食事をしない（＝休食《きゅうしょく》）時間を、暮らしの中に取り入れること」**を提案しているのです。断食は、食事の小休止であって、絶食や飢餓とはまったく違います。

断食の歴史は人類と同じくらい長く、どんな食事療法よりもはるかに古いのです。そして、時間と場所を選ばず、どんなに忙しい人でも実践できます（むしろ、忙しい人のほうが実践しやすいくらいなのですが……そのことについては9章でくわしくお話しします）。

本書ではこれから、**断食をベースに肥満や糖尿病だけでなく、癌、高血圧、老化など、あらゆる不調にアプローチする方法――すなわち「健康断食」について、科学的根拠に裏付けされた見地から、あますところなく紹介していきます。**

本書を通じて、あなたの人生が、ますます健康で豊かなものになることを願っています。

イントロダクション 断食《ファスティング》――シンプルに「何も食べない」という選択

CHAPTER 1

PART1

座学で断食《ファスティング》

断食《ファスティング》って、そもそも何?

CHAPTER 2

断食《ファスティング》の歴史

CHAPTER 3

断食《ファスティング》の俗説を暴く

CHAPTER 4

断食《ファスティング》を選ぶべき理由

CHAPTER 5

減量のための断食《ファスティング》

CHAPTER 6

やせるためだけじゃない！

2型糖尿病のための断食《ファスティング》

CHAPTER 7

やせるためだけじゃない！

若返って、賢くなるための断食《ファスティング》

CHAPTER 8

やせるためだけじゃない！

心臓の健康のための断食《ファスティング》

CHAPTER 9

空腹感について知っておくべきこと

CHAPTER 10

断食《ファスティング》をすべきではない人

PART2

実践の断食《ファスティング》

CHAPTER 11

どんな断食《ファスティング》があるの？

CHAPTER 12

間欠的ファスティングって、何？

CHAPTER

13

長期間の断食《ファスティング》

CHAPTER 14

さらに長期間の断食《ファスティング》

CHAPTER 15

成功する断食《ファスティング》の秘訣

CHAPTER 16

具体的な「断食《ファスティング》プラン」いろいろ

CHAPTER 17

断食《ファスティング》レストランへ、ようこそ!

pound（ポンド）は、適宜「1ポンド=約0.45キロ」で換算し、表記しています。

ounce（オンス）は、適宜「1オンス=約28グラム」で換算し、表記しています。

inch（インチ）は、適宜「1インチ=約2.54センチ」で換算し、表記しています。

医療監修者による注釈には（＊）を付しています。

WHAT IS FASTING

AND WHY IS IT GOOD FOR YOU?

座学で断食《ファスティング》

膨大な最新エビデンスと機密データを紐解きながら、
頭から“健康体質”になっていきましょう。

PART 1

WHAT IS FASTING

AND WHY IS IT GOOD FOR YOU?

断食《ファスティング》って、そもそも何？

CHAPTER 1

文字通り、「断食」は、“食”を“断つ”ことです。

「どれくらい食べなければいいの？」

「ストイックなダイエットと同じ？」

「……自分にも、できるのかな？」

こんな声が聞こえてきます。

大事なことは、「今より確実に健康になる」ということ。

本書ですすめる断食は、
まったく新しい食習慣なのです。

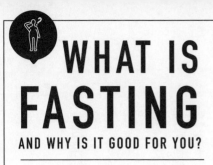

✓ 自発的に食事をコントロールする

肥満と2型糖尿病の治療法として「ファスティング（断食）」を挙げると、必ずあきれたような反応が返ってきます。

「絶食ってこと？」

「患者を飢餓《きが》状態に追い込むの？」

いや、まったくそうではないのです。「飢《う》えろ」というのではなく「食事をしない時間を取り入れてください」とすすめているのです。

ファスティングが飢餓状態とまったく異なる点は、自分で管理できるところにあります。

飢餓は「やむを得ず」食事を放棄することであり、自分の意志やコントロールですることではありません。飢えている人は、次にいつどこで食べられるのかわかりません。このようなことは、戦時中や飢饉《ききん》のときなど、食糧が不足する時代や状況で起きます。

一方でファスティングは、宗教や健康、その他の理由で食事を「自発的に」放棄することです。食べ物はすぐに手に入る状態なのに、食べないことを「選択する」――理由がなんであれ、**ファスティングが自発的であるという事実が、重要な違いなのです。**

✓ 断食に歴史あり

飢餓状態とファスティングは決して混同してはいけないし、これらの用語を同じ意味で使用すべきではありません。

ファスティングと飢餓状態は、趣味でジョギングをするのと、ライオンに追いかけられて走っているのと同じくらい、違います。

飢餓状態は外部の力による強制ですが、**ファスティングは、いつ行ってもかまわないし、期間も数時間から数か月まで好きに選べます。**自分の都合に合わせて（または理由がなくても）、いつでも好きなときに始め、やめたいときにやめていいのです。

ファスティングに「標準的な期間」というものはありません。というのも、ファスティングとは「食べていない状態」のことなので、**食事をしていないとき、あなたは実質的にファスティングを行っていることになる**のです。

たとえば、夕食と翌日の朝食の間に何も食べなければ、あなたは「12時間ほどファスティングをした」ことになります。その意味で、**ファスティングは日常生活の一部**と言えますね。

「朝食（breakfast）」という単語について考えてみましょう。この単語は「ファスティング（= fast-ing）を破る（break）」食事という意味です。誰もが毎日、当たり前のようにやっていることです。

この単語の本当の意味を知ると、ファスティングに対するイメージが変わります。「非日常的で残酷な罰」のイメージとはほど遠いものであり、たとえ短期間であっても毎日行われているのですから、ごくありふれた日常生活の一部だと言えます。

私はファスティングを**「古代の〝やせる〟秘策」**と呼ぶことがあります。

なぜかと言うと、2章で説明しますが、ファスティングが数千年前から取り入れられている手法だからです。**ファスティングの歴史は人類と同じくらい長く、他のどんな食事療法よりもはるかに古い**のです。

では、ファスティングはなぜ「秘策」なのか？

ファスティングは何千年にもわたって実践されてきましたが、食事療法としてはほとんど忘れ去られていました。

「ファスティング」と口にするだけで、怪訝《けげん》な表情をする人もいます……。

いったいなぜ、こうした状況を招いてしまったのでしょうか？

✓ 人が食べないとビジネスにならない

端的に言ってしまえば「大手食品会社が、広告の力によってファスティングの印象を徐々に変えていった」のです。

かつて、体を浄化するための健康的かつ伝統的だった方法が、今では避けるべき恐ろしい行為だと見なされています。

ファスティングはビジネスに悪影響――要するに、人が食べなくなると、食品が売れなくなるからです。その結果、ファスティングはゆっくりと必然的に、禁忌とされてしまったのです。

現在、栄養の「専門家」たちは食事を1回抜くだけでも健康によくない、と主張しています。

朝食は必ず食べなければならない。

1日中、絶えず間食すべきだ。

寝る前におやつを食べたほうがいい。

一食でも食事を抜いてはいけない。

こういったメッセージが、テレビや新聞、本など、あちこちで発信されています。何度も聞いているうちに、それが紛《まぎ》れもない真実で、科学的に完全に証明されているという幻想が生まれます。

でも、真実は正反対です。絶え間ない食事と健康の間に、相関関係はありません。

「専門家」は、「空腹で衰弱するのでファスティングは無理だ」とあなたを納得させようとすることもあります。「難しすぎる。とにかく不可能だ」と。

でも、決してそんなことはないのです。


「私にもファスティングができますか？」

——はい。何千年もの間、世界中で何百万人もの人々が実践してきたことです。

「健康に悪いのでは？」

——いいえ。とてつもない健康上のメリットがありますよ。

「減量できますか？」

——もちろんです。


ファスティングは効果的で、シンプルで、融通がききます。

また、とても実践しやすく、事実上うまくいくことが保証されています。

体重を減らす方法を子どもに尋ねてみたら、「何も食べなければいいんじゃない？」と答えるはずです。

もし、ファスティングにただ1つ問題点があるとしたら、**あなたがファスティングをすると、大手食品会社も、製薬会社も儲からなくなる**ことですね。だから「古代の〝やせる秘策〟」を知ってほしくないのです。

マークの証言

ファスティングのアンチエイジング効果についての資料はたくさん読んでいたけれど、自分で試すのはためらっていたんだ。大事な筋肉がなくなっちゃうのがイヤだったから。

ところが、国際線の長いフライトで、前日の夜から食べていないのに食事が出ないことがあって、結果、「36時間のファスティング」になってしまった。

すると**活力がみなぎり、頭が冴《さ》える**のがわかったんだ。

そのときの経験から、どれだけ長く食事をしないで（食事の必要性を感じないで）いられるかを試すようになった。すると、かなり長い期間、大丈夫そうだとわかったのさ。

初めは心配だったけど、**筋肉や筋力も失っていなかった**。そこが、重要なポイントだったね。

✓ 毎日のファスティングが消滅した

1970年代、人々の典型的な生活では1日3回、朝食、昼食、夕食を摂り、間食（おやつ）は摂りませんでした。「全国健康栄養調査」（NHANES）をまとめたデータによると、1日当たりの食事回数は平均3回です。

私自身、1970年代に子ども時代を送っていたので、よく覚えています。放課後に間食をしようものなら、たいていは「夕食が台無しになるよ！」とひどく叱られたものです。

典型的な1日は、午前8時の朝食、正午の昼食、午後6時の夕食でした。

つまり、1日のうち10時間の間に食事をする――結果、**1日に14時間のファスティングを行う**――ことになり、うまくバランスが取れていたの

図1-1

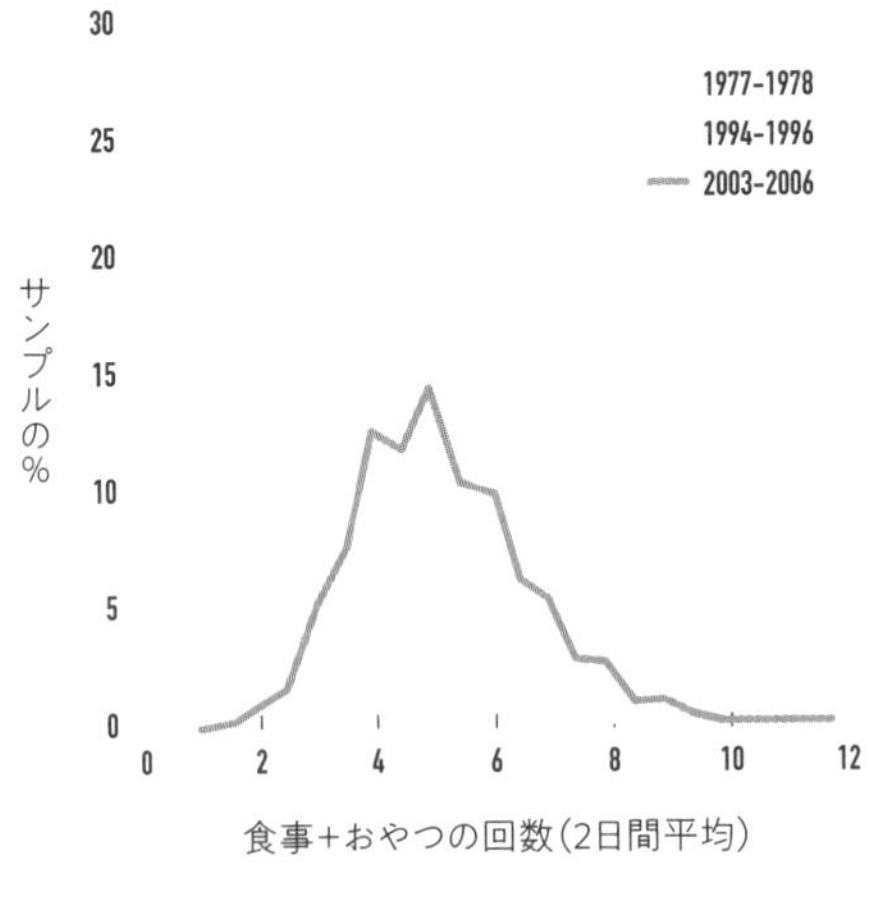

大人が消費する食事とおやつの平均回数は
1977-78年の1日3回から
2003-2006年の1日6回弱に増加。

出典: Popkin and Duffey,
“Does Hunger and Satiety Drive Eating Anymore?”

です。

そしてなんと、当時は肥満も2型糖尿病も、今とは比べものにならないほど問題になっていませんでした。

✓ファスティング経験者 スコット談

ファスティングの一番難しいところは「やる」と決断すること。始めてからやり遂げるまでを想像すると、最初はとても難しく感じられるけど、いったん始めてしまえばこっちのもの！ 簡単なんだ。

✓食べすぎれば太る

時計を進めて現代を見てみると、どうでしょうか？

間食をやめるどころか、大人にも子どもにも、**積極的に間食が奨励されている**ではありませんか！

「間食をこまめに摂ったほうがやせる」とさえ思っている人もいます。

私の息子の典型的なスケジュールを例に考えてみましょう。

起きたらすぐに朝食。

学校では午前中に軽食、それから昼食。

放課後におやつ。

帰宅したら夕食。

さらにサッカーの試合のハーフタイムにも軽食。

（おそらく）就寝前にもおやつ。

実に、食事の回数は1日に6～7回！

これは決して異常ではありません。「全国健康栄養調査」（NHANES）のデータは、**平均的なアメリカ人が1日に5～6回食べる**ことを示しています。

つまり、食事とファスティングの間隔をバランスよく取る代わりに、**現代では1日のうちだいたい16～18時間の間に食事をし、ファスティングはたった6～8時間しかありません。**

肥満が蔓延するようになったのも、不思議ではないと思いませんか？

ファスティングが、想像をはるかに超えて有益である理由を探るために、食べるときとファスティングのときに実際に体内で何が起こっているかを見てみましょう。

✓ 食べると何が起きるのか

私たちは1回の食事で、一度に消費できる以上の食物エネルギーを摂取します。このエネルギーの一部は、後のために貯えておく必要があります。

食物エネルギーの「貯蔵」と「消費」の両方に関与する重要なホルモンが「インスリン」です。

インスリンは食事中に増加します。主に炭水化物とタンパク質によって刺激されるためです。脂肪は単独で摂ることはあまりなく、インスリンに対する影響はそれほど大きくありません。

インスリンには主に2つの機能があります。

1つ目は、体がすぐに食物エネルギーを使えるようにすること。炭水化物は吸収されると、急速に「グルコース（ブドウ糖）」に変わり、血糖値を上昇させます。インスリンは、グルコースが体のほとんどの細胞に直接入れるようにし、それがエネルギーとして消費されます。

タンパク質はアミノ酸に分解されてから吸収され、過剰なアミノ酸はグルコースに変わることもあります。

図1-2

図1-3

タンパク質は血糖値を上昇させませんが、インスリン値を上昇させる可能性があります。一部のタンパク質が、炭水化物を含む食べ物と同じくらいインスリンを刺激できるとは、驚きですね。

脂肪は脂肪として直接吸収され、インスリンへの影響はわずかです。

2つ目に、インスリンは余分なエネルギーを貯えるのに役立ちます。エネルギーを貯えるには2つの方法があります。

グルコース分子は連なって「グリコーゲン」と呼ばれる長い鎖になり、肝臓に貯えられます。ただし、貯蔵できるグリコーゲンの量には制限があり、限界に達すると、体はグルコースを脂肪に変え始めます。このプロセスを、DNL（de novo lipogenesis「新規脂質産生」）と呼びます。

新しく産生された脂肪は、肝臓または体の貯蔵脂肪に保存できます。グルコースを脂肪に変えることはグリコーゲンとして貯蔵するよりも複雑なプロセスですが、産生できる脂肪の量には上限がないのです。

✓ 食べないと何が起きるのか

食べるときに起こる食物エネルギーの貯蔵と消費のプロセスが、ファスティングをすると「逆向き」になります。

どういうことかと言うと、まずインスリン値が下がり、蓄積されたエネルギーの燃焼を開始するように体に信号が送られます。

グリコーゲン（肝臓に貯えられたグルコース）は最もアクセスしやすいエネルギー源であり、肝臓は24時間ほどのエネルギー供給に十分なエネルギーを貯えています。その後、体は貯えられた体脂肪をエネルギー源として分解し始めます。

つまり、**体には2種類の状態しかない**ことがわかります——**摂食（高インスリン）状態とファスティング（低インスリン）状態**です（図1－2、1－3参照）。

「食物エネルギーを貯えている」か、「食物エネルギーを消費している」か、そのどちらかなのです。

したがって、摂食とファスティングのバランスが取れている限り、体重は増えません。

ただし、1日の大部分を食物エネルギーの貯蔵に費やしている場合（摂食状態）、時間の経過とともに体重は増加します。

必要なのは、食物エネルギーを消費している時間（ファスティング状態）を増やしてバランスを取り戻すことです。

摂食状態からファスティング状態への移行は、ファスティング生理学の第一人者であるジョージ・ケイヒル博士による有名な定義にあるように、5つの段階に分かれています。

摂食状態からファスティング状態への移行――5つのフェーズ

(I)摂食フェーズ

食物を吸収すると血糖値が上昇します。そして、グルコースが、これをエネルギーとして消費する細胞内に移動するのに応じてインスリン値が上昇します。過剰なグルコースは肝臓にグリコーゲンとして貯えられるか、脂肪に変換されます。

↓

(II)吸収後フェーズ(ファスティング開始から6〜24時間後)

血糖値とインスリン値が下がり始めます。エネルギーを供給するために、肝臓はグリコーゲンを分解し始め、グルコースを放出します。グリコーゲンの貯蔵時間はおよそ24〜36時間です。

↓

(III)糖新生フェーズ(ファスティング開始から24時間〜2日後)

グリコーゲンの貯えはなくなっています。肝臓は、「糖新生(新しくグルコースを作る)」と呼ばれるプロセスで、アミノ酸から新しくグルコースを産生します。糖尿病患者ではない人の場合、血糖値は下がりますが、正常範囲内に留まります。

↓

(IV)ケトーシスフェーズ(ファスティング開始から2〜3日後)

インスリン値が低いと、脂肪分解(エネルギー源としての脂肪を分解してエネルギーを作ること)が促進されます。

貯蔵に使われる脂肪のかたちである「トリグリセリド（中性脂肪）」は、グリセロール骨格と3つの脂肪酸に分解されます。グリセロールは糖新生（新しくグルコースを作るプロセス）に使用されるため、以前に使われていたアミノ酸はタンパク質合成用に貯えることができます。脂肪酸は、脳以外の体のほとんどの組織でエネルギーとして直接使用されます。

体は脂肪酸を使って「ケトン体」を産生します。

ケトン体は血液脳関門（脳に異物を侵入させないための関所）を通ることができ、脳でエネルギーとして使われます。4日間のファスティング後、脳で使うエネルギーの約75％がケトンによって供給されます。

産生されるケトン体には、主に2種類があります。β－ヒドロキシ酪酸とアセト酢酸です。これらはファスティング中に70倍以上増加する可能性があります。

(V)タンパク質保持フェーズ（ファスティング開始から5日後）

「成長ホルモン」が多量に分泌され、筋肉量と除脂肪組織（筋肉や骨、血液などの脂肪以外の組織）が維持されます。基礎代謝のエネルギーは、ほぼ完全に脂肪酸とケトン体によって供給されます。

血糖値は、グリセロールを使った糖新生によって維持されます。また、ノルアドレナリンの増加が代謝率の低下を防ぎます。通常量のタンパク質の代謝回転がありますが、エネルギーには使用されません。

✓ 脂肪の貯えがあればこそ、筋肉を維持できる

少し専門的な用語が登場しましたが、要するに、ここで説明されているのは**「グルコースの燃焼」から「脂肪の燃焼」へと切り替わっていくプロセス**です。

脂肪は、体に貯えられた食物エネルギーです。食物が不足する期間が続くと、貯えられた食物が自然に放出されて、不足分を補います。体は、脂肪の貯えが使い果たされるまでは、エネルギーを得るために「筋肉を燃やす」ことはありません（3章参照）。

これは人間の体に備わった、自然かつ正常なメカニズムです。

人類の歴史を振り返れば、食物が不足する時期が幾度となくありました。

私たちの体は、旧石器時代の生活で起こるこうした事態に適応するメカニズムを進化させてきたのです。

そうでなければ、「種」として生き残れなかったでしょう。だから、**ファスティングを現代人の生活に再び取り入れても、健康に悪影響がない**のです。

ただし栄養失調の場合は例外です。栄養失調の人は当然、ファスティングをすべきではありません。また、極端なファスティングは栄養失調を引き起こすこともあります。

ファスティングをしても体は「シャットダウン」しません。食物から摂るか、それとも体に貯えた脂肪から摂るか――**エネルギー源を変えているだけ**なのです。このエネルギー源の切り替えは、ファスティングにいくつかのホルモンが適応することで行われます。

図1-4

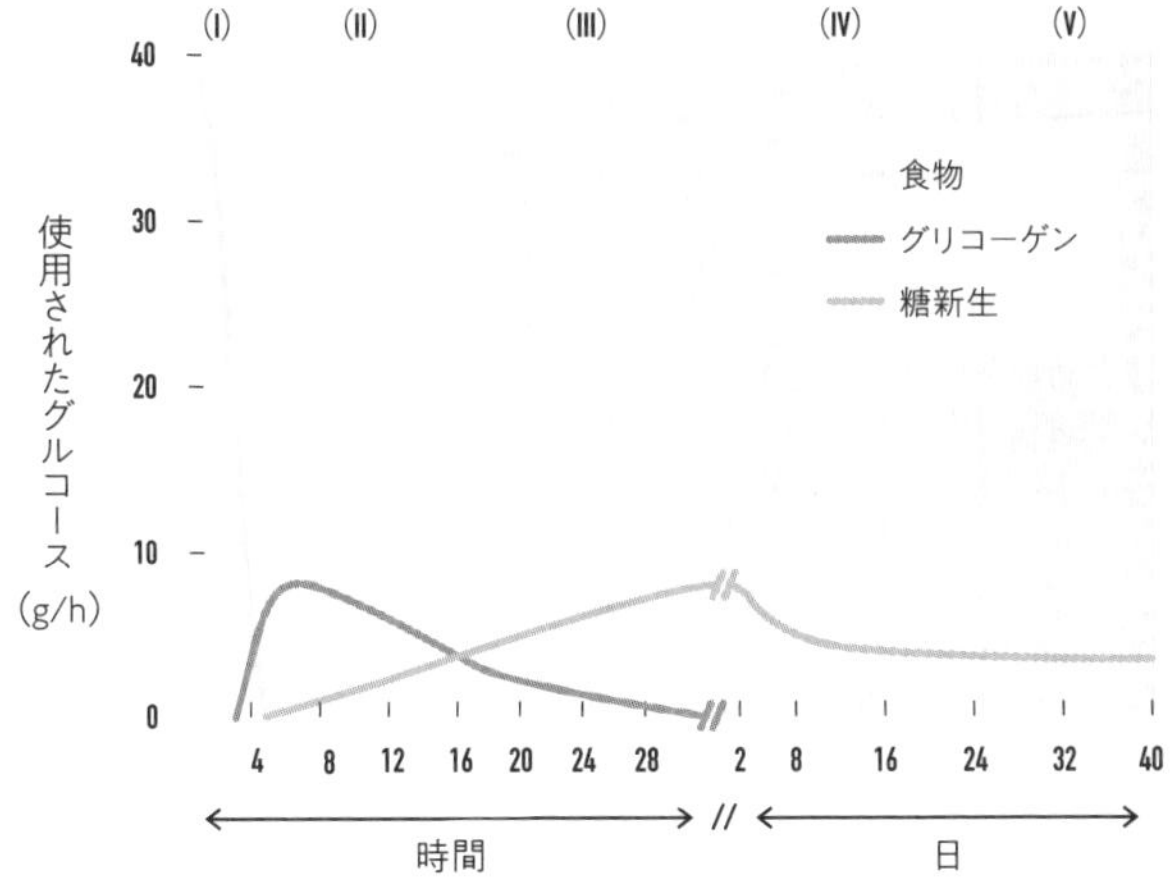

代謝の5つの段階。ファスティング中は、貯えられたグリコーゲンを分解し、
糖新生により新しいグルコースを産生することで血糖値が維持される。

図1-5

	摂食(I)	吸収後(II)	糖新生(III)	ケトーシス(IV)	タンパク質保持(V)
血糖の源	食物	グリコーゲン 糖新生	糖新生 グリコーゲン	糖新生	糖新生
グルコースを使う組織	すべて	肝臓を除くすべて。筋肉と脂肪組織が減少した値で。	肝臓を除くすべて。筋肉組織および脂肪組織が、IIからIVの間の値で。	脳、赤血球、腎髄質。筋肉は少量。	脳が減少した値で。赤血球、腎髄質。
脳の主要なエネルギー源	グルコース	グルコース	グルコース	グルコース、ケトン体	ケトン体、グルコース

出典: Cahill, “Fuel Metabolism in Starvation”

✓ 何を食べてもインスリン値は上昇する

インスリン値の低下は、ファスティングのホルモンへの影響として、最も一貫して見られます。

すべての食物は、インスリン値をある程度上昇させます。インスリン値を最も上昇させるのは、精製された炭水化物です。インスリン値の上昇が最も少ないのは、脂肪分の多い食物です。

インスリン値はどちらを摂取しても上昇します。

したがって、**インスリンの分泌を減らす一番効果的な方法は、すべての食物を完全に避けること**なのです。

ファスティングの初期段階では、インスリン値と血糖値は低下するものの正常範囲に留まり、グリコーゲンの分解と糖新生により維持されます。グリコーゲンが使い果たされた後、体はエネルギー供給のために脂肪燃焼に切り替え始めます。そのため、長時間のファスティングのほうがインスリンを劇的に減少させます。

定期的にインスリン値を下げると「インスリン感受性」が向上します――つまり、**体がインスリンに敏感になる**のです。

インスリン感受性の反対である「インスリン抵抗性」は、2型糖尿病の根本的な問題であり、次のような多くの病気にも関連しています。

□心臓病　□脳卒中　□アルツハイマー病　□高コレステロール
□高血圧　□腹部肥満　□非アルコール性脂肪肝炎（脂肪肝）
□多《た》嚢《のう》胞《ほう》性《せい》卵巣症候群　□痛風　□アテローム性動脈硬化　□逆流性食道炎（GERD）
□閉塞《へいそく》性睡眠時無呼吸　□癌

インスリン値を下げると、余分な塩分と水分が除去されます。インスリンは腎臓に塩分と水分をため込む原因であることがよく知られていますが、低炭水化物ダイエットがしばしば利尿による余分な水分の排出を引き起こすのはこのためです。

実際に、低炭水化物ダイエットで失われる初期体重の多くは水分です。利尿により、腹部膨満感が軽減され、体が軽くなったと感じる人もいます。血圧が下がる人もいます。

図1-6

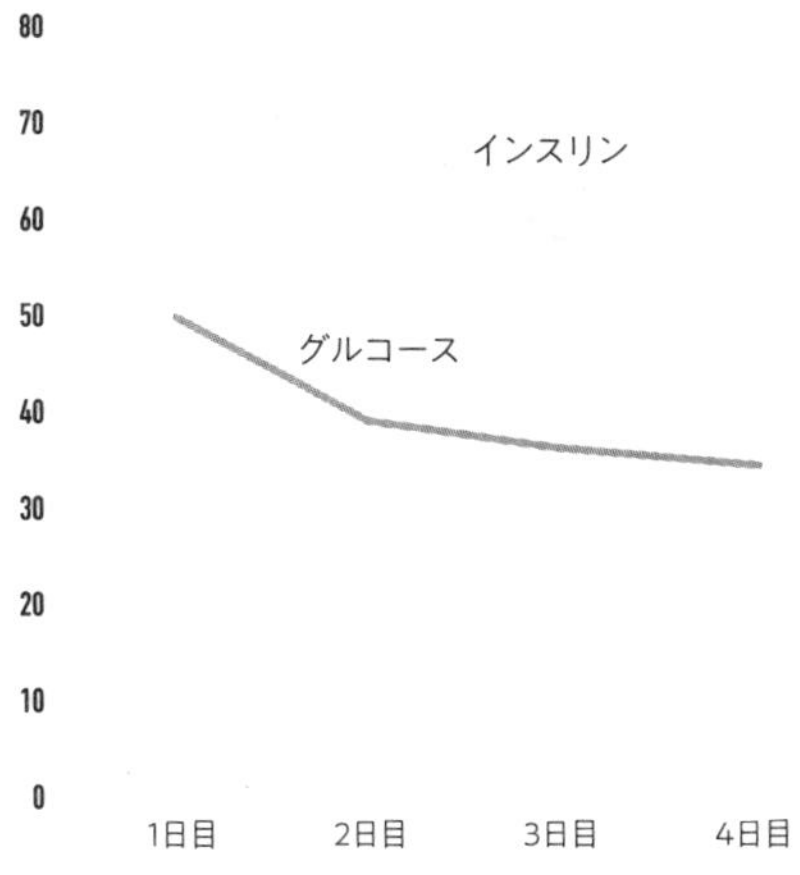

4日間にわたる長期間ファスティングは、
インスリン値および
血糖値の低下につながる。

出典：Zauner et al., “Resting Energy Expenditure in Short-Term Starvation Is Increased as a Result of an Increase in Serum Norepinephrine.”

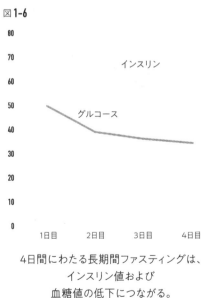

✓ ファスティングをしても電解質は安定したまま

電解質とは血液中の特定のミネラルのことです。

ナトリウム、塩素、カリウム、カルシウム、マグネシウム、リンなどがあります。体は健康維持のために、電解質の血中濃度をきわめて厳重にコントロールしています。

ファスティングに関する長期にわたる研究では、電解質のバランスが崩れるというエビデンスはありません。**ファスティング中に電解質を安定させるメカニズムが、体には備わっている**のです。

ナトリウムと塩素について

これらのミネラルは主に塩に含まれています。1日の塩分の必要量はきわめて少ないのですが、私たちのほとんどは塩分を過剰摂取しています。

短期間のファスティングでは、塩分が不足する心配はありません。

長期間のファスティング（1週間以上）の場合は、腎臓が体に必要な塩分のほとんどを再吸収し、保持することができます。ただし、多少の塩分補給が必要になることが稀にあります。

カリウム、カルシウム、マグネシウム、リンについて

カリウムの値は、ファスティング中にわずかに減少する場合がありますが、通常の範囲内におさまります。

マグネシウム、カルシウム、リンの値もファスティング中は安定しています。

これらのミネラルのほとんど——人体の99％——は骨に貯蔵されています。通常、一部のミネラルは便と尿から失われますが、ファスティング中は損失が最小限に抑えられます。

ただし、子どもや妊娠中・授乳中の女性には、これらのミネラルが継続的に必要なので、ファスティングは推奨できません（10章参照）。

その他のビタミンおよびミネラルについて

一般的なマルチビタミンのサプリメントを毎日摂れば、1日当たりに推奨される微量栄養素を摂取できます。

治療目的の382日間のファスティングを、マルチビタミンの摂取のみで行ったところ、健康への悪影響なく、持続できました。しかも、ファスティングを行ったその男性は、ファスティング期間中、ずっと爽快な気分で過ごすことができたのです。

水とビタミン摂取だけの監視つきのファスティングを最長117日間続けた実験では、血清電解質、脂質、タンパク質、アミノ酸の値に変化がないことが、研究者によって確認されました。さらに、この長期間のファスティングの間に空腹感に苦しんだ人は、ほぼ皆無だったこともわかりました。

図1-7

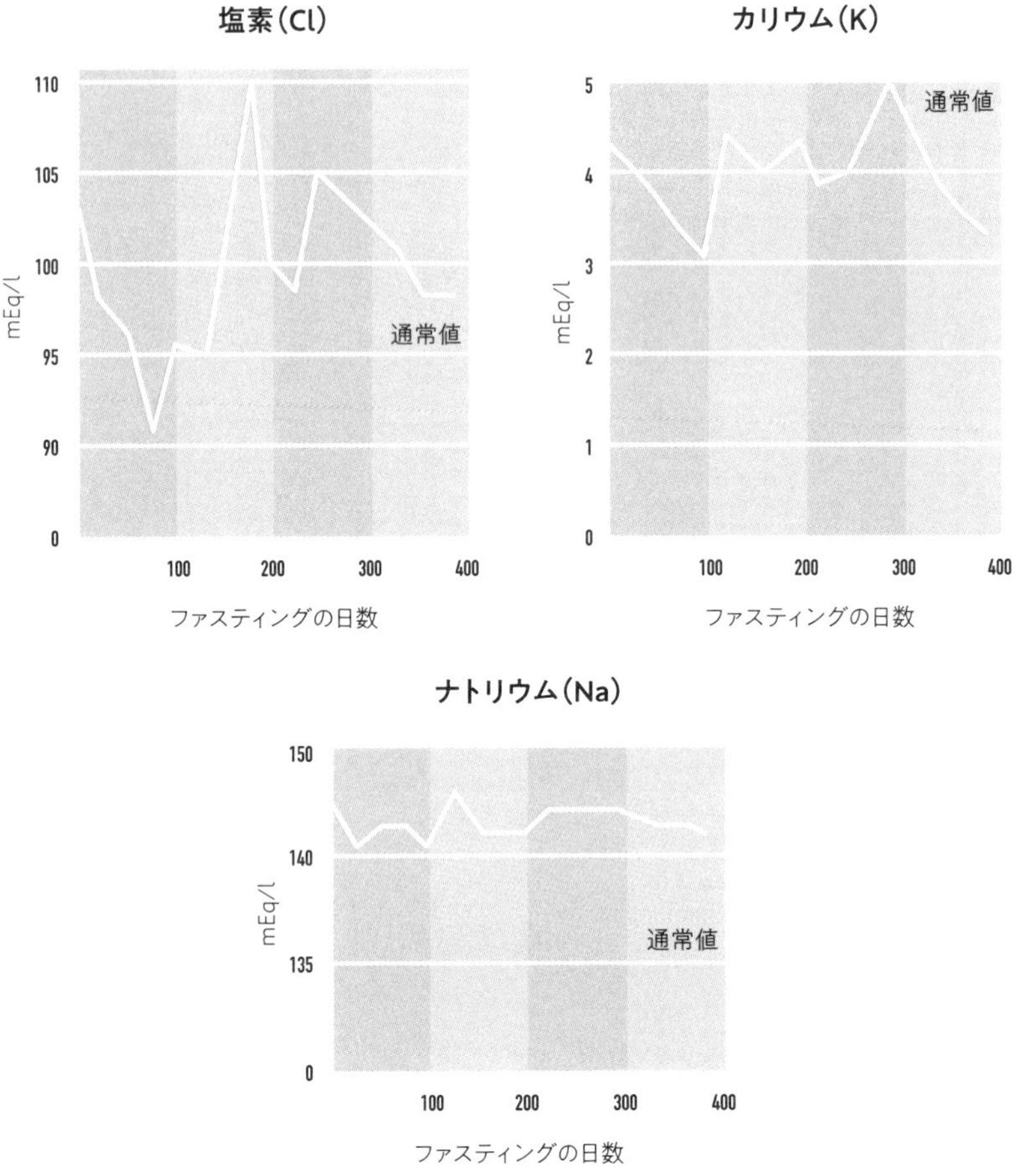

電解質は長期間のファスティング中も安定している。

出典:Data from Stewart and Fleming, "Features of a Successful Therapeutic Fast of 382 Days' Duration."

✓アドレナリンの増加と代謝のスピードアップ

ほとんどの人は、ファスティングをすると疲れやすくなったり、エネルギーがなくなったように感じるのでは……と不安に思うでしょう。

しかし実際には大多数の人が、**まったく逆の経験**をしています。**ファスティング中はエネルギーが満ちて、活力が得られる**のです。

その理由の1つは、引き続き体に〝燃料〟が供給されるからです。**食べ物を燃やすのではなく、脂肪を燃やすことで、エネルギーを得ている**のです。

もう1つの理由は、貯蔵されたグリコーゲンを放出し、**脂肪燃焼を促進するためにアドレナリンが使われる**からです。

この作用は血糖値が高い場合でも起こります。アドレナリン濃度が上昇すると、元気が出ると同時に、代謝が活発になります。複数の研究から、4日間のファスティングの後に、安静時のカロリー消費が12％増加したことがわかっています。

ファスティングをすると、代謝が落ちるのではなく、代謝が改善されるのです。

✓ 成長ホルモンが増える

成長ホルモンは脳下垂体から分泌され、名前が示すように、子どもや青少年の正常な発達に大きな役割を果たしています。

分泌量は思春期にピークに達し、年齢とともに徐々に低下します。成人の場合、成長ホルモン濃度が低すぎると、体脂肪が増え、筋肉量が減り、骨密度が低下します（骨減少症）。

成長ホルモンは、コルチゾール（185ページ参照）やアドレナリンと同じく、「インスリン拮抗ホルモン」です。これらのホルモンは、グルコースの利用可能性を高めるように体に信号を送ることで、**血糖値を下げようとするインスリンに対抗**して、血糖値を上げようとします。

インスリン拮抗ホルモンの分泌量は、目覚める直前の午前4時頃にピークに達し、夜間に低下した血糖値を上げようとします。血糖値を上げることで、多くのグルコースをエネルギー源に使えるように、次の日に向けて体を整えるのです。

また成長ホルモンは、「リポタンパク質リパーゼ」や「肝性リパーゼ」などの重要な酵素の値を上げることで、脂肪をエネルギー源として使いやすくします。脂肪が燃焼するとグルコースの必要性が減るので、安定した血糖値の維持につながります。

老化現象の多くは、成長ホルモンの分泌量の少なさが原因です。

成長ホルモンの値が低い高齢者に成長ホルモンを補充すると、アンチエイジングに大きな効果が見られます。

男性を対象としたあるランダム化比較試験では、成長ホルモンを半年間補充すると、除脂肪量（骨と筋肉の量）が3・7キロと驚異的に増え、脂肪量が2・4キロ減少しました。女性を対象とした試験でも同様の結果が出ています。

ただし、自分の体で作られていない成長ホルモン（外因性成長ホルモン）を補充すると、副作用のリスクがあります。

前糖尿病（糖尿病予備軍）のレベルまで血糖値が上がる可能性があるのです。

また、血圧が上昇する他、理論上、前立腺がんと心臓病のリスクの増加が考えられます。

そのため、外因性成長ホルモンの注射が使われることは稀です。

しかし、**成長ホルモンを自然に増やすことができる**としたら、どうでしょう？

食事は成長ホルモンの分泌を強く抑制するため、1日に3食を摂ると、日中は成長ホルモンが分泌されなくなります。さらに悪いことに、食べすぎると、成長ホルモンの分泌が80％も抑制されるのです。

成長ホルモンの分泌を自然に刺激するのに最も効果的なのが、ファスティングです。

ある研究では、5日間のファスティングによって、成長ホルモンの分泌が2倍以上になりました。

ファスティング中は、通常通り早朝に分泌量が増加します（拍動性）。それに加えて、1日中規則的に分泌すること（非拍動性）が確認されています。ファスティング中は、拍動性と非拍動性の両方の成長ホルモンの分泌が増加します。

興味深いことに、**食事を超低カロリーにしても、これだけの成長ホルモンの分泌量にはなりません。**

宗教的な目的で行う40日間のファスティングについての研究では、成長ホルモンがベースライン値の0・73ng／mℓから最大値9・86ng／mℓに増加しました。成長ホルモンが実に、1250％も、薬を使わずにファスティングだけで増加したことになります。

また、1992年の研究では、**2日間のファスティングで成長ホルモンが5倍になった**ことが確認されました。

図1-8

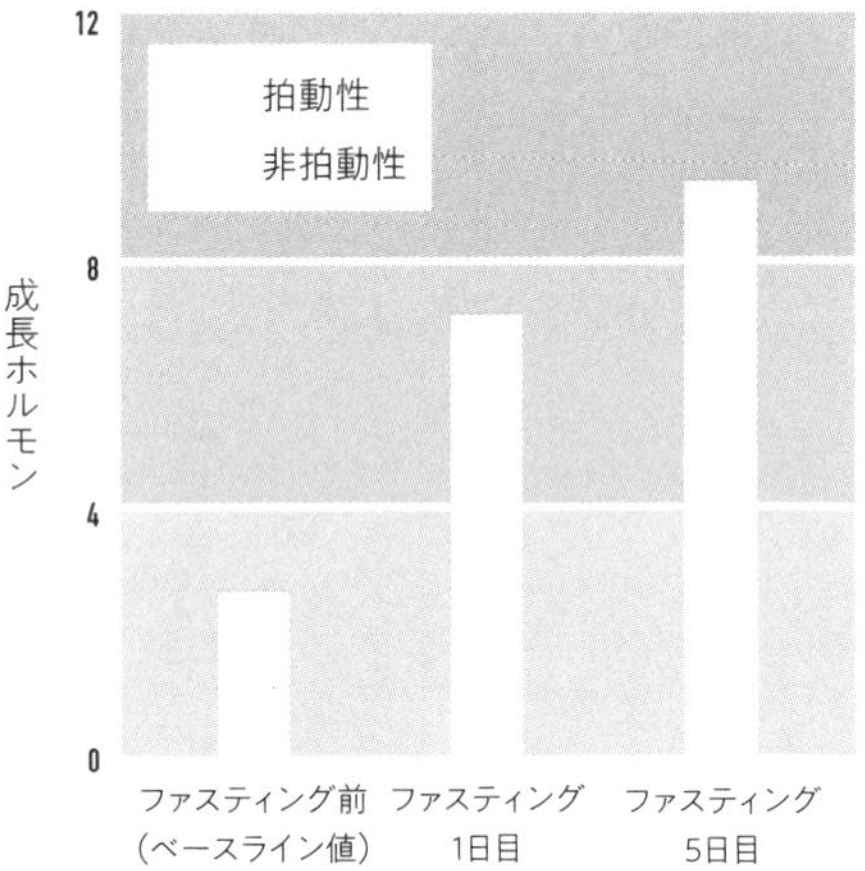

ファスティングは
成長ホルモンを大幅に増加させる。

出典：Cahill, “Fuel Metabolism in Starvation.”

✓ 健康的な食事の重要性

もちろん、ファスティングは万能薬ではありません――**健康的に食べることもやはり大切**です。

現代医学の最大の課題は、「メタボリックシンドローム」と総称される肥満、2型糖尿病、高血圧、高コレステロール、脂肪肝などの「代謝性疾患」です。これらの病気のいずれかがあると、心臓病、脳卒中、癌、早死《はやじ》にのリスクが非常に高くなるのです。

そしてメタボリックシンドロームの原因は西洋式の食事、つまり大量の砂糖、高果糖コーンシロップ、人工香料、人工甘味料、精製された穀物への過度の依存にあります。昔ながらの食事パターンを維持できている社会では、これらの代謝性疾患に悩まされることはありません。

本書では、現代社会では事実上忘れ去られた昔ながらの食事パターンである**「間欠的ファスティング」**（12章参照）に焦点を当てています。

ただし、これは解決法の一部にすぎません。最高の健康状態であるためには、生活にファスティングを取り入れるだけでは十分とは言えないのです。健康的な食事パターンにも意識を向ける必要があります。

アスリートにとってのファスティングのメリット

ホルモン量の変化は、とりわけアスリートにとって有益です。

第一に、ファスティング中に除脂肪量（骨と筋肉の量）を維持できるという生理学的効果は、アスリートにとっては最大のメリットです。

第二に、研究の数は多くないものの、成長ホルモンの分泌量が多いと、激しいトレーニングから回復する時間が縮まる可能性があります。

また、アドレナリンが増加することで、より激しいトレーニングが可能になるのです。

つまり**ファスティングをすれば、アスリートはもっと厳しいトレーニングができる上に、より速く体力を回復させることができる**わけです。そこで多くのトップクラスのアスリートたちが「ファスティング状態でトレーニングする」ことのメリットに注目し始めています。

ファスティングしながらトレーニングすることを早くから支持していたアスリートの多くが、ボディビル経験者であるのは偶然ではありません。

ボディビルは、高強度のトレーニングときわめて低い体脂肪率を要求するスポーツです。〝Eat Stop Eat〟の著者であるブラッド・パイロンと、「リーンゲインズ」というファスティング・メソッドを普及させたマーティン・バークハンは、どちらもボディビルダーです。

✓ 健康的な食事とは、具体的に何を食べるのか

健康的な食事パターンを定義する際に、主要栄養素の組み合わせだけに頼ろうとする傾向があります。主要栄養素は3つしかありません——炭水化物・脂肪・タンパク質です。専門家が推奨する「健康的な」食事の多くは、この3つの割合を指定したものです。

たとえば、昔の「国民のための食生活指針」では、食事脂肪（食べ物に含まれる脂肪）を総カロリーの30％未満に抑えるようにすすめています。加工食品のパッケージに栄養成分とカロリーの表示が広く採用されたことで、残念ながらこの見方がさらに強まってしまいました。

一見すると科学的に思えるものの、**こういった推奨事項には、まったく根拠がない**のです。

主要栄養素に基づくガイドラインは、すべての脂肪が等しく、すべての炭水化物が等しく、すべてのタンパク質が等しくあることが前提となっています。

しかし、これは明らかに間違いです。**エキストラバージンオリーブオイルもトランス脂肪酸のマーガリンも、ともに純粋な脂肪ですが、同等ではありません。**

私たちの体は、それぞれの脂肪にまったく異なる反応をします。

天然のサケのタンパク質は、高度に精製されたグルテン（穀物に含まれているタンパク質）とは違います。

砂糖の炭水化物は、ブロッコリーやケールの炭水化物とは違います。

白パンと白インゲン豆は同じではありません。

私たちの体が、こういった異なる食物を異なる方法で代謝することは、簡単に測定可能であり、すぐに見分けることができます。

✓インスリン値を下げたいなら「何も食べない」こと

同じことは、カロリーにも当てはまります。

カロリー制限を指定する食事のガイドラインでは、すべてのカロリーが等しいと想定していますが、**100キロカロリーのグリーンサラダを食べても、100キロカロリーのチョコレートチップクッキーのようには太りません。**

主要栄養素に基づくガイドラインやカロリー制限に頼ろうとすると、食べることが必要以上に複雑になります。

私たちは、特定の割合の炭水化物・脂肪・タンパク質を摂取するわけではないのです。日々、さまざまなものを食べますが、その中には他の食べ物より太りにくいものもあれば、太りやすいものもあります。

だから**「特定の栄養素」ではなく「特定の食べ物」を摂るか否かに注目するのが、最善のアドバイス**なのです。

高いインスリン値が続くことが、すべての代謝性疾患の根本原因です。そのため、メタボリックシンドロームの人にとっては、食べ物がインスリンの分泌を促す仕組みに意識を向けることが、特に重要です。

ファスティングは、インスリン値を下げることに関しては究極の武器です。

なぜかと言うと、あらゆる食べ物は程度の差こそあれインスリン分泌を促すため、**インスリン値を下げる最善の方法は「何も食べない」こと**だからです。

ただし、無期限にファスティングを行うことはできません。

そこで、インスリン値を下げるための「簡単な食べ方のルール」をいくつか紹介します。

ルール1 「未加工の食品」を「丸ごと」食べる

人間は進化の過程で、健康に悪影響を与えることなく幅広い種類の食物を摂ることができるようになりました。

イヌイットの人々は伝統的に、食事に占める動物性食品の割合がきわめて高く、脂肪とタンパク質を多く摂ります。沖縄地方では、昔から根菜中心の食事をしており、炭水化物を多く摂ります。

どちらの人々も、昔は代謝性疾患とは無縁でした。代謝性疾患が現れたのは、食事の西洋化が増加した後のことです。

人間の体は、高度に加工された食べ物を摂取できるようには進化していません。こういった食べ物を処理するときには、主要栄養素、食物繊維、微量栄養素の自然なバランスが完全に崩れてしまうのです。

たとえば、小麦の実から脂肪とタンパク質を除去してできた「白い小麦粉」は、ほぼ純粋な炭水化物になります。小麦の実は自然の産物ですが、白い小麦粉はそうではありません。また挽《ひ》いた粉が非常に細かいため、炭水化物が血流へ吸収されるスピードが格段に上がるのです。

他の加工穀物のほとんども、同じ問題を抱えています。

私たちの体は、自然の食物を処理するように進化してきたので、不自然な食べ物を摂ると、結果として病気になるのです。

美しい外車、赤いフェラーリを想像してみてください。ドアとホイールを取り外し、自転車のタイヤとトラックの錆《さ》びた青いドアを追加するという「処理」を行うと、どうなるでしょう？　もはや同じ車ではなくなってしまいますね。

炭水化物を含む食物が、本質的に不健康なのではありません。問題は、こういった食物を自然な状態から変化させ、大量に消費するときに起こります。

同じことは加工された脂肪にも当てはまります。加工処理をすることで、比較的無害な植物油が、トランス脂肪酸を含む脂肪に様変わりするのです。トランス脂肪酸の危険性は、現在では広く知られています。

食物は、「生きているもの」か、「地面から生えているもの」が、自然の状態です。シリアルの「グラノーラ」の箱は土から生えてきませんね。**袋や箱に包装されたもの、栄養表示があるものは、避けるべき**です。

ブロッコリーであれ牛肉であれ**「本物」の食べ物にはラベル表示がない**のですから。

健康的な食事の秘訣は、「本物」の食べ物だけを摂ることです。

ルール2&3 「砂糖」と「精製された穀物」を避ける

加工食品はすべて避けることが望ましいです。とはいえ、常に100％避けるのは難しいでしょう。

そこで、どの食べ物が最も悪いのかを認識することが重要になるわけです。

知っていれば、避けることができるのですから。

メタボリックシンドロームの人に限らず、すべての人にとって最も重要なのは、砂糖と精製された穀物（たとえば小麦粉やトウモロコシ製品）を避けることです。これらの食べ物は、たとえ同じカロリーであっても他の食べ物よりも太りやすいからです。だから低炭水化物ダイエットが減量に効果的なのです。

ルール4 「天然脂肪」を多く含む食事を摂る

何十年もの間、食事で摂る脂肪こそが最大の敵だと考えられてきました（低脂肪ダイエットにまつわる誤解については、5章で減量、8章で心臓の健康との関連について詳述）。

しかし、健康の専門家たちは徐々に、脂肪が不当に標的にされていたと気づくようになりました。

その流れで、「健康的な脂肪」という用語はかつて矛盾した言葉だと考えられていましたが、今では当たり前のように受け入れられています。

以前は避けられていたオリーブオイル、ナッツ、アボカドなどの一価不飽和脂肪酸を多く含む食べ物は、きわめて健康的であるため、現在では「スーパーフード」と見なされています。

また、天然のサケなど脂肪分の多い魚を摂ると、心臓病のリスクが低下することが証明されました。さらに、肉や乳製品に含まれる天然の飽和脂肪酸が健康に無害であることを示すエビデンスが続々と発表されています。

ルール5 「脂肪代替品」を減らす

しかし、すべての脂肪が無害なわけではありません。

ショートニング、揚げ物、マーガリン、ケーキやクッキーといった焼き菓子などの食べ物に含まれる、部分的に水素添加された植物油には、トランス脂肪酸が含まれています。

私たちの体はトランス脂肪酸をうまく処理することができません。

トランス脂肪酸は、悪玉コレステロール（LDL）を上昇させ、善玉コレステロール（HDL）を低下させるため、心臓病や脳卒中のリスクが高まります。

コーン油、ヒマワリ油、キャノーラ油など、高度に加工された植物油は、かつて「心臓に良い」と考えられていました。

コーン油は天然脂肪と間違えやすいかもしれませんが、トウモロコシは自然のままでは油っぽくない食物です。スーパーで安く買えるコーン油ボトル1本分を満たすためには、トン単位の大量のトウモロコシを処理する必要があります。さらに、最近のデータが示すように、こういった油には、アレルギーや炎症を促進しやすい「オメガ6脂肪酸」が非常に多く含まれているのです。

オメガ6脂肪酸の摂取はある程度は必要です。しかし、私たちは過去の10～20倍の量を摂っている可能性があり、オメガ6脂肪酸とオメガ3脂肪酸（青身の魚、ナッツ、種子などに含まれる）の摂取のバランスが崩れると、全身性炎症反応を引き起こします。これは心臓病、2型糖尿病、炎症性腸疾患、その他の慢性疾患の要因です。

健康の鍵となるのは、健康的な脂肪を摂ることです。

そして、部分水素添加油脂や高度に加工された植物油などの脂肪代替品を摂らないようにすることです。

良い栄養の摂り方の基本は、次の簡単なルールに要約できます。

ルール1「未加工の食品」を「丸ごと」食べる
ルール2「砂糖」を避ける
ルール3「精製された穀物」を避ける
ルール4「天然脂肪」を多く含む食事を摂る
ルール5「脂肪代替品」を減らす

✓ さまざまな種類のファスティング

ファスティングにはさまざまなやり方があり、「正しい」方法というのはありません。「完全なファスティング」では、食物と水分の両方を断ちます。これは宗教的な目的で行われる場合があり、たとえばイスラム教の伝統であるラマダーンの断食月では、この期間の日の出から日没までの間、食べ物と飲み物を摂りません。

医学的に見ると、このようなファスティングは、食物の制限による絶食と、水分の制限による脱水を組み合わせたものです。

こういった完全なファスティングは身体的に厳しいため、継続期間がかなり短く制限されます。

健康を目的として完全に飲食を断つことは、一般的に推奨されません。脱水症状に健康上のメリットはなく、苦しさに見合うほどのものが得られるとは言えないからです。

完全なファスティングは、合併症のリスクもはるかに高くなります。

本書の後半では、さまざまな種類のファスティングのスケジュール例を紹介しています（16章参照）。

「間欠的ファスティング」は、比較的に**「短めのファスティング（24時間未満）」**または**「長めのファスティング（24時間以上）」**の両方で、効果的に実践することができます。**「長期にわたるファスティング（3日以上）」**もまた、減量や健康改善の目的で安全に試すことができます。

ファスティングで効率よく結果を出すための「ベストプラクティス」（11章参照）として一般的にすすめているのは、ノンカロリーの水分（水、お茶、コーヒー）と栄養が豊富な自家製ボーンブロス（427ページ参照）をたくさん摂ることです。

✓ファスティングの恩恵をもっと暮らしに！

「ファスティングの潜在的な副作用は？　血糖値の上昇？」

――いいえ。


「血圧の上昇？」

――いいえ。


「癌のリスクが高まる？」

――いいえ。


実際には、ファスティングには逆の効果があります。

血糖値の低下、血圧の低下、癌のリスクの低下です。

さらに、成長ホルモンの増加によるあらゆる恩恵を受けることができるのです。

ファスティングをして疲れることはありません。

ファスティングは筋肉を燃焼させません。

ファスティングで飢餓状態になって、ソファで丸まってぐったりすることはないのです。

むしろファスティングは、成長ホルモンの分泌量を増やし、アンチエイジング効果をたっぷりともたらしてくれます。

次章以降では、減量（5章）と2型糖尿病（6章）に役立ち、「脳のパワー」を高めて老化を遅らせ（7章）、心臓の健康を改善する（8章）ファスティングの効果について、くわしく紹介していきます。

薬にもサプリメントにも頼らず、コストもかけずに、こんなにも健康上の恩恵を得ることができるのです。

FASTING SUCCESS STORY

【ファスティング成功体験談】サマンサの話

✓ 多嚢胞性卵巣症候群に罹ってしまう

私は1999年に、多嚢胞性卵巣症候群（PCOS）と診断されました。

多嚢胞性卵巣症候群はインスリン抵抗性に関連する病気です。体重増加、多毛症、黒色上皮腫《こくしょくじょうひしゅ》と呼ばれる皮膚病変、糖尿病の早期発症などの恐ろしい症状を引き起こします。

多嚢胞性卵巣症候群を改善するために、天然ハーブ療法やプロゲステロン療法などを試しましたが、どれも効き目がありませんでした。

✓ どんなことがあっても避けたかった「糖尿病」

2015年5月、37歳のときに2型糖尿病と診断されました。

なんとか予防しようと努力していただけに、ショックでした。祖母は何年も2型糖尿病に苦しみ、血栓ができて、両手の自由と両目の視力を奪われました。最終的には2型糖尿病による合併症で亡くなっています。

義母は62歳で糖尿病関連の心臓発作で亡くなりました。

近所には、2型糖尿病が原因で足を失ったご高齢者が2人います。

糖尿病で苦しむ人を身近でずっと見てきたので、この病気の怖さは誰よりも知っていました。

それなのに、**恐れていた病にとうとう自分自身が罹ってしまった**のです。

「おそらく60歳までしか生きられないのかもしれない」

「運良く生きられたとしても、せいぜい70歳くらいまでだろう」

そう思い、私はひどく落ち込みました。

✓ 医師の言葉で、絶望のどん底へ

医師も私に希望を与えませんでした。

私を診察した女性医師は、こう言いました。

「糖尿病は進行性疾患です。私が処方する薬は、糖尿病の影響を約10年遅らせるのに役立つと思います。でもその後は、起こり得るあらゆる症状のいくつか、あるいはすべてを、あなたは経験することになるかもしれませんね。視力が低下したり、足が思うように動かせなくなったり、場合によっては足首から先が使えなくなるかもしれません。四肢のすべてを失う可能性もあります。手の感覚がなくなることもあります。高血圧は、脳卒中や心臓発作を引き起こす可能性があります。体のさまざまなところが痛むかもしれません……」

「食事と運動で治すことはできないのですか？」と尋ねましたが、その女性医師は「糖尿病は進行性疾患です」を、判で押したように繰り返すだけでした。

「薬に頼りたくない」という必死の思い

私は希望を見いだそうとしました。

「ほんのわずかでもいいから、2型糖尿病に打ち勝つチャンスがあれば……」と藁《わら》にもすがる思いでした。

しかし医師は、糖尿病と高血圧と高コレステロールの治療のための4種類の処方箋を私に手渡しただけ……でも私は、**薬を服用するつもりは毛頭なかった**のです。

私の知り合いで糖尿病の薬を服用した人は全員、惨めな闘病生活を送り、最終的に亡くなっていたからです。

その夜、数時間かけてネット検索して、ジェイソン・ファン医師を見つけました。ファン医師は私が調べた中で、食事の変更を推奨するだけではなく、**ファスティングが2型糖尿病治療の鍵である**と指摘する、唯一の人物でした。

もちろん、そんな提案をする人は、ファン医師以外にいませんでした。

✓ ファスティングを始めてすぐに体重が減った

私はすぐに、**水だけを飲むファスティング療法**を始めました。

主に3〜5日間のファスティングを試したのは、早く結果を出したかったからです。間違ったものを食べて失敗したくもありませんでした。

減量ではなく2型糖尿病の克服が目的でしたが、それでも最初の月は5・4キロ減、その後の1か月で2・7キロ減、**4か月で合計13・6キロもやせました**――体重が116・1キロから102・5キロになったのです。

1日おきのファスティングで代謝が遅くなることはありませんが、複数日のファスティングでは少し遅くなるようでした。

でも、インスリン感受性の改善については、短期と比べて長期間のファスティングをするだけの価値がありました。

定期的なファスティングに加えて、食事も変えました。

ファン医師は、加工食品の摂取を制限し、未加工の食品を丸ごと食べる方法を推奨していましたが、どの食事法が最適かについては指摘していませんでした。

私は低炭水化物ダイエットを選択しました。

以前は、すべての食事の基本が、米かパスタなどの炭水化物ばかりだったのですが、**肉と野菜だけも十分**であることを学んだのです。

私の食事は、ブルガー小麦、細かく刻んでソテーしたカリフラワー、キンシウリ（西洋カボチャ）、またはバターをたっぷりつけて味つけをした野菜が基本になりました。

お腹も満たされるしおいしさも増すので、毎食チーズとナッツも摂るようにしています。

さらに、チリソースとバルサミコ酢とキシリトール、そして、手羽元を焼くときに出る脂を使った甘くてスパイシーな鶏の手羽元の調理法も覚えました。

✓ 糖尿病の診断後4か月で血糖値が正常に

ファスティング療法の最初の1か月は、マルチビタミン、マグネシウム、ビタミンB群、ビタミンDを毎日摂取しました。

2か月目は、マグネシウムとビタミンB群、カリウム、ヒマラヤ岩塩ピンクソルトのみを摂りましたが、これらはなぜか、手足の冷えを和らげてくれました。

3か月目から、1日当たり500〜1000μgのクロムの摂取を開始しましたが、これが食事から2時間以内に血糖値を食前のレベルにまで下げる（通常は4時間程度かかる）のに、本当に役立ったのです。

2015年9月、**2型糖尿病と診断されてファスティング療法を始めてから4か月後に、初めて血糖値が70台になりました。**自分にはあり得ない数値だったので、正常値を改めて調べ直してしまったほどの驚きでした。

✓ 20歳の頃より今のほうが絶好調

期待してはいませんでしたが、**ファスティングは多囊胞性卵巣症候群も治してしまったのです。**

これほどの健康を実感したのは生まれて初めてのことでした。

軍隊時代、体脂肪率が21%で、1日約5〜8キロを週5日走っていた20歳のときでさえ、今ほどの健康状態ではなかったでしょう。

症状ごとの変化は、次の通りです。

改善した症状1　しびれ、むくみ、ほてりがなくなった

ファスティングを始めた直後に、左足首から先のうずき、しびれ、むくみ、ほてりが消えてなくなりました。左ふともも付け根のほてりは消えるのに時間がかかりましたが、4か月後に完全に和らいだのです。以前あった指のしびれは今ではめったになく、しびれても左の小指だけです。

改善した症状2　感染症に強くなった

慢性的な膣カンジダ症にも悩まされていましたが、それも今はなくなりました。多嚢胞性卵巣症候群が原因の多毛症もありましたが、顔の毛は薄くなり、残っている毛も細かくやわらかくなりました。髪の毛も以前よりやわらかくなりました。乾燥してフケが落ちることもなくなり、自然な潤いがあります。

改善した症状3　やせてスタイルも良くなった

ウエスト周りが細くなり、お尻の形も良くなりました（……主人に指摘されて気がつきましたが、やはり嬉しかったです）。

ファスティングを開始してわずか2か月後の7月の初めから、月経周期も毎月規則正しくなりました。

血圧は1か月で142／92から128／83に低下し、9月には101／75になったのです。

こうして私は、**薬を使わずに、２型糖尿病の悪夢から抜け出すことができました。**

あの女性医師からもらった処方箋は、封筒に入ったままになっています。

WHAT IS FASTING

AND WHY IS IT GOOD FOR YOU?

断食《ファスティング》の歴史

CHAPTER 2

人類の歴史は、食糧不足と飢《き》餓《が》の歴史とも言えます。
そんな中人類は、やむを得ず経験した
飢餓状態に思わぬ効果を見いだし、
自主的に飢餓状態を取り入れた経緯があります。
ファスティングは、大昔から実績のある伝統なのです。
本章では、歴史を振り返りつつ、
ファスティングの“魅力”と“威力”に迫ります。

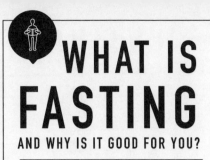

✓人類の歴史は食糧不足との戦いだった

人はいつから断食《ファスティング》をするようになったのでしょうか。

人類の進化の観点から見ると、1日3食に加えて、ひっきりなしに間食をすることは、生き抜くため、そして健康を手に入れるための必須条件ではありません。

近代以前は、食糧がいつ手に入るかなかなか予測できず、食事の回数はきわめて不規則でした。

干ばつ、戦争、昆虫の大量発生や疫病はすべて食糧不足の原因で、時には飢餓状態を生むこともありました。

季節も食糧不足の原因でした。夏と秋には果物や野菜が豊富ですが、冬と春には不足していたのです。食物のない期間が数週間、さらには数か月続くこともありました。『ヨハネの黙示録』の四騎士の1人が「飢饉《ききん》」であるのは、そういう理由からなのです。

人類社会に農業が発展していくにつれて、こういった飢饉の期間が徐々に短くなり、ついにはなくなりました。

しかしギリシャのような古代文明では、定期的なファスティングが本質的に有益であることが認識されていました。

やむを得ず飢餓状態を経験していた時代が終わると、**古代文明は「自主的なファスティング」の期間を設ける**ようになり、これらは「クレンジング」「解毒」「浄化」などと呼ばれました。古代ギリシャの最も古い記録には、ファスティングにゆるぎない信頼を寄せていることが記されています。

ファスティングは世界で最も古くから広く普及している伝統医学であり、地球上のほぼすべての文化とあらゆる宗教によって実践されてきました。

ファスティングは太古から実績のある伝統なのです。

✓ 断食の癒しの力に信頼を寄せた人物たち

ファスティングは精神的な目的で広く実践されており、世界のほぼすべての主要な宗教で扱われています。

歴史上最も影響力のある3人の人物たち――**イエス・キリスト、ブッダ、預言者ムハンマド**――は、ファスティングの癒しの力に信頼を寄せました。スピリチュアルな用語では「クレンジング」または「浄化」と呼ばれますが、実質的に同じ内容です。

ファスティングの習慣は、さまざまな宗教や文化の中で独自の発展を遂げてきましたが、共通して言えるのは、それが危険な行為ではなく、**人間の体と精神に本質的な恩恵をもたらすと考えられてきた**ことです。ファスティングは「病気治療」というよりも「健康増進」の手段として、定期的に行えば病気が予防でき、良い気分も維持できるものと考えられてきたのです。

聖書のアダムとイブの物語では、エデンの園で禁止されている唯一の行為は「木の実を食べること」であり、イブは蛇に誘惑されてこの誓いを破ってしまいます。

このことから、ファスティングは「誘惑から離れて神に戻る行為」と考えられたのです。聖書のマタイによる福音書4章1・2節にはこうあります。

「イエスは、悪魔の試みを受けるために、御霊に導かれて荒野に行かれた。そして40日40夜、断食をし、その後空腹を覚えられた」

ここで指摘しておきたい興味深い点は、**長期にわたるファスティング中に空腹感がなくなることがよくある**ことです。

こういった記述は歴史のあちこちに存在します。キリスト教の伝統では、「ファスティングと祈り」がしばしば「魂の浄化と新生」の手段となっています。信者は自分の魂を空っぽにすることで、神を受け入れる準備をします。ファスティングは自己否定ではなく、霊的なものに手を伸ばし、神と交わり、その声を聞くこと――ファスティングによって、自分の体を聖霊に委ね、謙虚な魂をもって神の声を聞く準備をするのです。

アベルの証言

世界中の何百万人もの人々にとって、定期的にファスティングをするのはごく当たり前のことなんだ。何千年もの間、精神修行の一部とされてきたのだから。さらに歴史を遡《さかのぼ》ると、**ファスティングは生き方そのもの**だったんだ。貯蔵できる穀物がなく、長期保存できる新鮮な食糧もほとんどないため、僕らの祖先は、定期的に豊作と飢饉の両方を、繰り返し経験してきたんだね。獲物が少ないとき、季節の変わり目、木の実の収穫に乏しいとき、みんな食べ物なしで過ごしたんだよ。**常に食事にありつけることのほうが「普通」じゃないんだ。**

✓どんな宗教が、どんなファスティングをしているか

世界の主要な宗教ではどんなファスティングをしているのでしょうか。それぞれの特徴や歴史的背景などを参考に、ファスティングが今なお人々の暮らしに深く浸透している理由を、少しずつ探っていきたいと思います。

ギリシャ正教会

信者たちは、1年のうち180〜200日にわたって、さまざまな形式のファスティン

グを行っています。有名な栄養学研究者のアンセル・キーズは、クレタ島を地中海の健康的な食事の代表例と見なしていました。

しかしアンセルは、その食事法に欠かせない重大な要因を1つ、完全に見逃していました。クレタ島の人口のほとんどは、ギリシャ正教会のファスティングの伝統に従っていたのです。このことが健康的な長寿に貢献した可能性があります。

仏教

僧侶たちは、正午以降の食事を控え、翌朝までファスティングをします。さらに、水のみのファスティングを数日から数週間続けることもあります。彼らのファスティングの目的は、人間の欲望を消し去ることです。ファスティングは、涅槃《ねはん》の境地に達してすべての苦しみを終わらせるために、欲望を捨て去る修行の1つであり、中庸《ちゅうよう》と質素という仏教の基本的な教えに合致しています。

ヒンドゥー教

肉体が苦しめば罪が許されるという信念からファスティングを受け入れています。また、欲望を制御する力を養い、心を平安へと導く方法とも見られています――霊的な利益のために、体の肉体的必要性を否定するのです。

週の特定の日や、月の特定の日が、ヒンドゥー教の断食日に指定されています。

ファスティングはさまざまな祭りとしても行われているのです。

また、伝統的なアーユルヴェーダ医学では、多くの病気の原因を体内の毒素の蓄積だと考え、毒素を浄化するためにファスティングを処方しています。

イスラム教

ラマダーンの聖なる月の間、日の出から日没までファスティングをします。

コーランによると、預言者ムハンマドは、「ラマダーンの月は祝福された月であり、アッラーがファスティングを義務づけた月だ」と述べています。

また預言者ムハンマドは、毎週月曜日と木曜日のファスティングを奨励しました。ファスティングについて最もよく研究されているのがラマダーンです。

他の多くのファスティングと異なっているのが「水分が禁じられている」という点で、これにより軽度の脱水症状が引き起こされます。

✓ 歴史に名だたる断食実践者たち

誰もが知る歴史上の著名人にも、数々の断食実践者がいます。

医学の父　ヒポクラテス（紀元前460年頃～紀元前370年頃）

初期のファスティング支持者の1人です。

ヒポクラテスが生きた時代、肥満が増えました。肥満は深刻な病気であると認識され始めたのです。ヒポクラテスは次のように書いています。

「突然死は、やせた人よりも自然に太っている人に多い」

ヒポクラテスは、肥満の治療には、食後の運動と高脂肪の食事を実践すべきだと主張しました。また、「そのような食事を摂る人は1日1食だけにすべき」としています。

つまり、**毎日「24時間のファスティング」を取り入れるのが肥満の治療に非常に有効であると**、当時から気づいていたのです。運動をして、健康的な脂肪を食事から大量に摂取することの恩恵に気づいていたヒポクラテスは、やはり尊敬に値する偉人だと言えるでしょう。

古代ギリシャの作家・歴史家　プルタルコス（46年頃～120年頃）

古代ギリシャの作家・歴史家プルタルコスは、前述のヒポクラテスの考えに賛同しており、**「薬を使う代わりに今日ファスティングしなさい」**と書き残しています。ちなみに、古代ギリシャの思想家プラトンと弟子のアリストテレスも、ファスティングの熱狂的な支持者でした。

古代ギリシャ人は、**医療は自然の中に見いだせる**と信じており、人間は、ほとんどの動物と同じく、病気のときに自然に食事を避けることから、**ファスティングは病気の自然な治療法**だと考えていました。

実際に、ファスティングは本能的な行為です。

というのも、犬、猫、牛、羊といったあらゆる動物と人間は、病気になると食べなくなるからです。インフルエンザに罹ったり、ちょっと風邪を引いたりしたときに食欲がなくなることがありますね。それと同じです。

このように、ファスティングは**「ありとあらゆる病気を治療するための普遍的な人間の本能」**と考えられるのです。これは人の遺伝子に組み込まれた知恵であり、人類と同じくらい歴史が古いのです。

古代ギリシャ人は、ファスティングが精神的能力と認知能力を向上させると信じており、ファスティング中に問題やパズルが解きやすくなることに気づいていました。

そうなる仕組みは簡単に説明できます。

ごちそうをたくさん食べたとき、どうなるでしょうか？

食事の後、活力がみなぎり、頭が冴《さ》えるのを感じますか？

それとも、ぼうっとして眠くなりますか？

大量に食べると、ほとんどの人は眠くなります。血液が消化器官に送られ、脳に送られる血液が少なくなるからです。

その結果は？

満腹になり、睡魔に襲われます。……結果、仮眠することになるかもしれませんね。

次に、何時間も食事をしていないときを考えてみましょう。

無気力で怠惰な気分になったことは？

おそらくないでしょう。

むしろ、感覚が鋭くなり、周囲の環境に完全に波長が合うはずです。これは偶然ではありません。

旧石器時代には、食べ物を見つけるために感覚を研ぎ澄ます必要があり、**食糧不足のときは、自然に注意力と集中力が高くなった**のです。

医師・毒物学の創始者　パラケルスス（1493年〜1541年）

ファスティングを大いに支持した歴史上の知的な偉人は、他にもいます。

「服用量こそが、毒かそうでないかを決める」という有名な言葉を残した、スイス生まれのドイツ人医師であり、毒物学の創始者でもあるパラケルススも、その1人です。

パラケルススは、自然を注意深く観察して、現代の科学的手法の基礎を築きました。

その発見は医学に革命をもたらしました。

パラケルススは軍の外科医だった頃、牛の糞を傷口に当てるという昔ながらの慣習を否定して、傷口を清潔に保って保護することを主張しました。

また、当時一般的な医療行為だった瀉血《しゃけつ》（人体の血液を体外に排出させることで症状を改善させる治療法）にも異議を唱えたのです。そして、慣習に従う代わりに、臨床診断と症状に応じた治療法を開拓しました。

革新的で聡明な科学者だったパラケルススは、**「ファスティングこそが最大の治療薬であり、内なる医師だ」**と書き残しています。

アメリカ合衆国建国の父　ベンジャミン・フランクリン（1706年～1790年）

「アメリカ合衆国建国の父」の1人であるベンジャミン・フランクリンは、幅広い分野に精通していることで有名です。一流の科学者であり、発明家、外交官、作家でもありました。その優れた才能が医学に向けられたとき、彼は**「すべての薬の中で最高のものは休息とファスティングである」**と書いています。

作家　マーク・トウェイン（1835年～1910年）

米国の著名な作家であり哲学者でもあるマーク・トウェインは、**「少しの飢餓状態は、最高の薬や最高の医師よりも、一般的な病人に多くの効き目がある」**と記しており、健康維持のためのファスティングの提唱者でした。**「ほんの少し食事を摂らないようにしたら、**

最高の薬や最良の医師の助けを借りなくても、ちょっとした病気は治ってしまう」という言葉も残しています。

✓ファスティング暗黒時代――徐々に歴史から消えていった年月

宗教におけるファスティングの歴史もふまえながら、「近代から現代のファスティング」を振り返ってみましょう。

1800年代後半～1900年代初頭

興味深いことに、この時代には「職業的な断食者」が興行目的でファスティングをしていました。30日間ファスティングをし、自分の尿を大量に飲んだ輩《やから》もいたくらいです（娯楽のために飢餓状態になるなんて！）。

フランツ・カフカの短編小説『断食芸人』は、この断食芸を題材にしたものです。でも、流行はすぐに廃《すた》り、復活することはありませんでした。私の推測ですが、食べない人を見るのはきっと、そんなに面白くなかったのでしょう。

1900年代初頭

ファスティングが医学文献に掲載され始めました。1915年、『ジャーナル・オブ・

バイオロジカル・ケミストリー』誌の記事では、ファスティングが「肥満に苦しむ人々の体重を減らすための、完全に安全で無害かつ効果的な方法」と説明されています。

ただし当時は、肥満は現代のような問題ではありませんでした。2つの世界大戦とその間の大恐慌で、深刻な食糧不足だったからです（肥満の治療どころではなかった時代なのです）。

1950年代後半

W・L・ブルーム博士が、治療手段としての短期間のファスティングに、再び関心を寄せました。文献には長期のファスティングについてもくわしく説明されています。1968年に発表されたイアン・ギリランド博士による研究では「14日間の標準的な絶食から始まる減量療法」を行った46人の患者の経験が報告されています。

1960年代後半以降

治療的ファスティングへの関心が再び薄れていきました。肥満がまだ大きな健康問題ではなかったのがその理由と思われます。当時の主要な健康問題は冠状動脈性心臓病であり、栄養学の研究では、食事脂肪とコレステロールが焦点でした。商業的な関心も広まり、大手食品会社は、自分たちの商売を脅かすものは頑として支持しませんでした。

こうして、ダイエットの補助としてのファスティングは、衰退し始めたのです。

1980年代

低脂肪であり、低コスト・低リスク・低負担——その他すべてが「低」であるにもかかわらず、ファスティングは、1980年代までにほぼ完全に姿を消します。

長い伝統があり、数えきれないほどの恩恵と効果があるにもかかわらず、治療ツールとしてのファスティングは、過去30年以上にわたり消滅していました。話題にするだけで冷笑を浴びるほどだったのです。

しかし本当のところは、**ファスティングほど簡単明瞭なアイデアはありませんでした。**2型糖尿病などの代謝性疾患が過食によって引き起こされるなら、バランスを取るために食べる量を減らすのが、論理的な解決法です。

これ以上シンプルなやり方があるでしょうか?

エイミーの証言

人類の長い歴史を見れば、1日中お腹いっぱい食べられないことなんて、当たり前だったのね。**間欠的ファスティングは人間の進化の一部みたいなもの**だと思う。そのおかげで、体と脳が食糧不足の期間を予期できるようになったのだから。

21世紀に生きる私たちは、豊富な食べ物に年中恵まれているんだから、治療目的で**食物不足の状態を「あえて作る」**には、特別な努力（＝ファスティング）が必要ってことね！

WHAT IS FASTING

AND WHY IS IT GOOD FOR YOU?

断食《ファスティング》の俗説を暴く

CHAPTER 3

ほとんどの人は断食が有害だと誤解しています。
でも、真実はまったく正反対。
断食には健康上のメリットがたくさんあるのです。
いまだにささやかれている俗説の数々を、
科学的根拠に基づいて検証します。

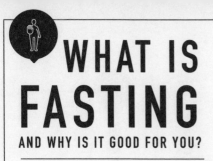

俗説その1

ファスティングをすると「飢餓《きが》状態モード」になるの？

NO!

飢餓状態にはなりません！

✓ そもそも「飢餓状態モード」とは、どういう状態か

「飢餓状態モード」とは、ファスティングに反応して代謝が著しく低下し、体が「シャットダウン」することです。

この概念は、基礎代謝率（ＢＭＲ）を調べることでテストできます。

ＢＭＲは、生命維持のために体が消費するエネルギー量の測定値で、肺の呼吸、脳の機能、心拍、腎臓、肝臓、消化器系などすべてのシステムが維持されている状態を見ます。私たちが日々消費するカロリーのほとんどは、運動ではなくこれらの基本的な機能のために使われているのです。

ＢＭＲは固定値ではなく、多くの変数に応じて最大40％まで増減します。

たとえば、私は10代の頃は寒さにとても強かったんです。マイナス22度の中でスキーをしてもへっちゃらで体が温かかったのは、ＢＭＲが高かったからなのですね。体温を維持するために大量のカロリーを消費していたのです。

年を取るにつれて、以前ほど寒さに上手に耐えられなくなりました。

また、食事量も10代の頃に比べてはるかに少なくなりました。

ＢＭＲが下がり、基本的な身体機能のために以前ほど多くのカロリーを消費しなくなったのです。

✓ 代謝を下げてはいけない

毎日のカロリーを減らすことが、ＢＭＲの劇的な低下につながることは、十分に実証されています。１日のカロリー消費量の基準を約２５００キロカロリーとして行った研究で、長期間にわたり1日当たり約１５００キロカロリーまで消費カロリーを減らすと、ＢＭＲが25～30％減少します。

一方、被験者が通常よりも意図的に多く食べるように求められる過食の研究では、ＢＭＲの増加が確認されました。

代謝が低下すると、寒くなり、疲れを感じ、空腹になり、活力が弱まります。カロリーを消費させないことでエネルギーを節約し、体を温めて動かし続けようとするからです。

体重については、代謝が低下すると二重に打撃を受けることになります。

まず、ダイエット中は惨めな気分になります。さらに悪いことに、1日当たりのカロリー消費量が少ないため、体重を減らすのが難しく、減量後に非常にリバウンドしやすくなります。これは、ほとんどのカロリー制限ダイエットが抱える問題です。

たとえば、あなたが普段1日に2000キロカロリーを摂っていて、それを1500キロカロリーにまで減らすとしましょう。体は不足したまま機能し続けることはできず、やがて燃焼する脂肪を使い果たしてしまいます——そこで**先回りをして、カロリー消費を減らそうとする**のです。その結果がBMRの低下です。

このことは、20世紀に何度も実験によって証明されています（5章参照）。カロリー制限をすれば「飢餓状態モード」になることはよく知られているため、多くの人は、ファスティングがこれと同様もしくはさらに深刻なBMRの低下につながると決めてかかっているのです。

✓ ファスティング中は代謝が上昇する

幸いなことに、たとえファスティングをしても、そうはなりません。

もしも短期間のファスティングで代謝が低下するなら、人類は種として生き残ることができなかったはずです。

豊作と飢饉《ききん》が繰り返されてきた歴史を考えてみてください。旧石器時代の長い冬の間には、食糧が入手できない日が多くありました。その際に、代謝が低下し、体が衰弱するとしましょう。それが何度も繰り返されれば、体は弱まり、狩りや採集ができなくなり、さらに衰弱します。

この悪循環を繰り返していたら、人類が生き残れたはずがありません。**私たちの体は短期間のファスティングに反応して「シャットダウン」はしない**のです。**実際には、ファスティング中は、代謝は低下せず、上昇します。**

これは生存の観点から理にかなったことです。食べない間、私たちの体は貯えたエネルギーを燃料として使い、もっと多くの食べ物を見つけようとします。

人間は、毎日3食を必要とするようには進化していないのです。

食物摂取量がゼロ（ファスティング中）のとき、私たちの体はBMRをゼロにはできません――**生きるためにカロリーを消費する必要があるから**です。そこでホルモンが作用して、エネルギー源を「食物」から「体脂肪」へと切り替えます。**私たちが体脂肪を抱えているのは、まさにそのため――食物が手に入らないときに、食物の代わりに使うため**なのです。

体脂肪は見せるためにあるのではありません。**自身の脂肪を「摂食」することで、「食物」の利用可能性を大幅に向上させ、これがカロリー消費の増加につながる**のです。

✓ 脂肪燃焼へとスイッチが入る

さまざまな研究に、この現象がはっきりと示されています。

ある研究では、1日おきに22日間ファスティングをした結果、測定可能範囲でのBMR

の低下は見られず、「飢餓状態モード」も確認されませんでした。脂肪の酸化、つまり脂肪燃焼は64グラム／日から１０１グラム／日へと58％増加し、炭水化物の酸化は、１７５グラム／日から81グラム／日へと53％減少しました。これは、**エネルギーが全体的に低下することなく、「糖質の燃焼」から「脂肪の燃焼」への切り替えが始まった**ことを意味しています。

　別の研究では、４日間ファスティングを続けるとＢＭＲが12％増加しました。身体活動を準備する神経伝達物質であるノルアドレナリンの値は１１７％増加し、エネルギーのレベルが高く維持されていました。血流中の脂肪酸は、「食物の燃焼」から「貯蔵脂肪の燃焼」に切り替わったため、３７０％以上増加しました。

　体がエネルギーを貯え、そ

図 3-1

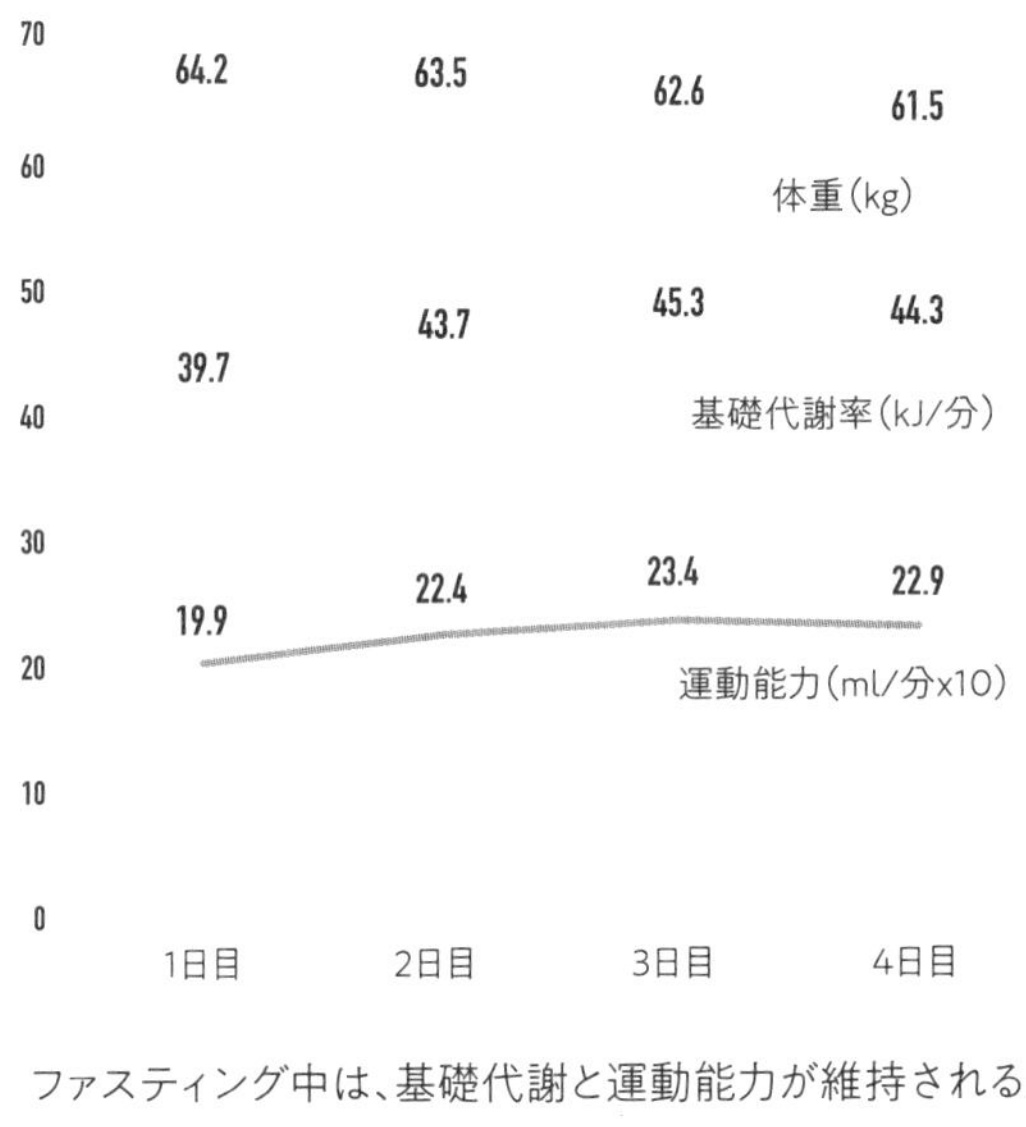

ファスティング中は、基礎代謝と運動能力が維持される。

出典：Zauner et al., “Resting Energy Expenditure in Short-Term Starvation Is Increased as a Result of an Increase in Serum Norepinephrine.”

のエネルギーにアクセスする仕組みについては5章でくわしく説明しますが、ここではまず、人間の体がファスティング期間にうまく機能するように作られていることを知っておいてほしいと思います。

体が「シャットダウン」したり「飢餓状態モード」に入ったりすることはないのです。

FASTING ALL-STARS

バートの証言

「ファスティングは不健康」と反射的に感じるのは、消費者に食べ物の購買を促すマーケティング戦略によるところが大きいんだよ。〈食べなければパフォーマンスが低下するリスクがある〉と消費者に思わせるために、膨大な広告費が毎年投入されているんだ。

2015年に始まった〈スニッカーズ〉のキャンペーン広告はその最たる例だね。ラベルに「眠い」「不機嫌」「せっかち」などの言葉を添えて、そんな不快感を克服するベストな手段は「食べること」だとほのめかし、チョコレートバーに精神活性作用があることをアピールしているんだよ。

NO!

俗説その2　ファスティングは筋肉を燃やすの？

ただちに筋肉がエネルギー源として使われてしまうということはありません。

✓ 人間は生存をかけて脂肪を燃焼させる

人間の体は、飢饉を乗りきるために進化しました。食物エネルギーを体脂肪として貯え、食物が利用できないときに燃料として使います。

一方で筋肉は、体脂肪率が非常に低くなって筋肉に頼るしか選択肢がない状態まで保持されます。これが起きるのは、**体脂肪率が４％未満の場合のみ**です（参考までに、一流の男性マラソンランナーの体脂肪率は約８％、女性マラソンランナーはわずかにこれを上回ります）。

食物が手に入らないときに、筋肉を保持して脂肪を燃焼させなければ、種として生き残れなかったはずです。ほぼすべての哺乳類は、同じ能力を持っているのです。

数々の研究が、ファスティングで筋肉が失われるという心配が見当違いであることを証明しています。70日間にわたる１日おきのファスティングは、体重を６％減少させ、脂肪量は11・４％減、除脂肪量（骨と筋肉の量）にはまったく変化がありませんでした。

通常の食事を摂っているとき、エネルギーは炭水化物、脂肪、タンパク質から発生します。

ファスティングの準備を始めると、炭水化物の酸化が一時的に増えます。食べるのをやめてから最初の24～48時間は、グリコーゲンのかたちで糖を燃焼するのです。

グリコーゲンがなくなると、燃焼する糖がなくなるので、脂肪燃焼に切り替わります。炭水化物の酸化がゼロに向かって減少するのにしたがって、脂肪の酸化が増えるのです（図3－2参照）。

図 3-2

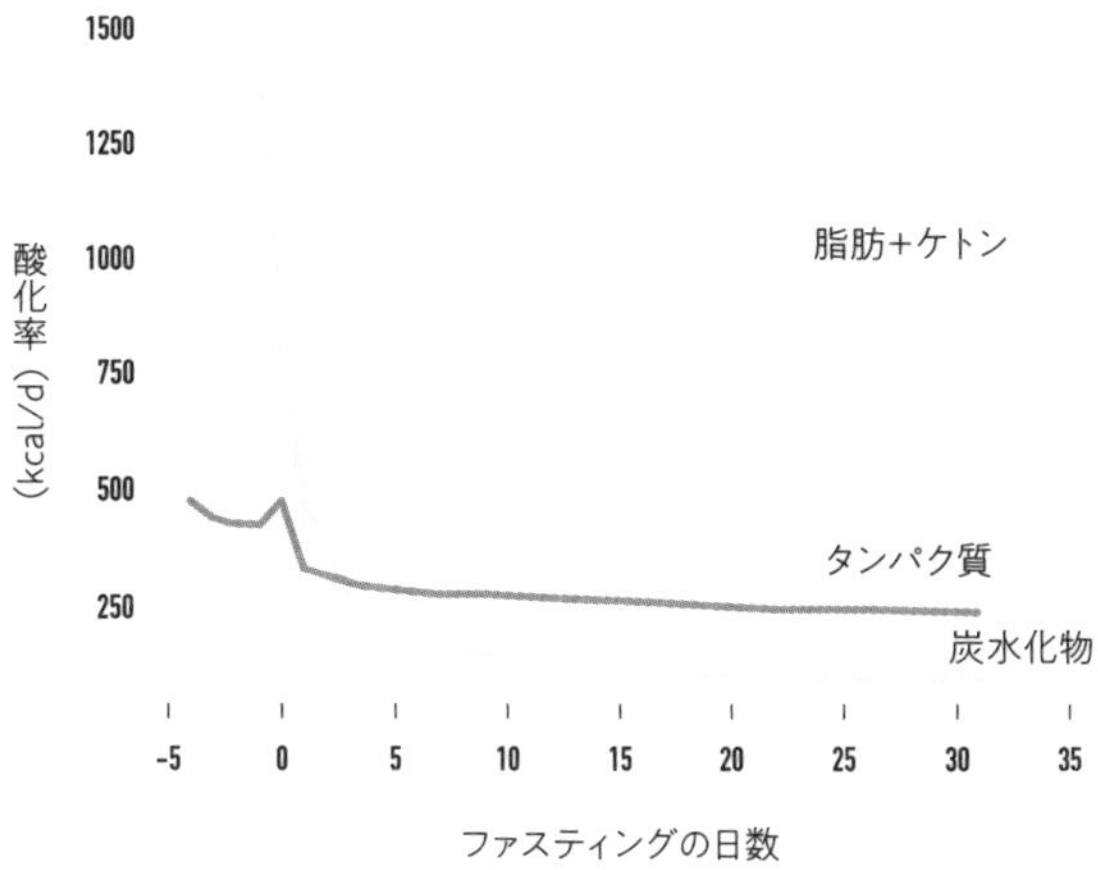

ファスティング中、体はエネルギーを得るために、
糖質（炭水化物）燃焼から脂肪燃焼に切り替える。
タンパク質は保持される。

出典：McCue, ed., *Comparative Physiology of Fasting, Starvation, and Food Limitation.*

✓ファスティング中、人間の体は筋肉を温存する

同時に、**タンパク質の酸化、つまり筋肉などのタンパク質の燃焼は、実は減少します。**通常はタンパク質分解が1日当たり約75グラムのところ、ファスティング中には1日当たり15～20グラムまで落ちます。**ファスティング中は、筋肉を燃やす代わりに、筋肉の節約を始めるのです。**通常の細胞の新陳代謝で分解されるアミノ酸の多くは再吸収され、新しいタンパク質が合成されます。

燃料が切れたとたんにタンパク質を燃やすつもりなら、余分なエネルギーを脂肪として貯える必要はないはずです。筋肉などのタンパク質は機能的な組織として、多くの役目を果たしています。エネルギーの貯蔵用には作られていません。エネルギーを貯えるのは「グリコーゲン」と「脂肪」です。**筋肉をエネルギーのために燃やすのは、たとえるなら、薪《まき》を貯蔵してあるのに、寒くなったとたんにソファを切り刻んで火の中に放り込むようなもの**なのです。

✓アベルの証言

体に貯えた脂肪を燃焼させるだけで、理論上、ほとんどのアメリカ人は食事なしでニューヨークからフロリダまで歩くことができる！

✓ 筋力を落としたくないなら運動しよう

実際に、ファスティングは成長ホルモンを分泌させる最も強力な刺激の1つであり、成長ホルモンの増加は除脂肪量の維持に役立ちます。

ファスティングをした被験者に、薬物を使って成長ホルモンを抑制する研究では、タンパク質の酸化が50％増加しました。

筋肉の増加と減少を左右するのは何でしょうか？

そう、運動です！

残念ながら、食事で筋肉をつけることはできないのです。

サプリメント会社の謳《うた》い文句を信じて、クレアチンを摂ってホエイプロテインシェイクを飲んでも筋肉はつきません。**運動こそが、筋肉を作るための唯一の信頼できる方法です。**

筋肉が落ちるのが心配な人は、もっと運動することです。

食事と運動はまったくの別問題です。

図 3-3

	標準 1日目	1日おきのファスティング 70日目
体重(kg)	96.4 ± 5.3	90.8 ± 4.8
BMI(kg/m²)	33.7 ± 1.0	31.4 ± 0.9
体脂肪量(kg)	43.0 ± 2.2	38.1 ± 1.8
除脂肪量(kg)	52.0 ± 3.6	51.9 ± 3.7
胴囲(cm)	109 ± 2	105 ± 3

70日間にわたる1日おきのファスティング中に、
除脂肪量の損失は見られなかった。

出典：Bhutani et al., “Improvements in Coronary Heart Disease Risk Indicators by Alternate-Day Fasting Involve Adipose Tissue Modulations.”

食べ物（または食べ物の不足、つまりファスティング）が筋肉量に与える影響は、心配しなくてもいいのです。

運動が筋肉を育てます。

運動不足は筋肉の衰えにつながります。

体重と2型糖尿病の心配がある人は、運動ではなく食事を心配すべきでしょう。食事が悪いと、改善は見込めません。

簡潔に説明します。**体脂肪は、つまるところ、食物がないときに「食べる」ために貯えられたエネルギーです。だから、ファスティングのときは、自分の脂肪を「食べる」のです。**

とても自然なことですね。

これは正常なことであり、私たちの体の仕組みなのです。

さもなければ、旧石器時代の飢饉のサイクルを繰り返しているうちに、人類は100％脂肪でできたボールと化していたでしょう。

ファスティング中にはホルモンの変化で活気がみなぎり（アドレナリンの増加）、筋肉と骨が維持されます（成長ホルモンの増加）。これはごく正常で自然な流れです。何も恐れることはありません。

NO!

俗説その3

ファスティングが低血糖を引き起こす?

ファスティング中に血糖値が大きく下がることはありません。

✓ ファスティングをしても血糖値は正常

ファスティング中に血糖値が大きく下がり、震えたり汗をかいたりするのではないかと心配する人がいますが、そうはなりません。

体は血糖値を適切な範囲に保つための複数のメカニズムを有しているからです。ファスティング中の体は、グルコースを供給するために肝臓のグリコーゲン（短期貯蔵のグルコース）を分解し始めます。実はこれは、睡眠中の血糖値を正常に保つために、朝までのファスティングの間に毎晩起きていることなのです。

✓ 生き残りの鍵は「糖新生」の力

24～36時間以上のファスティングを行うと、グリコーゲンの蓄積がなくなります。すると肝臓は、脂肪分解の副産物である「グリセロール」を使って、新しいグルコースを製造できるようになります（このプロセスを「糖新生」と呼びます）。だから、血糖値を正常に保つためにグルコースを食べる必要がないわけです。

これに関連して、「脳細胞はグルコースしかエネルギーに使用できない」という俗説がありますが、それは間違いです。

動物の中でも人間の脳は独特であり、「ケトン体（脂肪が代謝されると産生される粒子）」もエネルギー源として使うことができます。これにより、食べ物がすぐに手に入らないときに最適に機能することができるのです。ケトンは、私たちに必要なエネルギーの大部分を提供しています。

グルコースが脳機能に絶対に必要だとしたら、どんなことが起こるかを考えてみましょう。食物がない状態で24時間が経過すると、グリコーゲンのかたちで体内に貯えられたグルコースが枯渇します。その時点で脳が「シャットダウン」して、私たちは呆《ぼ》けてしまうでしょう。**旧石器時代は、人の「知性」こそが、鋭い爪、鋭い牙、たくましい筋肉を持つ野生動物に対抗できる唯一の武器でした。**それがなければ、人類はとっくの昔に絶滅していたでしょう。

グルコースが利用できないとき、体は脂肪を燃焼してケトン体を産生し始めます。このケトン体は、血液脳関門を通過できるので、脳細胞に栄養を供給できます。脳のエネルギー必要量の最大75%をケトンでまかなうことができます。

ということは、グルコースが残りの25%を供給する計算になりますが、脳が機能するためには食べなければならないのでしょうか？

そういうわけではありません。体脂肪としてすでにグルコースが貯えられており、肝臓が糖新生を行うため、食物がなくても十分な燃料があるからです。**たとえファスティングが長期におよんでも、血糖値が危険なレベルにまで下がることはない**のです。

エイミーの証言

宗教的、またはスピリチュアルな目的でファスティングをする人は、ファスティングをすると「すごく頭が冴《さ》えて、心も体も調子が上がる」と言うわね。「強い幸福感に満たされる」と言う人もいるわ。

こういった感覚は、精神的な啓発によって得られるものと考えられているけれど、実ははるかに現実的かつ科学的に説明できるの――**「ケトン」の仕業**なのよ。

ケトンは、脳の「スーパーフード」。体と脳が、主に脂肪酸とケトン体で満たされていると、血糖値の大きな変動によって引き起こされる「脳内の霧《ブレインフォグ》（頭がぼんやりして思考がまとまらない症状）」、気分のむら、情緒不安定と「さよなら」でき、思考が冴えた状態が当たり前になるのよ。

NO!

俗説その4　ファスティングが過食につながる？

食べすぎへの心配は無用です。

✓ファスティング分を超える過食は起こらない

ファスティングをすると、その代償として過食をしてしまうのでしょうか？

多くの〝専門家〟は、一度でも食事を抜くと、お腹がすいて食べすぎてしまい、「最終的には体重が減らない」と警告しています。

実際に、ファスティング後の最初の日には、カロリー摂取量がわずかに増加することがわかっています。1日ファスティングをした翌日は、平均カロリー摂取量は2436キロカロリーから2914キロカロリーに増加しました。

しかし、その2日間で通常（ファスティングを行っていない場合）4872キロカロリーが消費されることを考慮すると、まだ1958キロカロリーのマイナスがあるのです。カロリー摂取が増加しても、ファスティング中の不足分を補うほどではないのです。

興味深いことに、ファスティングを繰り返すと、逆の効果が見られます。インテンシブ・ダイエタリー・マネジメント・クリニックでは、私が何百人ものファスティングを実行した患者と向き合った経験から、**ファスティング期間が長くなるにつれ、食欲が減退する傾向が見られる**ことがわかっています。

NO!

俗説その5 ファスティングは体から栄養素を奪う?

栄養素が枯渇することはありません。

✓「必須アミノ酸」と「必須脂肪酸」だけは食事から摂るしかない

栄養素には主に、「微量栄養素」と「多量栄養素」の2種類があります。

微量栄養素とは、食事によって摂れるビタミンとミネラルのことで、健康全般に必要です。

多量栄養素はタンパク質、脂肪、炭水化物です。

微量栄養素が欠乏することは、先進国ではめったにありません。

24時間未満の短めのファスティングなら、ファスティングの前後に栄養豊富な食事を摂れば、抜いた食事分を十分に補えます。

長めのファスティングの際には、一般的なマルチビタミン剤の服用をおすすめします。

過去に記録された最長のファスティングは382日間ですが、その間にマルチビタミン剤を摂ることで、あらゆるビタミンの欠乏を予防することができました。

3つの多量栄養素のうち、体が機能するために「必須」となる炭水化物は存在しないので、炭水化物が不足することはありません。

しかし、**特定のタンパク質と脂肪は摂取が必要です。これらは「必須アミノ酸」「必須脂肪酸」と呼ばれます。**体内で作ることができないため、食事から摂らないといけません。

✓ファスティング中、自動的に節約モードに切り替わる体

体は通常、排尿と排便によって、必須アミノ酸と必須脂肪酸の両方を失っています。

ファスティング中は、必要な栄養素の多くを留めておくために、体はこういった損失を減らそうとします。通常、ファスティング中は腸の動きが不活発になる（胃に食べ物が入らないので便の形成が少なくなる）ことで、便中のタンパク質の損失を防いでいるのです。

必須栄養素、中でも「窒素」は、尿の排出によって失われやすいです。尿中の窒素はタンパク質代謝の証拠なので、ファスティング中にタンパク質代謝が低下すると、尿中の窒素は大幅に減少し、ほとんど無視できるレベルになります。タンパク質をさらに保存するために、体は古いタンパク質をアミノ酸に分解し、それらを新しいタンパク質にリサイクルします。**必須栄養素を排泄せずに体内に保持することで、ファスティング中に多くの栄養素をリサイクルすることができる**わけです。

もちろん、体がどんなに埋め合わせ上手でも、ファスティング中は必須アミノ酸と必須脂肪酸を摂取していないことになります。そこで、ファスティングの前後に低炭水化物ダ

イエットを行うと、タンパク質と脂肪の摂取量が増えるため、もしもの日に備えての貯えができます。

成長期の子ども、妊娠中の女性、母乳育児中の女性は多くの栄養を摂る必要があり、古いタンパク質と脂肪をリサイクルするだけでは不十分です。さまざまな組織の成長や構築には、新しいタンパク質と脂肪が必要なので、ファスティングは、こういった人にはおすすめできません（10章参照）。

NO!

俗説 その6 とにかく普通の人がすることじゃないのでは?

やらないほうがもったいない!

✓とやかく言う前にやってみよう

ファスティングをしてはいけない理由(俗説)を他に思いつかない人は、たいていこういう意見に落ち着くものです。

「ちょっとストイックで、おかしな人がすることだよね?」と。

しかし、**肥満の核心にある原因が、なんらかのかたちの「過食」であることは、科学的に明らか**です。

カロリー、炭水化物、脂肪の摂取が多すぎることが原因なのです。

ファスティングはこれらすべてに対応できます。その有効性を疑う余地は、ないのです。

あなたは、**まったく何も食べなければ体重が減る**とは思わないのでしょうか?

残りの2つの疑問は次の通り。

「健康にいいことですか？」

――答えは「はい！」。理由については、今後の章でくわしく説明します。

「私にもできますか？」

――もちろんできます。世界中で何百万人もの人がダイエット目的（または他のさまざまな目的）でファスティングをしているのですから。

本書は、あなたが安心してファスティングを始められるように、背中を押すためのもの。そして、ファスティングが自然とあなたの健康的な暮らしの一部となるように、お手伝いするためのものです。

WHAT IS FASTING

AND WHY IS IT GOOD FOR YOU?

断食《ファスティング》を選ぶべき理由

CHAPTER 4

ファスティングの最もわかりやすい恩恵は、
減量できること。
しかし、これ以外にも数えきれないほどの
メリットがあります。
その多くは近代以前にすでに広く知られていました。
かつては、健康を維持するために一定期間ファスティングを
することは、ごく一般的で、自然なことだったのです。
そういったファスティング期間は「クレンジング」
「解毒」「浄化」と呼ばれ、体から毒素を取り除き、
若返り効果があると信じられていました。
そして、それは本当のことだったのです。

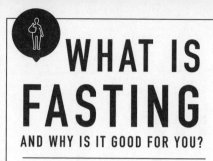

✓ファスティングの驚異的な効果

まずは、ファスティングの健康上のメリットの数々を見てみてください。

効果1　頭がはっきりと冴《さ》え、集中力が上がる
効果2　体重と体脂肪の減少を促す
効果3　血糖値を下げる
効果4　インスリン感受性を改善する
効果5　活力がみなぎる
効果6　脂肪燃焼を改善する
効果7　血中コレステロールを下げる
効果8　アルツハイマー病を予防する
効果9　寿命を延ばす
効果10　老化のプロセスを逆転させる
効果11　炎症を抑える

こういった健康上のメリットについては、この後の章でくわしく説明していきます。

しかし、**なぜファスティングが他のダイエット法よりもいいのでしょうか？**

本章では、**「ファスティングを選ぶべき理由」**について、さらにくわしくお話ししていきます。

ダイエットは失敗する

前ページに挙げた健康上のメリットが得られるダイエット法の大きな問題は、**きちんと続けるのが難しいこと**です。

私が従来型ダイエットの弱点に気づいたのは、肥満と2型糖尿病の患者の治療にあたっているときでした。

肥満と2型糖尿病の問題は、どちらもインスリンが過剰なことです。

高インスリン値の主な原因は精製された炭水化物なので、患者の治療にあたり、最も自然なスタート地点は「低炭水化物ダイエット」でした。タンパク質、特に動物性タンパク質（乳製品と肉）もインスリン産生を刺激するため、過剰に摂取すると改善が遅れる可能性があります。

また加工食品も病気の要因となるため、**最高の食事は「未加工の食品を丸ごと食べること」**。つまり、**精製された炭水化物が少なく、適度な量のタンパク質と天然脂肪を多く含む食事を摂ること**です。

複数の査読《さどく》つきの研究論文には、このような食事法が2型糖尿病に優れた結果をもたらし、非常に安全であることが示されています。

そこで私は、インテンシブ・ダイエタリー・マネジメント・プログラム（「ＩＤＭ」＝集中的な食事管理プログラム）の患者たちに、この食事法を指導し始めました。

砂糖と精製された炭水化物を減らし、代わりにナチュラルな未加工の食品を食べるように指導しました。

また、講義やフォローアップで、患者がやる気を出せるようにサポートしました。

食事日記のすべてのページも、細かくチェックしました。

しかし残念ながら、このダイエットは結局、うまくいかなかったのです。

✓ シンプルだからうまくいく

ダイエット成功の鍵は、適切に指示を守ることです。

しかし、ダイエットがうまくいかなかった私の患者たちにとっては、当初のＩＤＭの**指示が複雑すぎ**ました。

麺とパンがこれでもかと記入された食事日記を私に提出しておいて、「低炭水化物ダイエットを続けています」と堂々と主張する患者もいました。「ピタ」や「ナン」といったフラットブレッドは、どういうわけか「パン」と見なされないことが多かったのです。

患者たちは、自分たちがどんな食事をすべきか理解していませんでした。

つまるところ、彼らは医学雑誌を熟読する「栄養オタク」ではないのです。

フルタイムの仕事を持ち、家族を抱えながら、過去50年間の食習慣を変えるのは、非常に難しいことだったのです。

また、この食事法は従来の食事法のアドバイスとほぼ正反対なので、栄養の知識があまりない患者にとっては戸惑うことも多かったようで、それもうまくいかない理由でした。

でも、私はあきらめるわけにはいきませんでした。患者たちの健康、そして命は、適切な治療にかかっていたからです。2型糖尿病は恐ろしい病気です。北米では、失明、切断手術、腎不全の圧倒的な原因となる病気なのです。

また糖尿病は、心臓発作、脳卒中、その他の心血管疾患も引き起こします。

何より忘れてはいけないのは、2型糖尿病は食事性疾患であるということ——言い換えれば、食事療法で治せる病気ということです。

図4-1

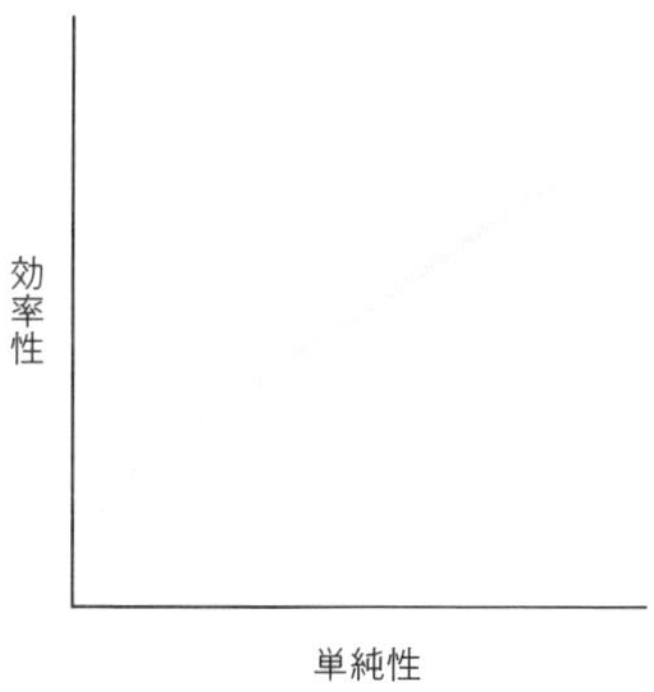

This work is a derivative of "Effective Simplicity" by www.behaviorgap.com, used under CC BY.

✓ 最新でもない、最高でもない、〝最古の〟食事戦略に注目

私に必要なのは、新しい戦略でした。

最終的な目標は、炭水化物の摂取量を減らすことではありません。

目標はインスリン値を下げることであり、炭水化物を減らすのは、目標を達成するための手段の1つにすぎません。

かと言って、すべての食べ物は、程度の差はあれ、インスリンの分泌を刺激します。

ですから、**インスリン値を下げるのに最も効率的な方法は、何も食べないこと——言い換えれば、ファスティング**なのです。

人々は常に、最新の「最高のダイエット」の謳《うた》い文句に飛びつきます。キヌア、アサイベリー、ケールチップスなど、新しいスーパーフードを次から次へと試そうとします。

しかし、数千年の歴史がある人類には、かつて生活の一部だったのに、長年忘れられてきた「最高の方法」がすでにあるはずです。

ファスティングは、世界最古の食事戦略です。

ファスティングが、他の食事法とは大きく異なるのは、長年にわたって実践されてきたという、**歴史的裏づけがある**ことでしょう。

そして**何かを「する」のではなく「しない」という食事法**だということです。

ファスティングは多くの点で、一般的なダイエットとはまったく違います。

だからこそ、他のダイエットにはない数々のメリットがあるのです。

メリット1 とてもシンプル

患者はしょっちゅう、「〝健康的な食事〟って、何を食べればいいの?」と混乱しています。

「低脂肪がいいですか?」

「それとも低炭水化物?」

「低カロリー?」

「低糖?」

「低GI値?」

……などなど。

ファスティングはあまりにもシンプルなので、二言で説明できます。

「食べない」

「水、お茶、コーヒー、ボーンブロスを飲む」

以上!

いろんなダイエットを試しても、内容に効果がなければ失敗します。

また、どんなダイエットも、やり方を守れなければ、失敗するのは目に見えています。**ファスティングの明らかなメリットは、シンプルなので実行しやすいこと。**ダイエットのルールは、単純であればあるほどいいのです。

マイケルの証言

最初にファスティングに興味を持ったのは、腸の治療に役立てたかったからさ。健康的な食事を摂っていても、重い有害反応を起こす患者はたくさんいて、皆一様になんらかの根本的な炎症や感染症の問題を抱えているものなんだ。

ファスティングは、こういった症状の回復を、あっというまに助けてくれるんだ。

メリット2　コストがゼロ

患者の皆さんには、地元の牧草を食べて育ったオーガニックの牛肉やオーガニック野菜を食べてもらいたいです。

そして、白パンや高度に加工された食品はできるだけ避けてもらいたいところです。

しかし、**オーガニックなどの健康的な食品は高くつきます。**加工食品の10倍の値段になることもあります。

穀物は、政府からかなりの助成金を受けており、他の食品よりもはるかに安い価格設定になっています。たとえば、新鮮なチェリーが1ポンド6・99ドルなのに対して、白パン

1斤が1・99ドルといった具合です。パスタは、セールなら1箱99セントで買えます。お金をかけずに家族を養うのなら、白パンとパスタを買うほうが、はるかに安上がりです。

たとえ効果があるダイエットでも、コストがかかるためにできないなら、意味がありません。お金を払えなかったら実践できないなんて、あんまりです。

だからと言って、ダイエットが必要な人たちを、2型糖尿病とそれに付随した障害に一生苦しむ運命にはさせたくありません。

その点、ファスティングは無料です。

食べ物を買う必要がないので、お金を節約できます。

高価な食べ物もサプリメントもいりません。

食事代わりのミールバーも、シェイクも、瞑想も不要。

ファスティングのコストは0円なのです。

メリット3 手軽すぎる

健康のために、自炊した食事を毎回食べられれば、それに越したことはないですね。

しかし私も含めて、料理をする「時間」や「意欲」がない人はたくさんいます。

仕事、学校、家庭、子育て、放課後の活動、勤務後の飲み会などがあったら、料理する時間はあまり残されていないでしょう。料理には、買い物、下ごしらえ、調理、後片づけの時間も含まれます。**忙しい現代人にとって、時間は常に足りない**ものなのです。

ここ数十年で、外食の回数は着実に増えています。

こうした理由で、多くの人が「スローフード」運動を支援したいのに、「ファーストフード」との戦いに負けているのは明らかです。

「健康のために、もっと家で手作りの料理を！」というアドバイスは、善意は十分に伝わるかもしれませんが、成功する現実的な戦略にはならなそうです。

ところがファスティングは、いわば正反対のアドバイスをしています。

食材の買い出しや下ごしらえ、調理、後片づけといった時間は必要なし。

図4-2　**家での食事VS外食**

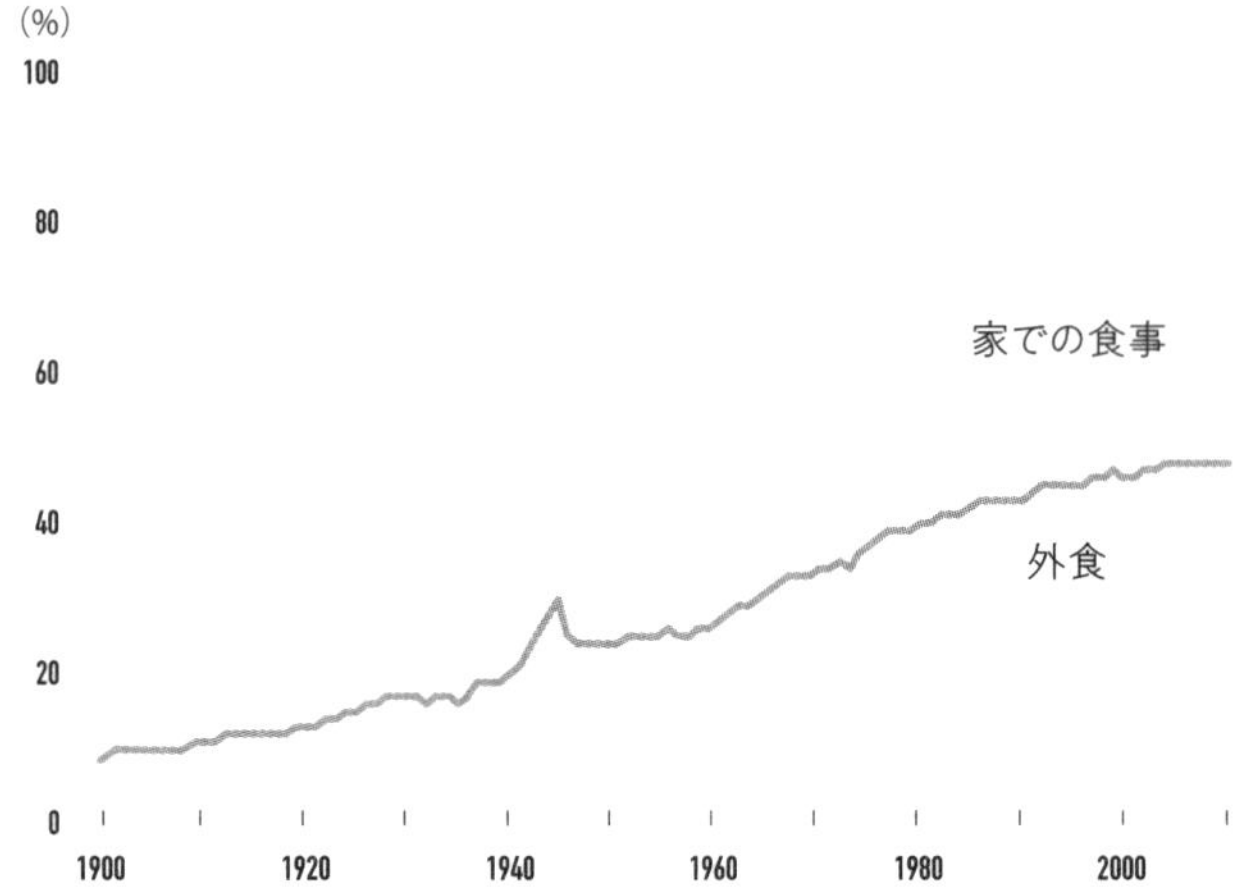

過去100年間で、家での食事の回数は、
外食の回数が増えるにつれて減少した。

出典：Derek Thompson, “Cheap Eats: How America Spends Money on Food,” *The Atlantic*, March 8, 2013.

ファスティングは「何もしない」ことですから、あなたの人生をシンプルにしてくれます。

ファスティングほど簡単なことはありません。ほとんどのダイエットには、やるべきことがありますが、ファスティングは、何もしなくていいのです。

これ以上簡単なことがあるでしょうか？

メリット4 人生の楽しみがもっと増える

アイスクリームやデザートを「二度と食べちゃダメ！」と禁止するダイエットもあります。

もちろん、減量にはいいかもしれませんが、はたして現実的でしょうか？

半年や1年のデザート断ちならまだしも、一生だとしたら？

親友の結婚式ではケーキとシャンパンを味わいたいですよね？

バースデーケーキの代わりに「バースデーサラダ」じゃ、味気ないですよね？

芽キャベツの食べ放題ビュッフェなんて、行ってみたくなりますか？

ダイエットのためにささやかな喜びを永遠に手放す必要はありません。

そんなことをしたら、人生の輝きが色褪せてしまいます。

「一生ダメ」なんて、長すぎます！

ファスティングは、ごちそうをバランスよく抜きます。

でも、そのおかげで、ときどき食べるデザートがよりいっそうおいしくなるのです。

大事なのはメリハリをつけること！

ごちそうの後にファスティング。

ファスティングの後にごちそう。

私たちは昔からそうやって、ハレの日とケの日のバランスを取って生活を営んできました。太古から、誕生日、結婚式、祝日、その他特別な行事は、豪華なごちそうとともに祝われてきました。

しかし、ごちそうの後にはファスティングが必要なのです。

近々結婚式に出席する予定なら、おいしいウェディングケーキを食べるぜいたくを楽しんでください。定期的にファスティングをしていれば、人生のささやかな喜びを楽しむことに罪悪感を覚える必要はありません。

その分がファスティングで取り返せるのですから！

ファスティングの最も重要な特徴の1つは、生活に合わせて調整できることです。

時には、ファスティングをするのが適切でない場もあるでしょう。

これから一生、「あれは食べない、これは飲まない」と言いきれますか？

自分を甘やかしてもいいのです――ときどき自制してバランスを取る限りは。

ファスティングにはまさにバランスが大切です。

ファスティングは食事の裏返し、いわばB面――健康を維持するために、食べる時間と食べない時間のバランスを取りましょう。

体にトラブルが発生するのは、まさにこの2つのバランスが崩れたときなのです。

メリット5 上限なしに継続できて効果がパワフル

2型糖尿病患者の多くは病的肥満であり、インスリン抵抗性が高いです。

厳格なケトジェニックダイエット（炭水化物をごく少なく、タンパク質を中程度、脂肪が多い食事を摂るダイエット）(＊1) でさえ、病気の回復に十分な効果を出せない場合もよくあります。

インスリン値とインスリン抵抗性を下げる最も速くて最も効率的な方法は、ファスティングです。他のダイエットにはないパワフルさで、減量の壁を突破し、インスリンの必要性を減らすことができます。

治療の観点から言えるファスティングの重要なメリットは「上限がないこと」――ファスティングができる最長期間というものは「ない」のです。

ファスティングの世界記録は382日間ですが、健康上なんの問題もなくこの期間を終えることができているのです。ファスティングの効果がうまく出ないときは、目標を達成するまで、頻度や時間を長くすればいいいだけです。

これを投薬と比較してみましょう。

あらゆる薬物には最大用量があります。

たとえば、感染症にペニシリンを服用した場合、最大用量を超えるとほとんど効果が得られず、薬がかえって有毒になる可能性があります。その時点でまだ感染している場合は、薬を変更しなければなりません。

同じことが、低炭水化物ダイエットや低脂肪ダイエットにも当てはまります。炭水化物や脂肪がゼロになると、そのダイエット法でそれ以上の効果が望めなくなるのです。限界点があるので、最大値に達したら、追加の効果を得るために何かを変更しなければならないのです。

（＊1）日本人の場合は病的肥満者が少なく、欧米人よりインスリン抵抗性も低いが、健常な時と比べるとやや肥満気味で、インスリン抵抗値も高めである。

改善の余地があるダイエット法

ファスティングには上限がありません。

ですから、治療にあたっての柔軟性が大きいのです。

つまり、**目的の効果が得られるまでファスティングを続けることができる**のです。「最大用量」は天井知らずということです。

「食べなければ、やせられるの？」――答えはもちろん「イエス！」です。

安全で、正しい方法を守れば、**ファスティングの有効性は疑う余地がありません。減量するための最も強力なメソッドとも言える**でしょう。深刻な肥満の人の場合は、単純に「用量」を増やせばいいのです。

また、低脂肪ダイエット、低炭水化物ダイエット、パレオダイエット（旧石器時代ダイエット）をはじめ、ほぼすべてのダイエットは、効果が出る人とそうでない人がいます。

そして、その方法に効果がなかったとしても、改善する余地はほとんどありません。

しかし**ファスティングでは、食べ物を断つ時間を長くすれば解決します。**ファスティング期間を長くすればするほど、体重が減りやすくなります——そして**最終的には、確実にやせることができる**のです。

FASTING ALL-STARS

バートの証言

1か月以上にわたって成功裏に続けられたファスティングのメリットは、食欲の補正、過剰な脂肪の減少、炎症の減少（症状の重症度またはC反応性タンパクで測定）、糖尿病患者の血糖値の低下（血糖値またはヘモグロビンA1cで測定）、高血圧患者の血圧の低下などだね。

メリット6 時間と場所を選ばない

一部のダイエットでは、目を覚ましたらすぐに食べ、その後2時間半おきに食べることをすすめています。これでいい結果を出している人も確かにいますが、1日に6回も7回も8回も……かなり面倒ではないでしょうか？

ただでさえ忙しいのに、2時間半ごとに食べるなんて、1日のスケジュールがめちゃくちゃになってしまいそうです！

ファスティングなら、そんな心配はありません。**いつでもどこでもできる**のですから。

時間制限もありませんから、16時間行っても、16日間行ってもいいのです。

いくつかのファスティング期間を自由に組み合わせることもできます（16章参照）。こうしなければいけないというルールもパターンもありません。

今週は1日、翌週は5日間、その次の週は2日間でもいいのです。

人生は何が起こるかわかりません。

あなたの必要に合わせたファスティングをすればいいんです。

ファスティングはどこにいてもできます。

米国でも、英国でも、アラブ首長国連邦でも！

北極にいても、サウジアラビアの砂漠にいても、まったく問題がないのです。

繰り返しになりますが、ファスティングは「何もしない」ことなので、生活が簡素化されます。**他のダイエットは生活を複雑にしますが、ファスティングは生活をシンプルにします。**

なんらかの理由で気分がすぐれないときは、ファスティングを中断すればいいのです。

クリスマス休暇や夏のクルーズ旅行をたっぷりと楽しみたい場合も同様です。**生活に合わせて好きなときに始めたり終わらせたりできて、完全に自分でコントロールできるのが、ファスティングのいいところ**ですね。

たとえばこれを、肥満外科手術（174ページ参照）と比較してみましょう。

肥満外科手術は、短期的にはかなりの体重を減らすことができますが、この手術には多くの合併症があります。手術した体を元には戻せません。結果が芳しくなければ、気の毒としか言いようがないのです。

メリット7 どんなダイエットとも相性がいい

ファスティングは、どんなダイエットにも追加できます。

これが最大のメリットで、他のダイエット法と根本的に違うところです。

なぜなら、**ファスティングは「すること」ではなく「しないこと」だから。**

足し算ではなく、引き算なのです。

肉を食べない？——それでもファスティングはできます。
小麦を食べない？——それでもファスティングはできます。
ナッツアレルギー？——それでもファスティングはできます。
時間がない？——それでもファスティングはできます。
お金がない？——それでもファスティングはできます。
しょっちゅう旅行している？——それでもファスティングはできます。
料理をしない？——それでもファスティングはできます。
80歳？——それでもファスティングはできます。

噛むのに問題がある？――それでもファスティングはできます。

これ以上シンプルな方法があるでしょうか？

＞ファスティング経験者　ステラ談

ファスティングはとても融通がきくダイエットよ。ファスティングをする日は自由に動かせるから。

たとえば、木曜日に大事な会議があって、その日は朝食を食べるのがベストだと思ったら、ファスティングをする時間を変えるか、ファスティングをする日を同じ週の別の日にずらせばいいだけなの。

FASTING SUCCESS STORY

【ファスティング成功体験談】エリザベスの話

✓ 人生でやせていた時期が一度もない

私は南アフリカで育ちました。

ヨーヨーダイエット（短期間で体重が大きく変動する）で、ときどきやせることもあったけれど、人生のほとんどを「肥満体」で過ごしてきました。

2002年から2年間、無脂肪・高炭水化物ダイエットを実行しました。ところが、2004年の初め、2型糖尿病、高コレステロール、高血圧の診断を受け、投薬を開始することに……。皮肉ですが、父と兄弟も同じ症状で投薬を受けていたのです。

✓ 低炭水化物ダイエットで減量したものの、あっというまにリバウンド

体重105キロのときに、無脂肪・高炭水化物ダイエットから、低炭水化物でカロリー制限の厳しいダイエットに切り替えました。

体重は約18か月で75キロに減りましたが、**食事制限が厳しすぎて、続けることができなかった**のです。当然ながら、体重は元に戻ってしまいました。

２０１０年の終わりに、超音波検査によって非アルコール性脂肪肝炎（脂肪肝）が見つかり、私は心底ぞっとしました。

✓ インスリン注射を開始

２０１１年4月、２型糖尿病の投薬にインスリン注射が追加されました。

医師は、「血糖値が下がるまでインスリンの投与量を増やさなければならない」とだけ説明したので、私は素直に従ったのです。

２０１１年後半には、毎晩、長時間作用型インスリンを１２０単位と、毎食ごとに速効型インスリンを80単位、注射していました。

加えて、朝晩に、他の糖尿病治療薬を引き続き飲んでいました。

✓ どんなに運動してもやせないジレンマ

インスリンを服用し始めた後は、どんなに運動をしても体重を減らすことができませんでした——何をしてもダメで、炭水化物を抜いても効果がなかったのです。

それが**インスリンのせい**であることには気づいていました。

そして、２０１５年1月。**「このままではいけない」と、本気で思いました。**

再び炭水化物をカットし、30分間の高強度インターバルトレーニングクラスに通い始めたところ、血糖値は一時的に約2・3mmol／Lに低下することもありました。

その後、ファン医師の記事を見つけたのです。

ファン先生はケープタウンで開催された低炭水化物高脂肪会議で発表を終えたばかりで、2型糖尿病は改善する可能性があると述べていたのです。YouTubeでプレゼンテーションを見て、私は初めて「納得のいく答えを見つけた」と直感しました。

すぐにでもインスリンをやめることが最優先事項だと思いましたが、ここ南アフリカでは助けてくれる栄養士や医師を見つけることができなかったのです。

2015年1月

体重	96キロ
空腹時血糖値	9.5mmol/L
ヘモグロビンA1c	7.6%
インスリン投与量	360単位／日

独学でファスティングに挑む

そこで、ファン医師のインテンシブ・ダイエタリー・マネジメントのブログをさらに読み込んで、2月末から、低炭水化物ダイエットと並行してファスティング療法に挑戦しました。**インスリンの投与量を半分に減らし、週の3日をファスティングにあてた**のです。

ファスティングの日は、朝にクリーム入りのコーヒー（ブレットプルーフ・コーヒー）を飲み、それ以外の時間はレモンスライス入りの水を飲みました。

2015年6月

体重	79.7kg
空腹時血糖値	7.6mmol/L
ヘモグロビンA1c	6.2%
インスリン投与量	なし

のちに、朝食を食べる必要がないと知り、ファスティングをしていない日の食事は、夕方の一度だけにしました。

血糖値の低下が続いたので、インスリン注射をすべて中止し、低炭水化物のパレオダイエットを続けました。

体重はゆっくりと減っていき、体重計の針は87・8キロを指しました。体脂肪が6・2キロ減、胴囲（ウエスト）は35センチ減りました。

そして、6月の初めまでに、体重は79・7キロに。

体脂肪は13・03キロ減、胴囲は46・5センチ減となりました。

✓ 約1年で28キロの減量に成功

ファスティング療法を続けていたところ、8月になってようやく、最後のひと押しを助けてくれる医師との出会いがありました。

そして、私が出した結果に、みんなが驚きました。

２０１５年11月末には、体重が68キロ、体脂肪20・64キロ減、胴囲は77・5センチ減となったのです。

医療の専門家でもある友人たちは、「うまくいくはずがない」と、半ば冷めた目で私を見ていたそうですが、あえて何も言わなかったということを後で知りました。

2015年11月

体重	68キロ
空腹時血糖値	5.9mmol/L
ヘモグロビンA1c	5.3%
インスリン投与量	なし

✓「続けられるダイエット」にようやく出会えた喜び

もともと大の炭水化物好きなので、特にパンや果物を我慢するのは、正直とても辛かったのです。

でも、今の食事法——**「ファスティング」**と**「リアルフード」中心**——なら、続けることができます。これだけの成果を出せるのだから、やる価値はありますね。

ファン医師の言葉を借りれば、**「ごちそうを食べるときもあるけれど、飢饉《ききん》（ファスティング）の時期を作ってバランスを取るのは簡単なこと」**でした。

これだけやせられたのは、生まれて初めてのこと。

私の人生で起こった奇跡《ミラクル》です。

おかげでとても気分がいいし、体調もすこぶる良好な毎日です。

ファスティングをしているときは活力がみなぎるのまで感じられるのですから、不思議ですね。

WHAT IS FASTING

AND WHY IS IT GOOD FOR YOU?

減量のための断食《ファスティング》

CHAPTER 5

地中海式ダイエット、アトキンスダイエット、それから、
昔ながらの低脂肪・低カロリーダイエット
——すべてのダイエットでは、短期的には減量に成功します。
しかし、最初はうまくいっても、その後は体重が減らなくなり、
続いて恐ろしいリバウンドが待っています。
他のダイエットよりも体重が落ちることが証明されている
低炭水化物ダイエットでさえ、
容赦ない停滞期とリバウンドがやってくるのです。
この無慈悲なリバウンドは、
食事法を継続的に守っていても発生します。
言い換えれば、最終的にはすべてのダイエットが失敗するのです。
……いったい、なぜ？

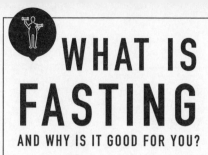

✓「食べる量を減らし、運動量を増やす」はうまくいかない

「証拠はプリンの中にある（The proof is in the pudding）」という言い回しが英語にはあります。元のバージョンは、「プリンの証拠は食べてみないとわからない（The proof of the pudding is in the eating）」。「成功したかどうかを判断するには、最後まで見届けなければならない」という意味です。つまり、**成功すると「思う」からといって、必ずしもそうなるとは限らない**ということです。

これを肥満に置き換えてみましょう。

ここ半世紀の主流の栄養アドバイスは「ＣＩＣＯ（カロリーイン、カロリーアウト）」です。「摂取カロリーを消費カロリーよりも少なくすれば、最終的にやせ続けることができる」という考え方ですね。食事性脂肪は高カロリー食品（炭水化物とタンパク質が1グラム当たり4カロリー、脂肪は1グラム当たり9カロリー）なので、とりわけ太りやすいと考えられていました。

一般的に推奨される「低脂肪・低カロリーダイエット」と「運動量の増加」を組み合わせた減量アプローチは、消費カロリーを減らし燃焼カロリーを増やすのを目的にしており、これを要約すると「食べる量を減らし、運動量を増やす」となります。

論理的に納得がいきますし、うまくいきそうですが、本当のところはどうでしょうか？

ご存知のように、この食事法は過去数十年にわたって広く支持されていますが、**悲惨なことに、世界的な肥満の流行を生み出している**のです。

アトランタにある疾病管理予防センターは、米国の肥満傾向を綿密に追跡しており、2015年のデータによると、肥満率が20％未満の州は存在しませんでした。

わずか20年前の1995年には、肥満率が20％を超える州はなかったのに！

ここから、議論の余地のない2つの事実が導き出されます。

事実その1――過去20年にわたる従来の減量のアドバイスは「食べる量を減らし、運動量を増やす」だった。

事実その2――過去20年間で、肥満率は爆発的に増加した。

✓ 医師のアドバイスに従順でもやせなかった事実

2つの事実を見てみると、考えられる結論は2通りしかありません。

1つ目は、「食事のアドバイス自体はいいのに、人々がそれに従わない」というもの。

これはどう考えても無理がありますね。

こと健康に関しては、人は医師の言うことを聞くものだからです。

そのことは、医師が推奨して変化した他のライフスタイルの例からも明らかです。医師が「喫煙をやめなさい」と言うと、人々は喫煙をやめるようになりました。1960年代半ばに、肺がんと喫煙を関連づけるデータが明らかになったため、米国公衆衛生局長官が最初に健康被害があるとの警告を発しました。

その後まもなく、タバコの消費量は継続的に下降し、公衆衛生局長官による受動喫煙に関する報告によって、その動きにさらに拍車がかかったのです。

医師が「血圧とコレステロールを観察するように」とすすめると、言われた通りに血圧とコレステロールを観察しました。

それなのに、医師が「食事を減らして、運動を増やすように」とすすめたときは、言われた通りにしなかったのでしょうか？　そんなことはきっとないはずです。

これは「被害者非難」

図5-1　**タバコの消費量の推移**

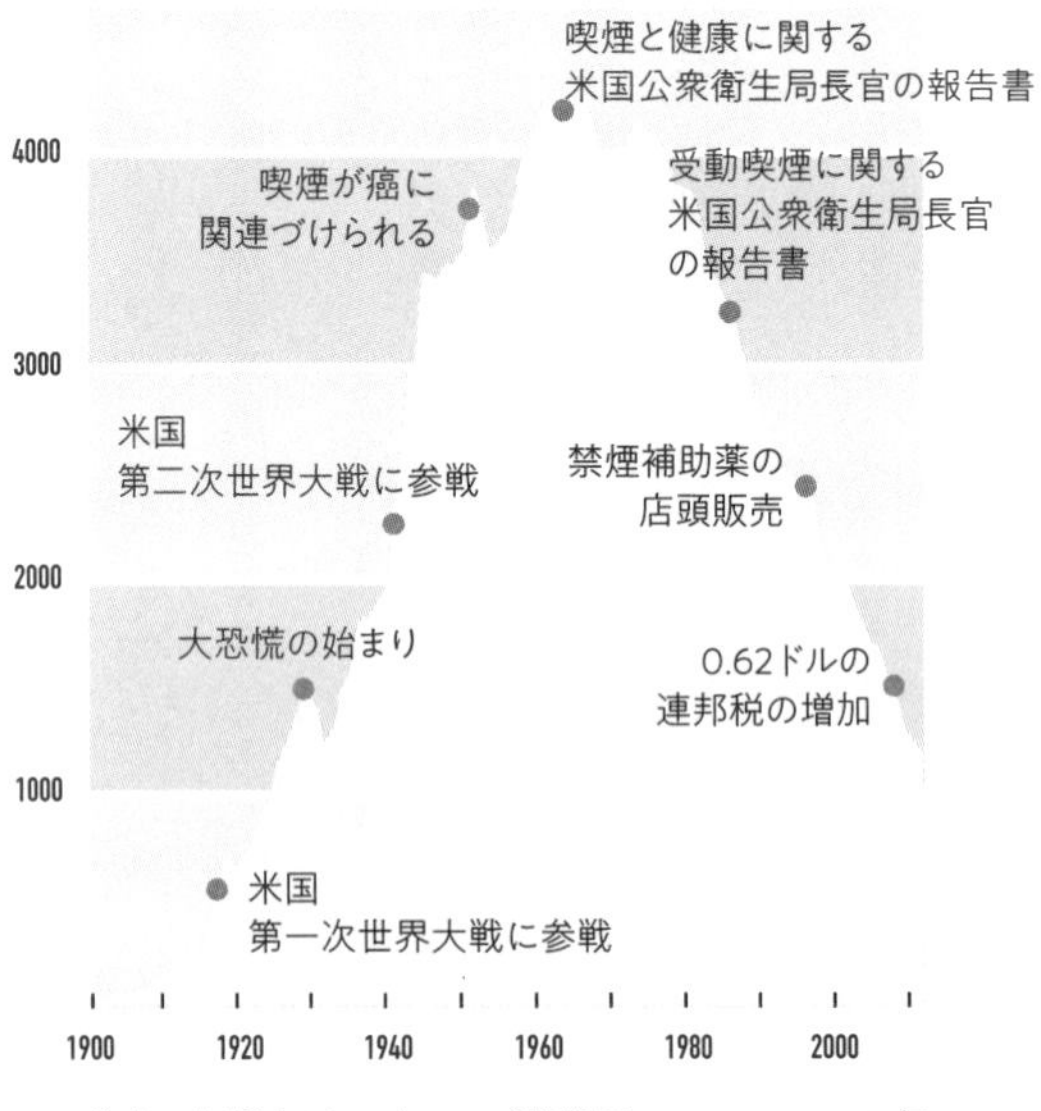

成人1人当たりのタバコ消費量、1900~2012年。
医師が喫煙は健康に悪いと説き始めると、
人々は耳を傾け、喫煙率が低下した。

出典：SurgeonGeneral.gov

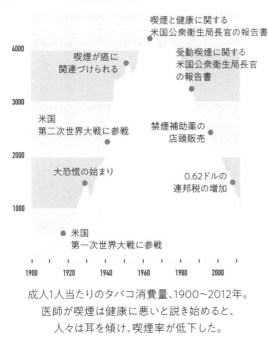

とも呼ばれる考え方です。

アドバイスを良いものと仮定し、失敗したときは、「あなたがアドバイスにきちんと従わなかったからだ」と責めるのです。そうすることで、責任が「アドバイス提供者」から「アドバイス実践者」へと移るのです。

しかし実際には、アメリカ人は政府の栄養ガイドラインに従ってきました。

米国農務省（USDA）の最初の「アメリカ人のための食生活指針」は1977年に発行されました。アメリカ人に「炭水化物の摂取を増やす」「脂肪の総摂取量を減らす」という2つの目標に向けて食事を調整することを推奨するものです。カロリー削減は目標ではありませんが、脂肪は炭水化物よりもカロリーが高いため、食事脂肪の削減によるカロリー減が期待されていました。

1970年以降、野菜・果物・穀物の消費量が増え、赤身の肉・卵・動物性脂肪の消費量は減少しました。

まさに、USDAのガイドラインが推奨した通りです。

しかし、約束されたメリットは実現しませんでした。

✓ 医師のアドバイスが間違っていた？

2つ目の結論――残された唯一の結論――は**「食べる量を減らし、運動量を増やす」と**

いうアドバイス自体が間違っているというもの。
実は、数々の科学的研究が、これを裏づけています。
カロリーを減らすアプローチ（摂取カロリーを減らして、消費カロリーを増やす）の成功率が極端に低いことは、**何十年にもわたる周知の事実**なのです。

図5-2

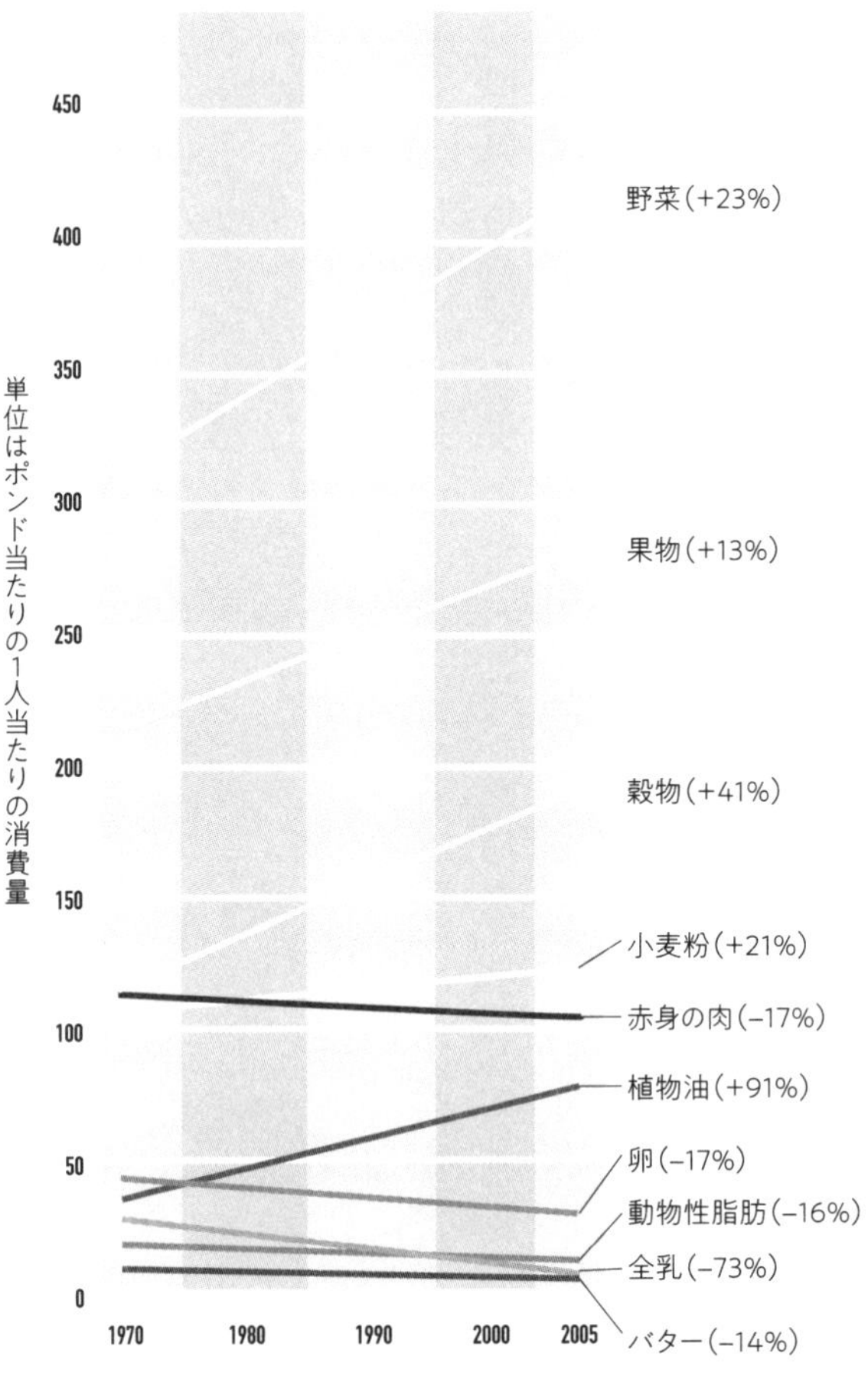

1970年以降、アメリカ人は政府が推奨する食事法に従った。
同時に肥満が急増した。

出典：Wells and Buzby, "Dietary Assessment of Major Trends in U.S. Food Consumption, 1970-2005."

1959年のある研究では、ダイエットの失敗率が「98％」という結果が出ました。カロリー減の戦略を用いたダイエット挑戦者のうち、20ポンドの体重減を2年間維持できたのは、わずか2％だったのです。

もっと最近では、2015年に英国の研究者が9年間にわたり、17万5000人以上の肥満の男女の減量率を調べた研究があります。カロリー減だけで通常体重を得られる確率は、女性で0・8％、男性で0・47％でした。

したがって、**従来のカロリー計算方法を使ったダイエットは、最良のシナリオでも99・2％が失敗する**計算なのです。

✓食べる量を減らして、運動量を増やしたのに、太った！

減量の維持を目的とした低カロリー食についての史上最高の研究でさえ、これが失敗であることを証明する結果となりました。

大規模なランダム化比較試験である「女性の健康イニシアチブ」は、7年半にわたって約5万人の女性を追跡調査しました。

女性を2つのグループに分け、1つ目のグループは、穀物・果物・野菜を多く食べ、低脂肪・低カロリーの食事を摂って、1日の総カロリーを361キロカロリー減らしました。脂肪から摂取するカロリーの割合は38・8％から29・8％に減少しました。また、運動量

「女性の健康イニシアチブ」:食べる量を減らし、運動量を増やす

図5-4

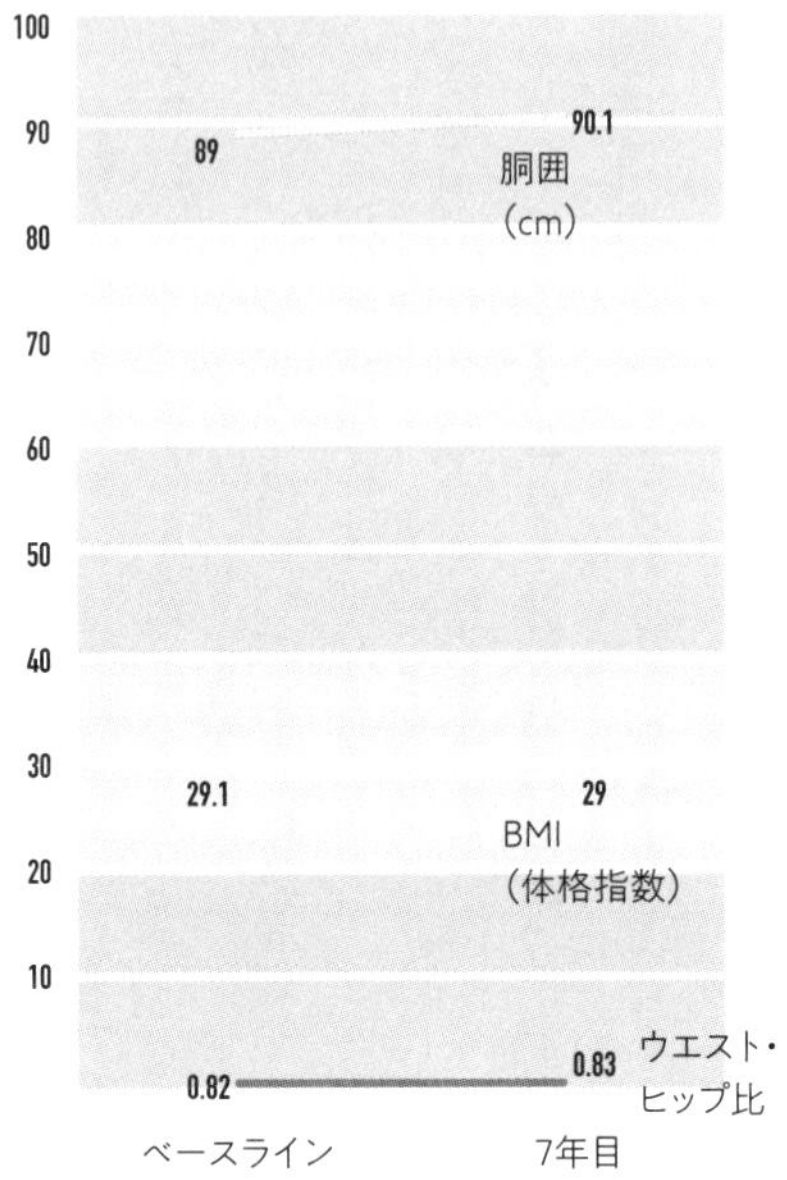

低脂肪・低カロリーの食事にもかかわらず(図5-3を参照)、「女性の健康イニシアチブ」の参加者は、BMIおよびウエスト・ヒップ比にほとんど変化が見られず、胴囲がわずかに増加した。

出典:Data from Howard et al., "Low-Fat Dietary Pattern and Weight Change over 7 Years: TheWomen's Health Initiative Dietary Modification Trial."

図5-3

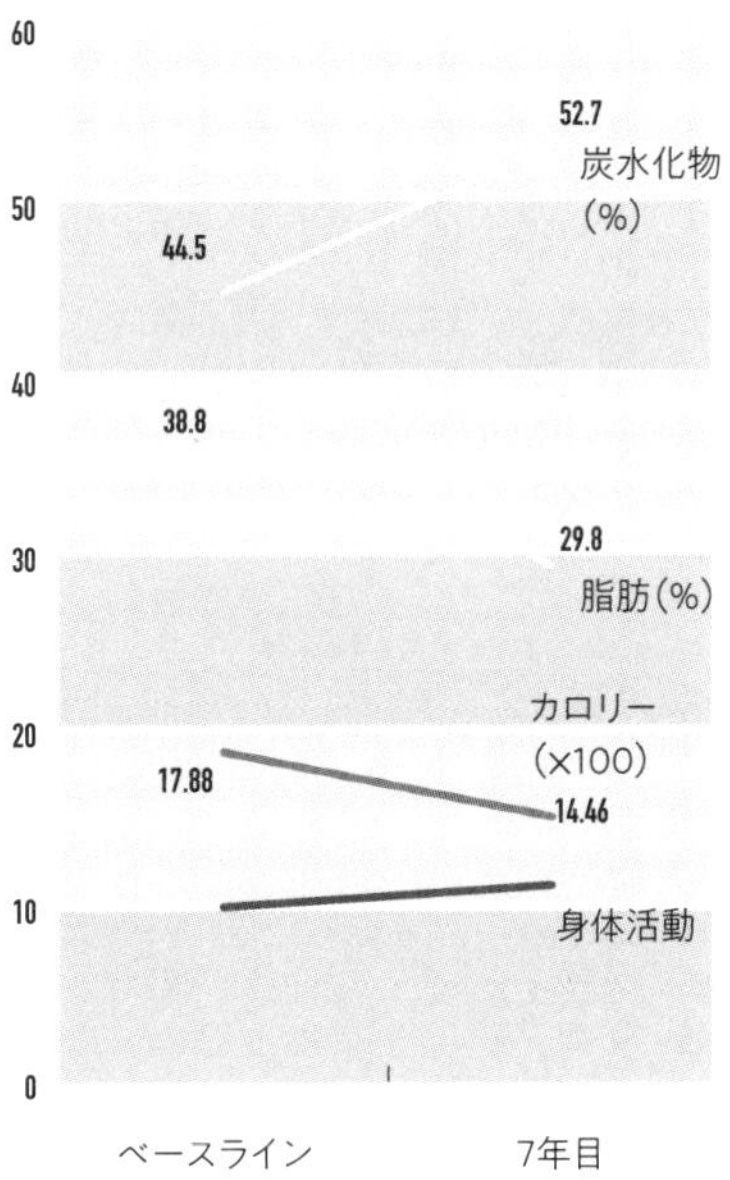

「女性の健康イニシアチブ」の研究の参加者は、7年間にわたり、総カロリーと脂肪摂取量を減らし、運動量と炭水化物摂取量を増やした。

出典:Data from Howard et al., "Low-Fat Dietary Pattern and Weight Change over 7 Years: The Women's Health Initiative Dietary Modification Trial."

が14％増加しました。

もう1つのグループには、通常通りの食事を摂ってもらいました。低カロリー・運動量増のグループに予想された体重減は、年間16・2キロ、7年で113・4キロでした。もう1つのグループは、体重減が期待されませんでした。

最終的な結果は、関係者全員にとってショッキングなものでした。

2つのグループの体重減の差は、時間が経過するにつれて約1キロにも満たなくなっていったのです（図5－5参照）。さらに悪いことに、低カロリー・運動量増のグループの胴囲（ウエスト）の平均は、約89センチから約90センチに増加しました（図5－4参照）。

図5-5

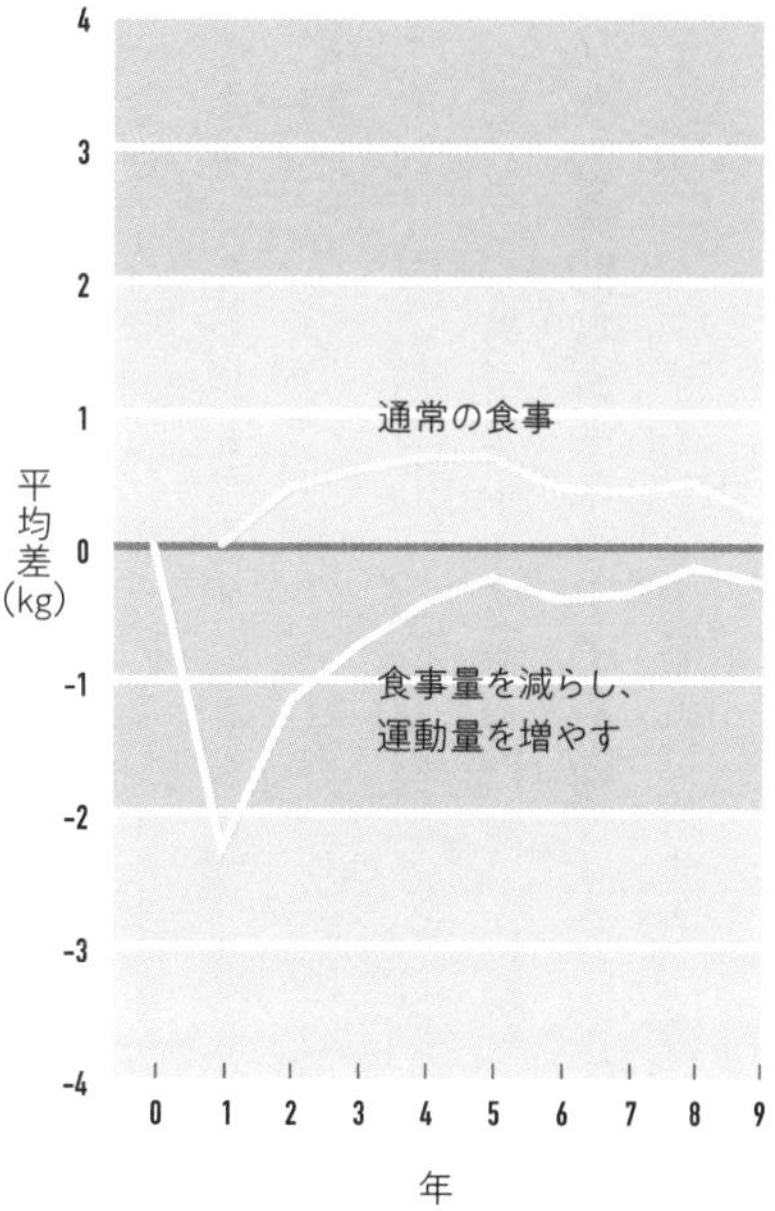

9年以上では、カロリー制限の食事をした女性は、通常の食事の人に比べて減量のメリットが見られない。

出典：Howard et al., “Low-Fat Dietary Pattern and Weight Change over 7 Years: The Women’s Health Initiative Dietary Modification Trial.”

「食べる量を減らし、運動量を増やす」という戦略に、長期間にわたって注意深く従った女性たちのほうが、実際には太ってしまったのです。

米国のリアリティ番組『ザ・ビゲスト・ルーザー』（太った出場者たちが体重減を競い合うという人気長寿番組）には、わかりやすい例が出てきます。短期的には驚くような結果が出ることがしばしばですが、**参加者たちはほぼ1人残らず、撮影終了後にリバウンドしている**のです。シーズン3の勝者カイ・ヒバードは番組への参加について「人生最大のあやまちだった」と話しているくらいです。

✓ 食べる量を減らして、運動量を増やしたのに、やせない不思議

しかし、なぜこうなってしまうのでしょう?

『ザ・ビゲスト・ルーザー』式ダイエットは、カロリーをベースラインのエネルギー必要量の70%に制限するので、通常、1日当たりの摂取量は1200~1500キロカロリーとなり、これに1日に数時間、週6日の激しい運動を組み合わせます。

まさに、あちこちの栄養士や医療専門家が推奨する、**「食べる量を減らし、運動量を増やす」という古典的なダイエットの典型**です。

『ザ・ビゲスト・ルーザー』の出場者に関する研究によると、30週間の撮影期間中に、平均で体重が149・2キロから91・6キロに減少したことが示されました。

平均で57・6キロ減！

体脂肪率は平均で49％から28％に低下しました。

失われた体重のほとんどすべてが、除脂肪体重（脂肪以外の重量）ではなく、体脂肪量だったのです（脂肪と一緒にある程度の除脂肪組織が失われましたが、必ずしも筋肉ではなく、主に皮膚と結合組織でした）。

これは、すごい快挙ですね！

しかし残念ながら、この結果は長続きしなかったのです。

図5-6 『ザ・ビゲスト・ルーザー』の出場者の番組中の減量について

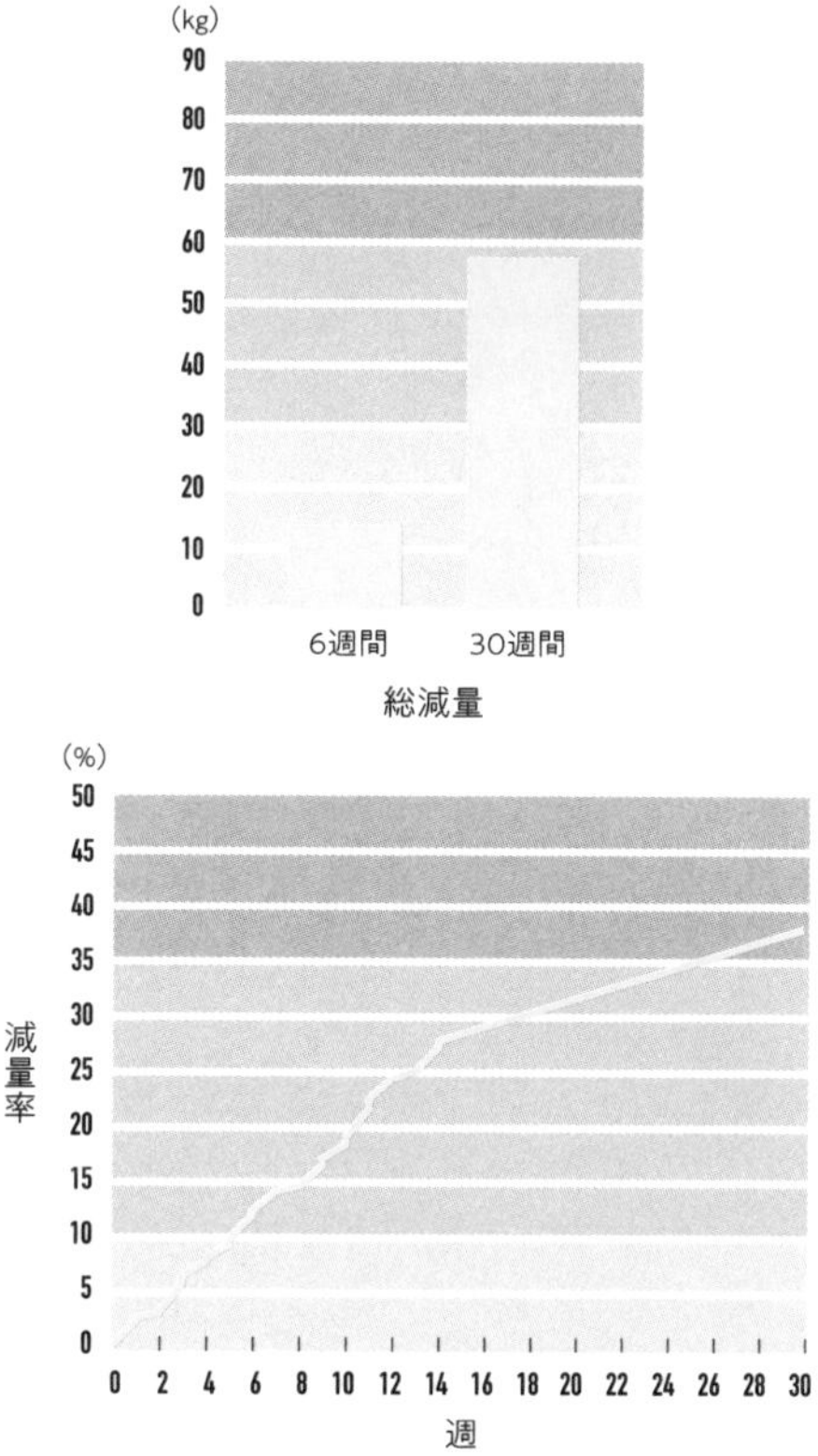

30週間におよぶ撮影中に
『ザ・ビゲスト・ルーザー』の出場者は
目を見張る減量の結果を出した。

出典：Johannsen et al., "Metabolic Slowing with Massive Weight Loss Despite Preservation of Fat-Free Mass."

✓ 奇跡から6年――悪夢のリバウンド

奇跡のような体重減から6年後、調査をした14人のうち13人の出場者は、減らした体重がリバウンドしていました。

93%の失敗率です。

図5-7 **『ザ・ビゲスト・ルーザー』出場者は、番組終了後に体重が戻った**

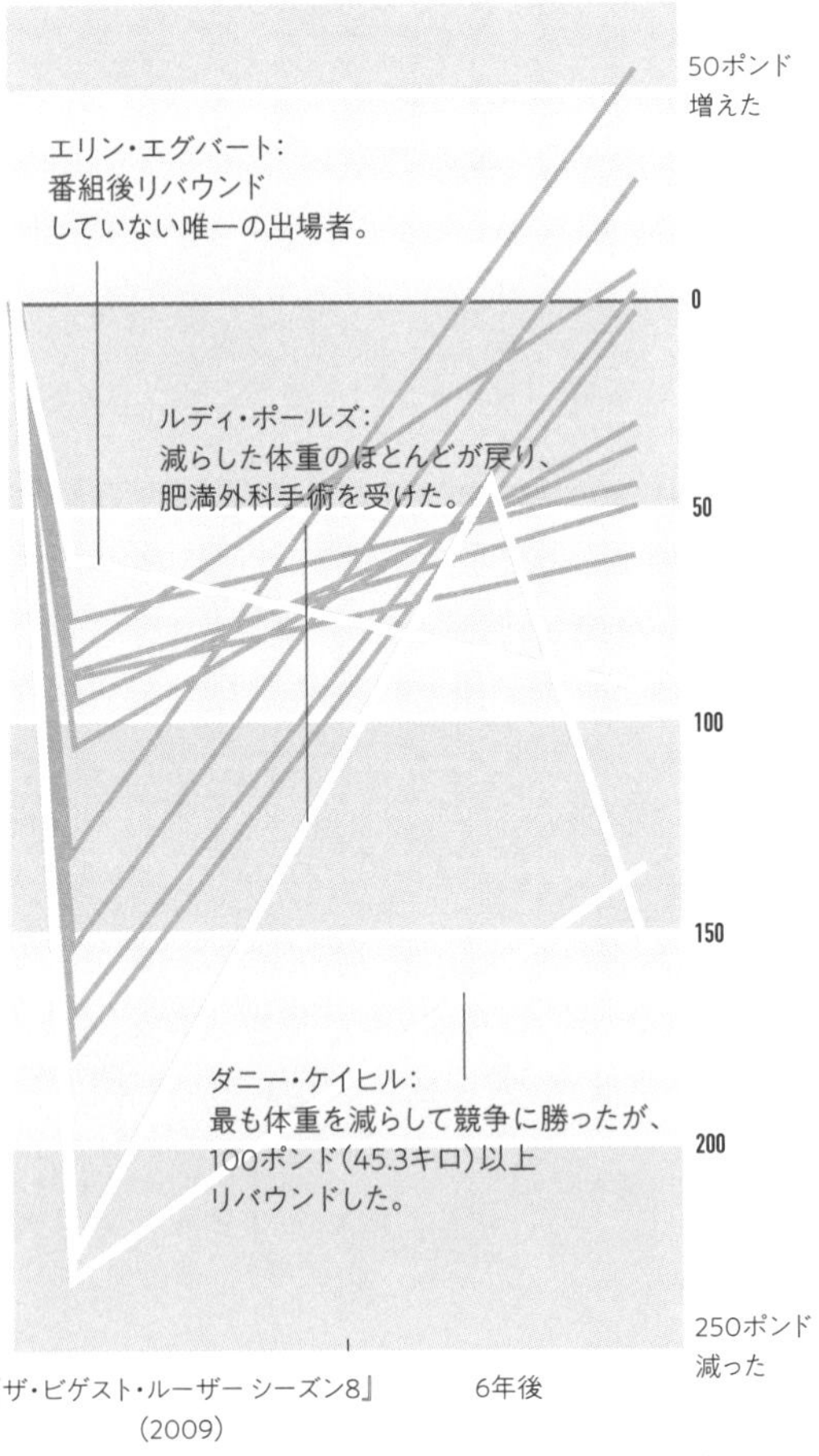
50ポンド
増えた
0
50
100
150
200
250ポンド
減った
エリン・エグバート：
番組後リバウンド
していない唯一の出場者。
ルディ・ポールズ：
減らした体重のほとんどが戻り、
肥満外科手術を受けた。
ダニー・ケイヒル：
最も体重を減らして競争に勝ったが、
100ポンド（45.3キロ）以上
リバウンドした。
『ザ・ビゲスト・ルーザー シーズン8』
（2009）
6年後

6年後、『ザ・ビゲスト・ルーザー』の出場者はほぼ全員、
減った体重がリバウンドした。

出典：Kolata, “After ‘The Biggest Loser,’
Their Bodies Fought to Regain Weight”

リバウンドの主な理由は、出場者たちの代謝が大幅に低下したことでした（本章の後半で理由を詳述）。

シーズン8の優勝者ダニー・ケイヒルは、番組中に239ポンド（107・6キロ）やせましたが、1日に**体が消費するカロリーが以前に比べて800キロカロリー少なくなってしまった**のです。これは、**減量を持続させるにあたって乗り越えられない障害**です。

図5-8 **『ザ・ビゲスト・ルーザー』の出場者は代謝が下がった**

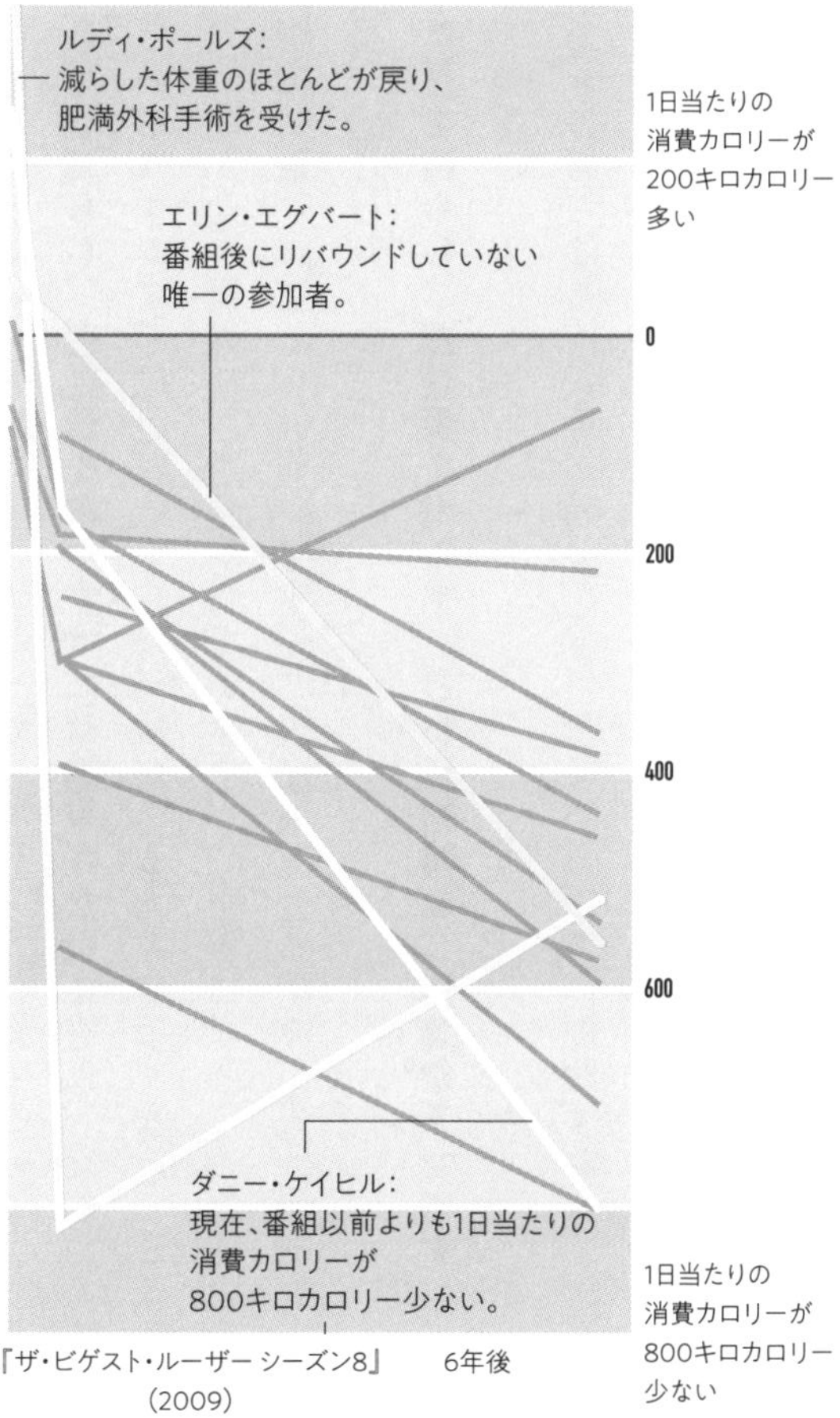
ルディ・ポールズ：
減らした体重のほとんどが戻り、
肥満外科手術を受けた。
エリン・エグバート：
番組後にリバウンドしていない
唯一の参加者。
ダニー・ケイヒル：
現在、番組以前よりも1日当たりの
消費カロリーが
800キロカロリー少ない。
1日当たりの
消費カロリーが
200キロカロリー
多い
0
200
400
600
1日当たりの
消費カロリーが
800キロカロリー
少ない
「ザ・ビゲスト・ルーザー シーズン8」
(2009)
6年後

代謝が下がると、『ザ・ビゲスト・ルーザー』出場者のほとんどは、減量を維持できなくなった。

出典：Kolata, “After ‘The Biggest Loser,’ Their Bodies Fought to Regain Weight.”

彼を含めたほぼすべての出場者が、せっかく減らした体重をリバウンドさせていました。

「食べる量を減らし、運動量を増やす」には効果がないことに、たくさんの人がうすうす気づいているはずです。痛い思いをした経験がある人も少なくないでしょう。

数々の研究が効き目のなさを証明していますが、実際に試してみた何百万人もの苦い経験も、研究結果と同じくらい重要です。この結果を見る限り、失敗率99％だとしても、私には妥当に感じられます。

「食べる量を減らし、運動量を増やす」という戦略は、残酷なデマです。

なぜ残酷なのか？

信頼できるあらゆる情報源が効果を主張しているので、失敗すれば、できなかった自分を責めることになるからです。

では、すべきことは何でしょう？

必要なのは新しい戦略――それがファスティングです。

＞バートの証言

1日19時間のファスティングを1～2週間続けて、食事の枠を5時間に制限したら、驚いたことに、余分な体重が明らかに「溶け出し」始めた！　当時、余分な体重はたった9キロほどだったけど、食べる量を減らして運動量を増やしても、落とせなかったんだ。その後の数年間、1日3回の食事に戻すと必ず増えていく体重を減らすために、このファスティングを取り入れた食事スケジュールに戻ることを続けているんだよ。

食事の間隔を空けると、毎回ダイエットに成功することがわかったからね。

✓ 燃やしやすい「グリコーゲン」、アクセスしにくい「体脂肪」

153ページの図を見てみましょう。仮にグリコーゲンを「冷蔵庫」とします。短期保存用に設計されていて、食べ物の出し入れはとても簡単ですが、スペースには限りがあります。

一方、体脂肪は地下室にある「冷凍庫」のようなものです。長期保存用に設計されており、アクセスしにくいのですが、容量ははるかに大きいです。さらに、必要に応じて地下室に冷凍庫を増設することができます。食料品を買うときは、まず冷蔵庫に食べ物を保存し、冷蔵庫がいっぱいになると、冷凍庫に余分な食べ物を保存しますね。

つまり、**最初に食物エネルギーをグリコーゲンとして保存し、グリコーゲンのスペースがいっぱいになると、体脂肪として保存する**のと同じです。

体脂肪もグリコーゲンも、食物がない状態でエネルギーとして使われますが、等しく使われることも、同時に使われることもありません。

体がカロリーを消費する仕組みを正しく知ろう！

「食べる量を減らし、運動量を増やす」で減量ができない理由は、**カロリーを消費する仕組みの認識が間違っている**からです。

NG カロリーが消費されるときの誤ったイメージ：エネルギーの保存方法は1つだけ！

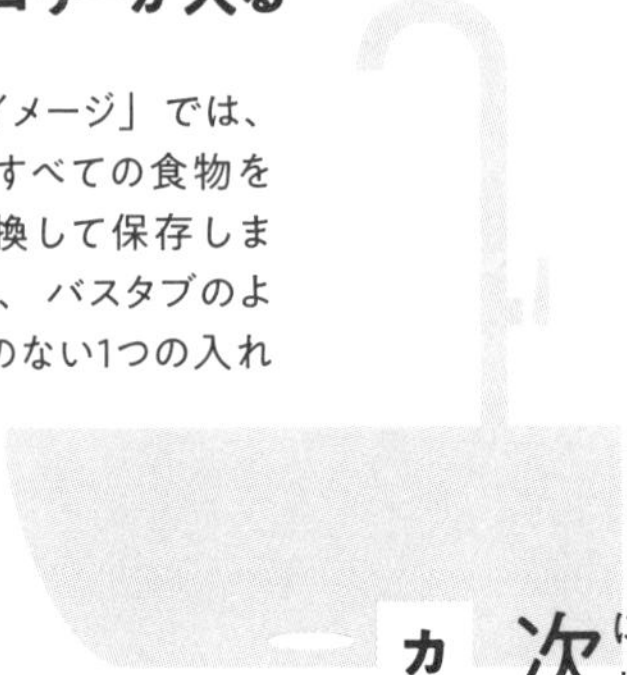

カロリーが入る

「誤ったイメージ」では、体はすべての食物をカロリーに変換して保存します。保存先は、バスタブのような「仕切りのない1つの入れ物」です。

カロリーが出る

次に、体がその入れ物にアクセスして、運動と基礎代謝のためにカロリーを消費します。体の基本的な機能――呼吸、血流からの毒素の除去、食物の消化などすべて――は、カロリーからのエネルギーを必要とします。


カロリーの貯蔵と使用については、「仕切りのない１つの入れ物」（バスタブ）をイメージしてみてください。

カロリーは、水のようにバスタブに出入りできます。

余分なカロリーはバスタブに貯められ、体がカロリーをたくさん必要とするときは簡単にアクセスできます。

たとえば運動をするとバスタブからカロリーが出ていきます。

カロリーがどんなかたちで保存されるかは、区別していません。

カロリーをすぐにエネルギーとして使用できる「グルコース」も、中間の時間枠で使われる「グリコーゲン」も、長期的なエネルギー貯蔵である「脂肪」も、すべてのカロリーが平等に扱われます。

OK カロリーが消費されるときの正しいイメージ：エネルギーの保存方法は2つある！

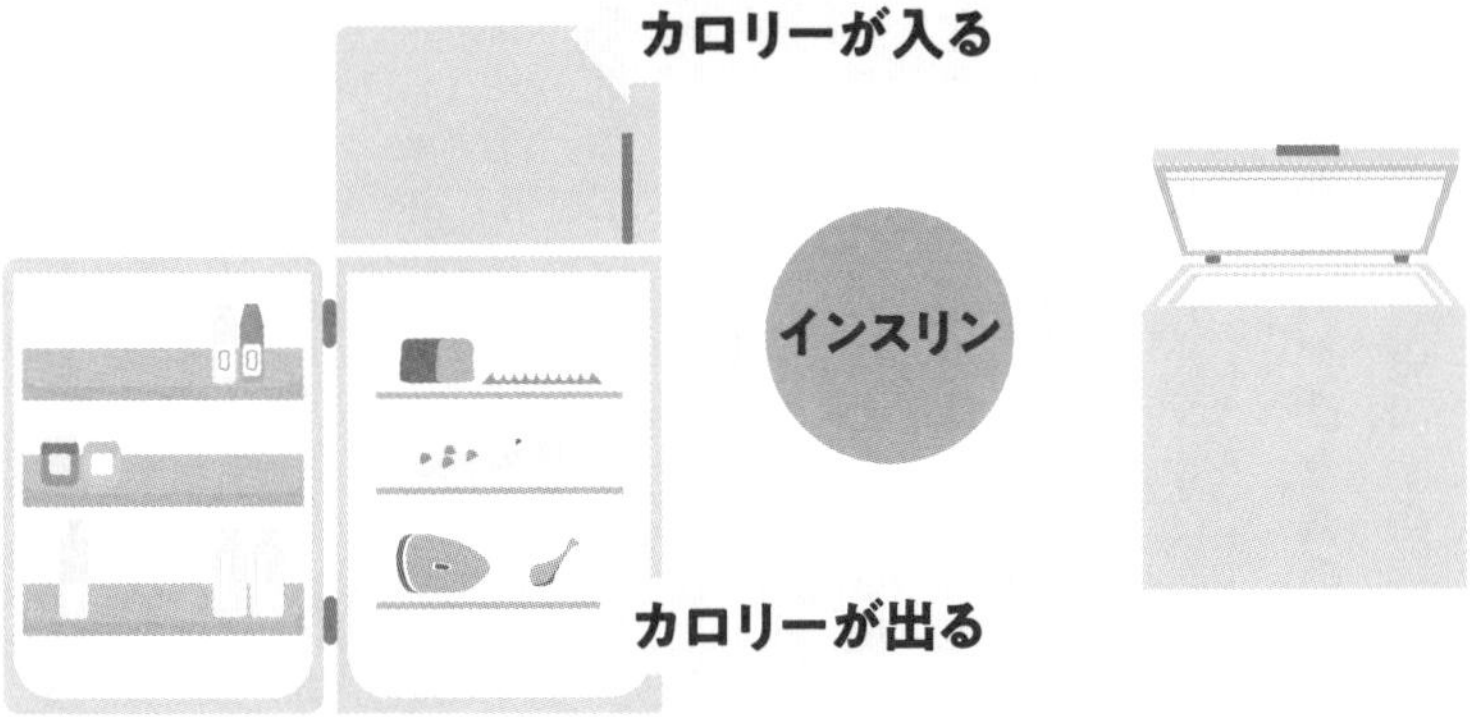

肝臓に貯えられるグリコーゲン

食べると体は、「炭水化物」「脂肪」「タンパク質」の3つの主要な源からエネルギーを引き出します。そのうち、後で使用するために保存されるのは炭水化物と脂肪の2つです。体はタンパク質を保存できないため、すぐに使用できない余分なタンパク質はグルコースに変換されます。グルコースはグリコーゲンとして肝臓に保存されますが、肝臓がグリコーゲンを保存できる能力には限りがあります。

体脂肪

グリコーゲンの貯蔵が許容量を超えると、余分なカロリーは体脂肪として貯えられます。食事脂肪は肝臓を通過せずに血流に直接吸収され、使われない食事脂肪は体脂肪として保存されます。
これが、低脂肪ダイエットが最初に推奨された理由の1つですが、摂取カロリーの直接の行き先は体重増加の決定要因ではありません。

カロリーの保存と使用については、「2つに仕切られた入れ物」（冷蔵庫と冷凍庫）をイメージしてみてください。**エネルギーが体内に保存される方法には、「肝臓に貯えられるグリコーゲン」と「体脂肪」、この2通りがあります。**そのため、「2つに仕切られた入れ物」をイメージするほうが正確だと言えます。

体は、体脂肪よりもグリコーゲンをエネルギーに使いたがります。

理由は単純で、**グリコーゲンを燃やすほうが簡単だから**です。

わざわざ地下室の冷凍庫に行くよりも、キッチンで冷蔵庫から食べ物を取り出すほうがはるかに楽ですよね？

冷蔵庫に食べ物がある限り、冷凍庫からは何も取り出さないでしょう。

言い換えれば、散歩に行くのに200キロカロリーのエネルギーが必要なとき、体はグリコーゲンから利用できる限りのエネルギーを得ようとします。わざわざ体脂肪を取りに行くような手間はかけません。

冷蔵庫と冷凍庫という2つの入れ物は、同時にではなく「順番に」使用されます。冷凍庫にあるものを使う前には冷蔵庫を（ほとんど）空っぽにする必要があります――**脂肪を燃やす前に、グリコーゲンのほとんどを燃やす必要がある**のです。**体は糖質か脂肪のいずれかを燃やすことができ、両方は燃やせない**からです。

✓ 脂肪にアクセスしやすい体とは？

脂肪の入った冷凍庫へのアクセスのしやすさの鍵を握るのが、インスリンというホルモンです。冷凍庫が地下室の鍵のかかった鋼の門の向こうに保管されているか、それとも冷蔵庫のすぐ横にあるか？

その決定要因となるのが、インスリン値なのです。

食べていないときは、インスリン値が低いため、脂肪の冷凍庫に自由にアクセスできます――体が貯蔵脂肪（体脂肪）を簡単に取り出せる状態なのです。インスリン値が低ければ、脂肪の冷凍庫を開ける前にグリコーゲンの冷蔵庫を完全に空にする必要さえありません。アクセスが簡単な状態だからです。

家の冷蔵庫で考えてみましょう。

冷凍庫からハンバーガーを取り出す前に、ケチャップやヨーグルトをはじめ、すべてのものを空っぽにする必要があるでしょうか？

もちろん答えは「ノー！」ですね。

同じように、**インスリン値が低いときは、いくらかグルコースが残っていても、体は脂肪を燃やすことができます。**

つまり摂取カロリーを減らしてインスリン値が下がったときは、グリコーゲンの冷蔵庫が完全に空っぽになっていなくても、冷凍庫から脂肪を取り出すことで、食物エネルギーの減少を簡単に補うことができるのです。

ただし、グリコーゲンの冷蔵庫の中身が少なくなればなるほど、脂肪の冷凍庫の中身を使う可能性が上がります。**冷凍庫へのアクセスがしやすくなれば、使うことが増える**のです。

✓インスリン値が低いと脂肪が燃えやすい

インスリン値が低いと、脂肪の冷凍庫にアクセスできるだけでなく、エネルギーを得るための脂肪の燃焼が起こります。**インスリン値が異常に低い場合、脂肪は継続的に燃焼します。**1型糖尿病患者の場合、膵臓のインスリン産生細胞が破壊されると、こういったことが起こるのです。インスリンが検出不可能なレベルにまで低下すると、患者（多くの場合は子ども）は、貯蔵された脂肪をすべて燃焼し、消費するカロリーに関係なく体重を増やすことができません。これは、放置すると命にかかわります。インスリン注射の治療をすれば、再び脂肪を正常に貯えられるようになります。

一方、インスリン値が高いと、体が冷凍庫の脂肪にアクセスできなくなります。鋼の門の後ろにロックされた状態です。インスリンが脂肪分解を阻害し、体が脂肪を燃焼させるのを邪魔するのです。**食事後は通常、インスリン値が高くなり、入ってくるエネルギーの一部を貯えるように体に信号を送ります。だから論理上は、保存された脂肪の燃焼もストップします**（食べ物からエネルギーが得られるため）。

しかし、この状態は食後だけではなく、インスリンが多すぎる病気でも見られるのです。たとえば、糖尿病の治療によく使用されるインスリン注射は、一般的に脂肪の蓄積を増やします。体が脂肪を燃やせないからです（そもそも脂肪が少なすぎる1型糖尿病患者にとっては素晴らしい状態と言えますが、脂肪が多すぎる2型糖尿病患者にとってはそれほど素晴らしいとは言えません）。「インスリン抵抗性（インスリンの働きが悪くなった状態）」は、「前糖尿病（糖尿病予備軍）」または「メタボリックシンドローム」と呼ばれ、インスリン値が異常に高い状態が続くことです。

ファスティング経験者 エリック談

1か月半にわたり、夕食から次の夕食までの間欠的ファスティングをやってみたら、活気がみなぎるのを感じて、トレーニングで持ち上げるウエイトの重さを増やすことができたよ。

平均して1週間に1〜2キロ体重が落ちた。DXAスキャンによって、**減ったのは筋肉ではなく脂肪**であることがわかったんだ。体重減に加えて、ウエスト周りが数センチも減った。

僕は2型糖尿病だけど、間欠的ファスティングで、血糖値を正常範囲に保つことができた！

インスリン抵抗性の原因は？

インスリンの主な仕事は、グルコースを血流から細胞に移動させ、エネルギーとして使えるようにすることです。

インスリン抵抗性があると、細胞はインスリンに鈍感になります。

そうすると、**通常量のインスリンではグルコースを細胞に移動させることができず、血液中にグルコースが蓄積されていく**のです。

これを補うために、体はさらにインスリンを産生してグルコースを強制的に入れ込もうとします。これにより、**常にインスリン値が高い状態が続き、脂肪燃焼が阻止されてしまう**のです（6章参照）。

しかし、そもそもインスリン抵抗性の原因は何でしょうか？

手がかりはその名前にあります。

インスリン抵抗性は、細胞が過剰なインスリンの影響に抵抗する必要があるために養われます。根本原因は、常にインスリン値が高いことであり、これが悪循環を引き起こすのです。

インスリンが多すぎると耐性が生じます。インスリン抵抗性がインスリン値を上げ、それがさらに抵抗性を強くします。このサイクルは、続けば続くほど強化されるのです。**インスリン抵抗性のサイクルをうまく破る方法は、インスリン値を継続的に上げることではなく、インスリン値を劇的に下げること**なのです。

似たような問題として、「抗生物質抵抗性」を例に考えてみましょう。

新しい抗生物質が投与されると、標的となった細菌のほとんどが死滅しますが、いくつかの細菌には抵抗性があり、生き残るのです――そして、向かうところ敵なしといった様相で、はびこっていきます。

これらの「耐性菌」は繁殖して広がり、一般的に抗生物質の効果は薄れます。抗生物質が効く細菌が減ってしまったからです。こうして、抗生物質が抗生物質抵抗性を生み出すのです。

抗生物質抵抗性を止めるには、どうすればいいでしょうか？

耐性菌を殺すためにさらに多くの抗生物質を投与すれば、しばらくは効き目があります。でも、最終的には、多量の抗生物質の投与は抗生物質抵抗性を高めるだけです。抗生物質が増えれば増えるほど抵抗性が高まるという悪循環にはまってしまいます。

正解は正反対で、**抗生物質に抵抗性のある細菌の繁殖を防ぐために、抗生物質の使用を大幅に減らすべき**なのです。

✓ 燃やすのはグリコーゲンか？ それとも体脂肪か？

同じ論理が、インスリン抵抗性にも当てはまります。

インスリンに対する細胞の感受性が低くなると、体は反射的にインスリンの分泌を増やします。これが役に立つのは束の間で、時間が経つにつれインスリン抵抗性が高くなり、インスリンが増えるほどインスリン抵抗性も高くなるという悪循環を引き起こすのです。

ここでも正解は正反対なのです。

インスリン抵抗性は、インスリン値が常に高い状態のときに養われるため、**非常に低い**

インスリン値を保つ期間を作らなければいけません。

インスリン抵抗性のサイクルを断ち切ることができなければ、インスリン値は高いままです。それでは、体脂肪を燃やす能力が阻害されてしまいます。体はエネルギーを「脂肪として保存せよ」というシグナルを常に受信していることになり、「脂肪を燃やせ」とは命令されていないのです。

どの燃料を燃やすのかを決めるのに重要な役割を果たすのが、インスリンなのです。

✓「永遠に使われない体脂肪」ができるまで

こういったことすべてが減量にかかわることを確認するために、再び「仕切りのない1つの入れ物」「2つに仕切られた入れ物」のイメージ（152～153ページ参照）を振り返ってみましょう。

やせるための従来のアドバイス「食べる量を減らし、運動量を増やす」は、すべてのカロリーが等しく仕切りのない1つの入れ物に保存されているという〝間違った〟認識に基づいていることを思い出してください。「摂取カロリーより消費カロリーが多ければ、体脂肪が燃える」という考え方ですね。

しかし実際には、体には、「グリコーゲン」と「体脂肪」の両方がエネルギーとして保存されます――「2つに仕切られた入れ物」のイメージです。

体脂肪を燃やすためには、貯えられたグリコーゲンのほとんどが燃え、インスリン値が貯蔵脂肪を放出するのに十分なほど下がる、という2つの条件がそろうことが必要です。

どちらのタスクも簡単ではありません。

貯えられたグリコーゲンが少なくなると、体はそれを感知して、不安になり、空腹のシグナルを出します。結果、もっと食べたくなります。グリコーゲンの貯蔵量を満たすのに十分な量を食べず、インスリン値が高いままだと、体脂肪は放出されません。体に唯一残された選択肢は、代謝を減らすことです。代謝を減らせば、より少ないエネルギーで燃焼できるからです。

食物かグリコーゲンのいずれかが利用できるときは、アクセスしにくい貯蔵脂肪は使いません。だから体脂肪は必要なときのみ使われるのです。

しかし、何十年にもわたりグルコースがたっぷりと蓄積されると、冷蔵庫を空っぽにすることができないため、貯蔵脂肪が増えます。

言い換えれば、**食べ物は冷凍庫に入れっぱなしのまま、使われることがない**のです。

そして、インスリン抵抗性が高まるにつれて、結果としてインスリン値が高くなり、貯蔵脂肪へのアクセスがますます難しくなるという悪循環になります。

体は常に体重を規定値に留めたがり、それを上回ったり下回ったりすると、体重を戻すための適応メカニズムが発動します。

だから減量後に、お腹がすいたり代謝が容赦なく下がったりするのです。体が体重を増やして規定値に戻そうとしているのです。

体が代謝を下げて空腹感が増す理由は、インスリン値が高いままなので、脂肪として貯えられたエネルギーにアクセスできないためです。

体には、代謝を下げる以外の選択肢がありません。体脂肪にアクセスできないので、エネルギーを節約しようとするからです。

これが、インスリン抵抗性が肥満に大きく関連する理由です。**インスリン値が高いと、体は体脂肪を温存し、同時に代謝を下げようとします。**すると、せっかく減量した努力が無駄になってしまうのです。たとえ適切な食事を摂り続けていても、体重は横ばいになり、残酷にも増加します。**食事を変えるだけでは明らかにダメ**なのです。

✓ インスリンが脂肪燃焼の邪魔をする

1つ、例を見てみましょう。

あなたの1日の摂取カロリーが2000キロカロリーだとします。体重は安定しているので、1日当たりの消費カロリーも2000キロカロリーです。1ポンド（0・45キロ）の脂肪は3500キロカロリーなので、100ポンド（45キロ）の脂肪があれば、貯蔵脂肪は35万キロカロリーとなります。

今、あなたは減量したい。

そのため、1日の摂取カロリーを1200キロカロリーに減らしたとしましょう。

最初のうちは、減ったカロリーを補うために脂肪が失われます。

ただし、インスリン抵抗性がある場合、インスリン値が高い状態が続くので、貯蔵脂肪へのアクセスが困難になります。**高いインスリン値が、エネルギーを燃やすのではなく蓄積するように体に指令を出す**からです。

体は2000キロカロリーの燃焼に慣れているのに、今は1200キロカロリーしか使えないので、それに合わせてカロリー消費を減らそうとします。その結果、基礎代謝率は1200キロカロリーに下がるのです。

おわかりのように、ここでの問題は、十分なカロリーが使えないことではありません。**脂肪の冷凍庫には35万キロカロリーが保存されているのに、このカロリーを体が使えないことが問題**なのです。**脂肪に閉じ込められたエネルギーにアクセスする方法を探さなければならない**のです。

ここで考慮すべき重要な要素は「インスリン」であり、「食べるカロリーの量」ではないのです。

✓ 摂取カロリーが減ると代謝まで落ちる

『ザ・ビゲスト・ルーザー』の出場者が、「食べる量を減らし、運動量を増やす」ダイエットを試みたすべての人と同じように、体重がリバウンドした理由がここにあります——**摂取カロリーを減らしたことで、代謝が低下した**のです。

さらに、番組で要求されるような厳しいエクササイズのスケジュールを、長期にわたって続けるのは難しいものです。代謝の低下に加えて運動量が減少すると、お決まりの体重変化が起きます。カロリー消費が摂取を下回り、恐怖の「体重リバウンド」が起きるのです。

では、リバウンドを経験した人が、どんな気分になるか想像してみましょう。

『ザ・ビゲスト・ルーザー』の出場者のようにカロリー摂取量を1日当たり800キロカロリー減らすと、体がエネルギーを節約するためにスローダウンするので、寒さを感じ、無気力になり、疲れやすくなります。

そしてしばらくすると、我慢ができなくなり、食べたくなります。

ところが、**以前よりも少ない量を食べているのに、代謝が落ちているために体重が増えていく**のです。そしていつしか、元の体重に戻る——友人や家族は、あなたがダイエットをさぼったと思うのでしょうね。

これは、完全に予測可能な展開と言えるでしょう。**カロリーを減らす戦略の失敗率は**

99%とも言われる現状を見れば、『ザ・ビゲスト・ルーザー』の戦略が同じような悲惨な結果に終わるのは、何も驚くことではないのです。

✓ファスティング経験者 ロビン談

インスリン抵抗性があり、減量が長続きしなかった。61歳で初めてファスティングを試したときは、それまでの人生で何も食べない日が1日もなかったので、本当に怖かったよ。

最初のファスティングは6日間（約1か月前）。空腹の辛さは長くは続かず、すぐに乗り越えられたので、**これはできる**と思った。その週に3・6キロの減量に成功し、以来、週に数回、24時間から36時間のファスティングを行っているよ。わずか2週間ほどでさらに1・8キロやせ、ヘモグロビンA1cは5・7から5・2に、空腹時血糖値は平均97から75に下がった。やった。やった！

✓「完全に食べない＝断食《ファスティング》」こそがインスリン値を下げる

食事をすると、インスリン値が上がって脂肪燃焼をブロックし、摂取した食べ物から自由に入手できるようになったグルコースを燃やします。

炭水化物・脂肪・タンパク質の3つの主要栄養素のうち、インスリンの分泌を最も強く

促すのが、炭水化物です。

とりわけ精製された炭水化物と砂糖は、インスリンに最大の影響を与えるので、これらの摂取を抑えることが、インスリン抵抗性のサイクルを破って減量するための素晴らしい出発点であるのは間違いありません。

しかし、一部の人々にとっては、これだけでは十分とは言えないのです。

すべての食物はインスリン値を上げるので、ベストな答えは「完全に食べないこと」。

つまり私たちが探し求めている答えは、ひとことで言えば**「ファスティング」**なのです。

✓ファスティング経験者 ジェニー談

私は2011年から低炭水化物・高脂肪ダイエットを実践していて、最初は27・2キロの減量に成功したの。でも、すごく真面目にやっていたにもかかわらず、体重が戻り始めたので、がっかりしてしまったわ。そこで、1日おきの24時間のファスティングを取り入れたら、体重が再び減り始めて、3か月以内に10・4キロも減らすことができた！　自分の減量について「足りない部分を見つけた」という気分よ。自分の健康管理が再びできるようになったの。

✓ファスティングVS低炭水化物ダイエット

低炭水化物ダイエットもファスティングも、インスリン値を下げることができます。「では、減量を成功させるには、ファスティングではなく、単純に炭水化物を抜けばいいのではないか?」、こう思う人もいるはずです。

低炭水化物ダイエットとファスティングの違いは、効き目の違いです。

精製された炭水化物を減らすと、インスリンが減ります。

しかしタンパク質、とりわけ動物由来のタンパク質もインスリンを分泌します。

ファスティングは、すべての食べ物を制限することによって、インスリンを低く保つことができるので、ファスティングのほうが強力なのです。

超低炭水化物の食事（炭水化物が総カロリーの3%未満）は、標準的な食事（炭水化物が総カロリーの55%）と比較して、2型糖尿病患者の血糖値を下げるのに非常に効果的です。これは、消費カロリーが同じ場合でも当てはまります。

言い換えれば、**炭水化物を制限することによるグルコース減の利点は、単にカロリー制限によるものではない**のです。多くの医療専門家が「カロリーがすべてだ」と主張していることを考えると、これは知っておきたい情報です。

超低炭水化物ダイエットは、ファスティングを行わずにファスティングの71%の効果が得られることを考えれば、非常に優秀だと言えます。

しかし、低炭水化物だけでは十分でない場合があるのです。私の患者の多くは、炭水化物を制限しても、血糖値が上昇していました。さらなる効果を得るにはどうすればよいでしょうか――やはり、ファスティングなのです。

インスリンは、肥満と糖尿病の主な原因です。超低炭水化物ダイエットは、インスリンを50%以上減らすことができます。ファスティングでさらに50%減が達成できるのです。

だからファスティングは強力なのです。**ファスティングは、インスリン値を下げる「最も効率的かつ効果的」な方法**です。

ただし私は、「最も簡単」だとは言っていません。

あなたが求めているのは、「簡単な方法」でしょうか？　それとも「効き目のある方法」でしょうか？

図 **5-9**

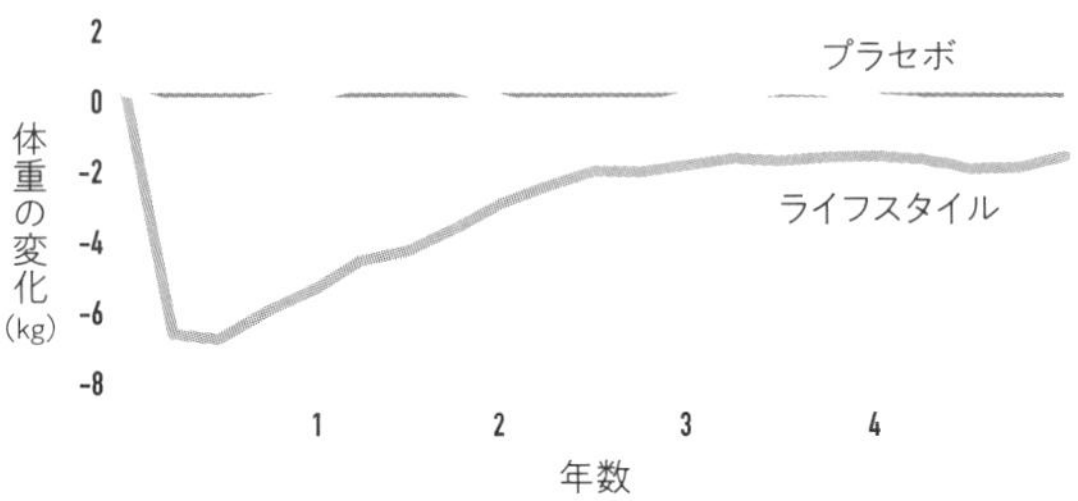

糖尿病予防プログラムでの年数経過に伴う体重の変化。
食事と運動または薬物治療による糖尿病予防についての調査。
ライフスタイルの変化により最初は体重が減少するが、
最終的には体重が戻る。

出典：Diabetes Prevention Program Research Group, “Reduction in the Incidence of Type 2 Diabetes with Lifestyle Intervention or Metformin.”

カロリー制限だけではインスリン抵抗性に歯止めがかからない

ファスティングは「カロリーを減らす程度の利点しかない」と主張する人がいます。しかし、そうだとしたら、なぜカロリー制限とファスティングに驚くほどの差が出るのでしょうか？

「食べる量を減らし、運動量を増やす」というカロリー制限の戦略は、必ずと言っていいほど失敗します。ファスティングはたいてい効果があるのに、単純なカロリー制限はそうではない――なぜでしょう？

手短に答えると、**定期的に食事を摂っている限り、たとえカロリーを減らしたとしても、ファスティング中のようなホルモンの変化が得られないから**です。

ファスティング中は、カロリー制限中とは異なり、代謝が保たれ、通常のエネルギーレベルを維持するために代謝が上が

図5-10

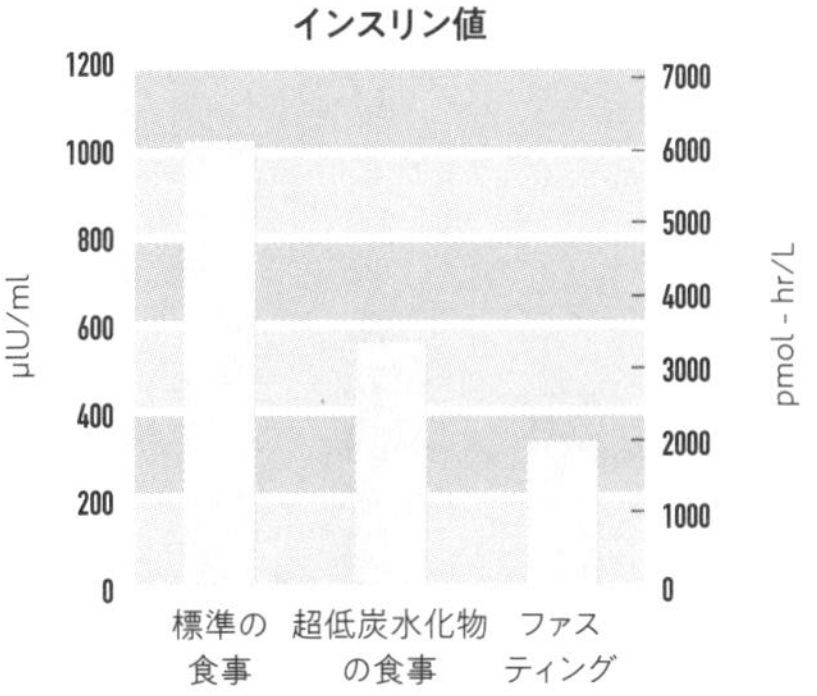

2型糖尿病患者の研究で、
超低炭水化物の食事は標準の食事と
比較してインスリン値が低下するが、
ファスティングのほうがさらに減ることが示された。

出典：Nuttall et al., "Comparison of a Carbohydrate-Free Diet Vs. Fasting on Plasma Glucose, Insulin and Glucagon in Type 2 Diabetes."

ることさえあります。

アドレナリンと成長ホルモンの分泌が増えるのは、エネルギーと筋肉量を維持するためです。血糖値とインスリン値は、体が「糖質の燃焼」から「脂肪の燃焼」へと切り替わるにつれて低下します。

これらの現象すべてが、インスリン抵抗性という長期的な問題に対処してくれるのです。

✓ 時間の経過とともに、ファスティングはインスリン値を下げる効果を発揮する

最近行われたランダム化比較試験には、カロリー制限とファスティングの違いが顕著に表れています。

研究では、107人の女性について、毎日のカロリー制限と間欠的ファスティングの有効性を比較しました。

1つのグループは、1日のカロリー摂取量を2000キロカロリーから1500キロカロリーに減らしました。

もう1つのグループは、週5日は通常のカロリー摂取量（2000キロカロリー）、残りの2日間はその25%（500キロカロリー）のみに制限しました——**「5：2ダイエット」**と呼ばれる方法です（332ページ参照）。

1週間の2つのグループの平均カロリー摂取量には大差がありません。カロリー制限のグループは1週間当たり1万500キロカロリー、ファスティングのグループは1週間当たり1万1000キロカロリーです。どちらのグループも、30%の脂肪を含む地中海式の食事を摂りました。

半年後、両グループの体重減少と脂肪減少の値は同程度でした。

ただし、「5：2ダイエット」のグループでは、インスリン値とインスリン抵抗性について、明らかに改善が見られましたが、カロリー制限のグループでは見られなかったのです。

図5-11

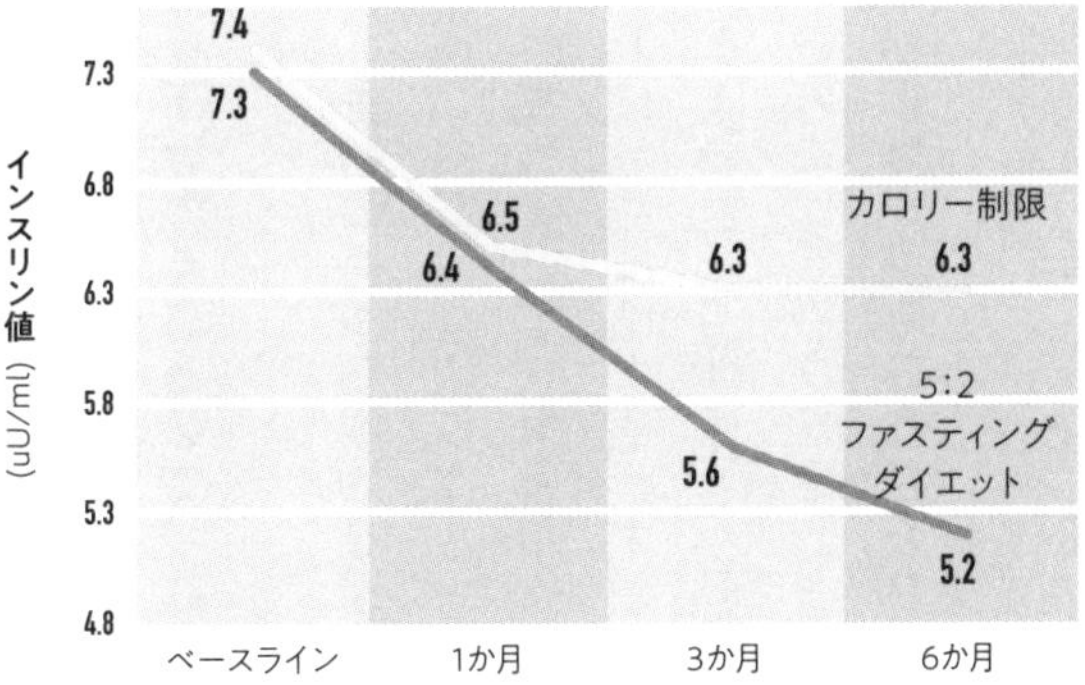

時間が経つにつれ、ファスティングはカロリー制限よりも効果的にインスリン値を低下させている。

出典：Harvie et al., "The Effects of Intermittent or Continuous Energy Restriction on Weight Loss and Metabolic Disease Risk Markers: A Randomized Trial in Young Overweight Women."

✓ 高インスリン値とインスリン抵抗性の悪循環を断つ

長期的に見ると、これがカロリー制限の重大な問題なのです。

インスリン抵抗性が高くなるとインスリン値が上がり、さらにインスリン抵抗性が高くなる、という悪循環が起きるのです。高いインスリン値は、容赦なく肥満につながります。

ほとんどのダイエットではインスリン抵抗性を下げることができません。まさにそれが、最終的に体重がリバウンドする理由です。

しかしファスティングは、長い間インスリン値を下げてくれるので、高インスリン値とインスリン抵抗性のサイクルを壊してくれます。

別の見方をすると、ほとんどのダイエットでは、生物の持つ基本的な性質である恒常性（ホメオスタシス）を無視しています。体は変化する環境に適応するのです。

たとえば暗い部屋にいて、突然明るい日光にさらされると、一瞬目が見えなくなりますが、そのうち目が慣れてきますすね。同じことが減量にも当てはまります。

低カロリーの食事を続けていると、体がすばやく適応し、カロリー消費（代謝）が摂取量の減少に合わせて下がります。体重は安定したのちに、リバウンドします。

ダイエットをやめたからではなく、下がった代謝に体が適応したからリバウンドが起こるのです。

体が新しいダイエット戦略に適応するのを防ぎ、減量した体重を維持するには、**「持続

的な」戦略ではなく「間欠的な」戦略が必要です。この2つには重要な違いがあります。「常に」「一部の」食べ物を制限するのと、「ときどき」「すべての」食べ物を抜くのとは、まったく別物です。

この差が、失敗と成功とを分けるのです。

FASTING ALL-STARS

アベルの証言

私は、ＡＢＣテレビの〝My Diet Is Better Than Yours〟のセレブコーチとして、出場選手のカート・モーガンのダイエットにかかわった。

開始当時のカートの体重は159・7キロ、体脂肪は52％もあったんだ。間欠的ファスティングを取り入れた「ワイルド・ダイエット」を実践してわずか14週間後、カートは39・5キロ減という驚異的な数字を出した！

さらに重要なことに、カートは体脂肪を52％から30％未満に減らすこともできた――競合する別のダイエットより2倍近く体脂肪を減らしたんだ。

私の経験では、「高脂肪・低炭水化物の栄養プラン」と「間欠的ファスティング」「戦略的な筋力トレーニング」を組み合わせることで、急速的かつ劇的に体脂肪を減らすことができると自信を持って言えるよ。

✓マークの証言

ファスティングによる体重の減少は、最初のうちは相当量の水分が失われるため、一時的なものになりがちだね（問題のある食物が除去されたこと、またはグリコーゲンとその貯蔵水が放出されたことによって炎症が軽減するため）。体重を徐々に減らす鍵は、ファスティング期間が終了したときに食べすぎないようにし、適度な運動を続けることだよ。

✓ 肥満外科手術VSファスティング

「食事量を減らし、運動量を増やす」のアプローチよりもはるかにうまくいっている、強力な減量戦略が1つあります――肥満外科手術（胃の縮小手術）です。

前述のように、『ザ・ビゲスト・ルーザー』の出場者は「食事量を減らし、運動量を増やす」ダイエットをしましたが、無惨にもリバウンドしてしまいました。『ザ・ビゲスト・ルーザー』の出場者と肥満外科手術によって同様の減量をした肥満患者を直接比較した調査では、**『ザ・ビゲスト・ルーザー』の出場者は代謝が低下しましたが、肥満外科手術のグループは代謝が低下していない**ことがわかったのです。

肥満外科手術は、**2型糖尿病の回復**でも見事な成功を収めています。

ある研究では、肥満外科手術を受けた思春期の2型糖尿病患者が、95%という驚くべき割合で、病気が回復したことがわかりました。

同じ研究によって、3年後に74%が**高血圧を自然治癒**し、66%が**脂質の異常を自然治癒**したことも確認されています。

他のダイエット法は失敗するのに、なぜ肥満外科手術は良い結果が出るのでしょうか？

さまざまな説がありますが、仮説の1つに、健康な胃の大部分を切除することで、こういった効果が得られるというものがあります。正常な胃は多くのホルモンを分泌しますが、胃を切除することで「謎のホルモン」がいくらか減少し、さまざまな効果につながった、という理屈です(＊1)。

これは正解からほど遠いことがわかっています。胃緊縛《きんばく》術のような新しいタイプの肥満外科手術は、胃の一部を切除するのではなく、胃にバンドを巻きます。この種の手術でも、**2型糖尿病の回復とインスリン抵抗性の低減に成功**しています。

ということは、胃から分泌される「謎のホルモン」の減少が効果につながったわけではないと言えるでしょうね。

もう1つの仮説は、脂肪細胞が減ることで効果が得られるのではないかというものです。脂肪細胞は、体重の調節因子であるレプチンなど、さまざまな種類のホルモンを活発に分泌します。脂肪細胞自体が肥満の維持にひと役買っているのなら、脂肪細胞を取り除くことは有益かもしれません。

しかし、皮下脂肪を機械的に除去する脂肪吸引手術では、代謝が改善しないことがわかっています。ある研究では、10キロの皮下脂肪を除去しても、血糖値が大幅に改善しませんでした。得られるのは美容効果だけで、代謝は改善しないのです。

（＊1）最近胃を切除することにより腸からGLP－1という消化管ホルモンが出て、代謝を改善することがわかってきました。

✓ファスティングと同様のホルモン効果がある

しかし、これは魔法でも謎でもありません。

肥満外科手術に効果があるのは、カロリーが急激に厳しく制限されるからです。肥満外科手術から得られるメリットのすべては、ファスティング中にも得られます。

簡単に言えば、**肥満外科手術は、手術によって強制的にファスティングをすること**なのです。

肥満外科手術をした患者は、食物の摂取を劇的に減らさざるを得ません。食べすぎると吐き気や嘔吐が起こるからです。

突然、劇的にカロリー摂取が減るため、ファスティング中と同様のホルモンへの適応が起こり、安静時の代謝率が安定します。だから、**継続的かつ緩やかにカロリー制限を行って減量した場合とは違い、代謝が落ちない**のです。

長期的な研究では、体重減で予測される以上の代謝の低下は見られませんでした（300

ポンド、つまり約135キロの体重を抱えるほうが、200ポンド＝約90キロよりも多くのエネルギーが消費されるため、わずかな低下が予想されます。代謝の低下とは、この範囲を超えたものを指します）。

アドレナリンと成長ホルモンが増え、そのことが筋肉量の維持を助け、代謝を高く保つのに役立ちます。そして、インスリン値と血糖値が下がります。「食べる量を減らし、運動量を増やす」という毎日のカロリー制限の戦略では、こうしたホルモンの恩恵は得られません。

しかし、ファスティングなら得られるのです。

ファスティングと肥満外科手術を直接比較した研究からは、減量と血糖値の低下の両方の効果において、ファスティングが肥満外科手術よりも優れていることが明らかになっています。どちらの手法も2型糖尿病に効果があります。

そこで、ちょっと考えてみてください。

肥満外科手術で得られるすべてのメリットが、急激かつ大幅なカロリー削減によるものなら、手術をやめてファスティングをしたらどうでしょうか？

言ってみれば、**ファスティングは手術を行わない肥満外科手術**なのですから。

✓「リスクゼロ」「世界一安全」だから、ファスティングを選ぼう

手術には代償がつきものです。

肥満外科手術には、合併症がよく見られます。手術から3年以内に、思春期の患者の13％が、再び手術を必要とするほどの深刻な問題を抱えています。

最も一般的な合併症は、食道が徐々に狭くなり、その結果、食事が困難になることです。これを治療するために、患者の喉に徐々に太いチューブを押し込み、幅を広げます。しかも、一度では済まず、何度も繰り返し行うことが多いのです。

そんな苦痛を味わうくらいなら、肥満外科手術の代わりにファスティングをしてはどうでしょう？

合併症の心配もなく、コストもゼロで、肥満外科手術と同等のあらゆる恩恵が得られるのですから。

ファスティングのほうがはるかに安全で、お手軽です。手術より優れていると言わないまでも、同じくらいの素晴らしい結果が期待できます。

おそらく、ファスティングが嫌がられる理由として最も多いのは、「難しすぎる」というものですね。

しかし、ファスティングをしたこともないのに、あれこれと評価を下す人があまりにも多いと感じます。私はしょっちゅう、「24時間も断食するなんて、できません」と患者に言われます。

「どうしてわかる？　やったことあるの？」と尋ねると、「ありません。でもわかるんです」と判を押したような答えが必ず返ってくるのです。

実際には、**ほぼすべての人がファスティングをすることができる**のです。

文字通り世界中で何百万人もの人々が宗教的な目的で定期的にファスティングをしています（2章参照）。一般的な健康診断の血液検査や大腸内視鏡検査の前には、最長で24時間くらいは食事をしないように言われますよね。これはもう、立派な断食《ファスティング》です。

とにかくファスティングは試してみるに尽きます。

他のあらゆることと同じで、やればやるほど、簡単にできるようになります。

特別なスキルは必要なし——**ファスティングは「すること」ではなく「しないこと」だから**です。

とにかく食べなければいいのですから、**“足し算ではなく引き算のダイエット”**とも言えますね。

これまで受けてきた健康に関するあらゆるアドバイス（ビタミンを摂る、薬を飲む、手術を受ける）とは、ほぼ正反対で

図5-12

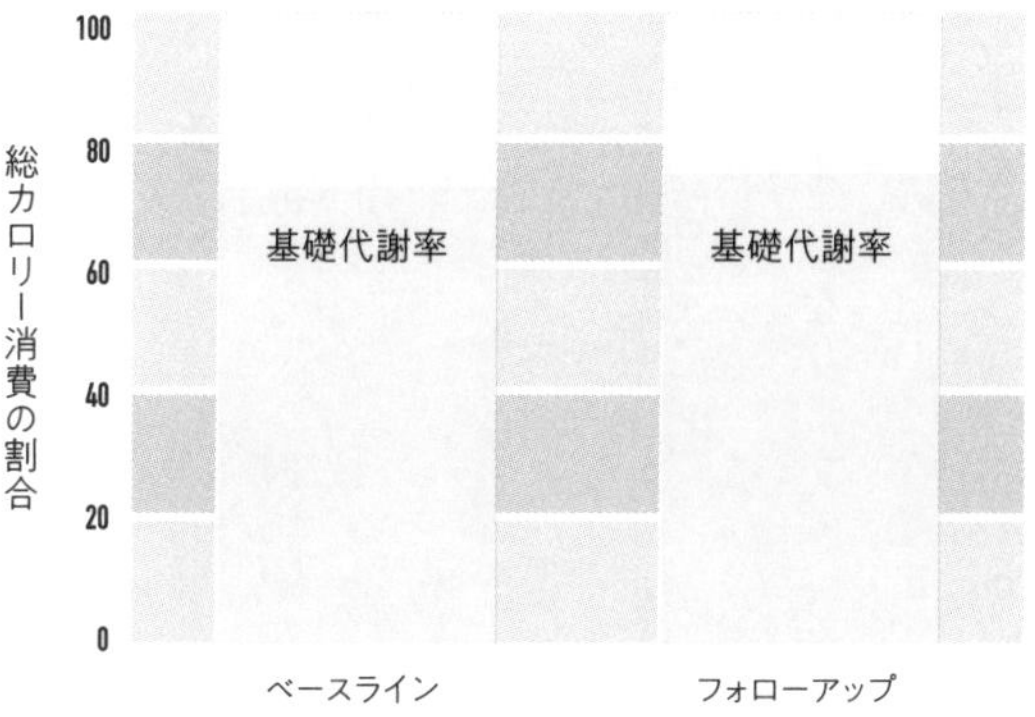

肥満外科手術患者は、単純なカロリー制限の人とは異なり、基礎代謝率の低下を示さない（図5-8参照）。

出典：Das et al., “Long-Term Changes in Energy Expenditure and Body Composition After Massive Weight Loss Induced by Gastric Bypass Surgery.”

す。

おそらくこれが、ファスティングが成功を収めている理由です。

肥満外科手術には、多くの短期的なメリットがあるものの、長期的なメリットについては疑問が残ります。ファスティングなら、術後の合併症もなく、お金のかかる病院や手術器具もいらず、特別に訓練された外科医も必要ありません。

すべては、ファスティングをすることで手に入るのです。

✓ 減量のためのファスティングに期待できること

ファスティング療法で減る体重は、人によって大きく異なります。

肥満に苦しんでいる期間が長いほど、体重を減らすのが難しくなります。

また、インスリンなどの特定の薬物は、減量を難しくする場合があるのです。

とにかく忍耐強く続けるべきでしょう。

ファスティング中に減った体重が、食事を再開している間に戻ってくると、体重が横ばいになります（そうならない唯一の方法は、引き続き数週間または数か月、ファスティングを続けることです。そうでなければ横ばいは避けられません）。

ファスティングの内容か食事、または両方を変えるのも効果があります。一部の患者は、ファスティング期間を24時間から36時間に増やしたり、48時間のファスティングを試したりしています。毎日1食しか食べない人もいるし、1週間のファスティングを続ける人もいます。

どれも効果が期待できます。

重要なのは、とにかくファスティングの計画を変更することです。

また**ファスティング中は、初期に急激に体重が減る**ことが注目されています。

最初の数日間は1日平均0・5〜1キロ落ちることがよくあります。でも残念ながら、これは体脂肪が減っているのではありません。ファスティング中の脂肪の減少は、1日平均約0・225キロです。もしも1日に0・45キロ以上減っている場合は、0・225キロを超える分は水の重さであり、食べるとすぐに戻ります。これは異常でもなんでもないことです。水分の重さが戻っても、がっかりしたり、ファスティングに効果がないと決めつけたりしないでくださいね。

COLUMN

脂肪が燃焼すると何が起きるのか――ケトンとケトアシドーシスの話

脳のエネルギーにもなる「ケトン体」

「ケトジェニックダイエット」を知っていますか？

ここ数年で急速に人気が高まっており、肥満をはじめとする幅広い健康問題に効果があることが知られています。そして実は、ケトジェニックダイエットとファスティングには、いくつか共通する特徴があるのです。

ケトジェニックダイエットの名前の由来は「ケトン体」です。ケトン体は、脂肪が燃焼するときに体が産生する物質で、グルコース（ブドウ糖）が不足したときの脳のエネルギー源です。ケトジェニックダイエットは、体がグルコース燃焼から脂肪燃焼へと切り替えるのを助け、その結果、ケトンが産生されます。

もちろん、ファスティングも脂肪を燃焼させるので、ケトンが産生されます。

体脂肪を構成する「トリグリセリド（中性脂肪）」

体脂肪を構成するのは主にトリグリセリドで、これは1分子のグリセロール骨格と長さの違う3分子の脂肪酸が結合した分子です。

脂肪燃焼中、トリグリセリド分子は、グリセロール骨格と3つの脂肪酸に分解されます。脂肪酸は、肝臓、腎臓、心臓、筋肉など、体のほとんどの臓器で直接使用されます。

ただし、腎臓の内部（腎髄質）や赤血球など、特定の細胞は脂肪を燃やすことができ

「トリグリセリド分子」

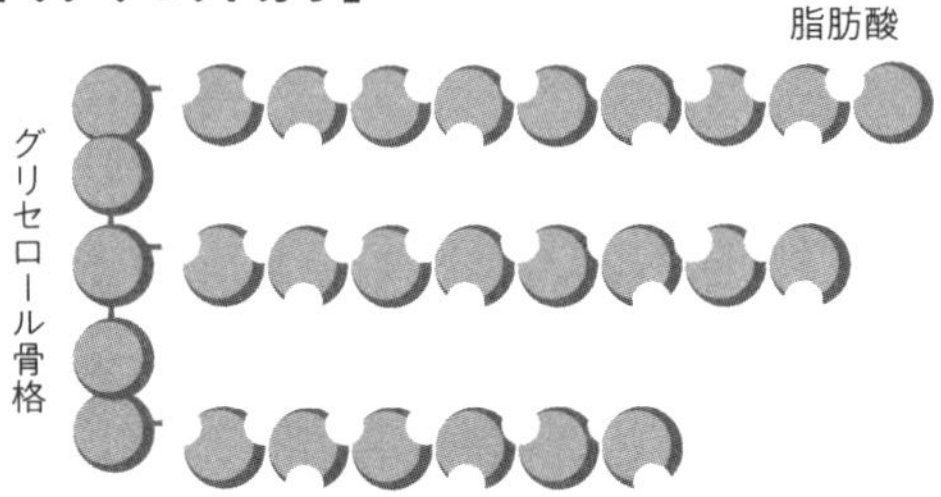

ません。

ケトン体が脳のエネルギーの75%を供給

これらの細胞が必要とするグルコースを供給するために、肝臓はグリセロール骨格を使って、新グルコース分子を作ります。

しかし重要なのは、脳も脂肪酸を使用できないことです。脂肪燃焼中に産生されたケトン体が、その不足を埋めます。そしてエネルギーの大半をケトンに頼ることになり、ケトンは脳のエネルギー需要のうち最大75%を供給します。

これにより、脳が必要とするグルコースが劇的に減るため、グリセロールが適切な量のグルコースを産生できるようになります。こうして、トリグリセリドは、脂肪酸、ケトン体、グルコースのかたちで、全身に必要なエネルギーを供給するのです。

脳はファスティング中に正常に機能するためにグルコースを必要とします。**グルコースを食べて摂る必要はありません。**全身を動かすのに十分なグルコースを作ることができるからです。これはごく自然な状態です。体が機能するために、そういう仕組みが作られているのです。

使われず増えすぎたケトンは危険信号

あなたが1型糖尿病患者なら、「糖尿病性ケトアシドーシス」の危険性を警告されているかもしれません。これはケトーシス（ケトン体を産生している状態）とは異なります。

糖尿病性ケトアシドーシスでは、血糖値が非常に高いにもかかわらず、体がケトンを産生します。

この状況では、血糖値を処理するためにインスリン値が「高く」なる必要がありますが、膵臓のインスリン産生細胞が破壊されているため、体は十分なインスリンを分泌できなくなります（これが、1型糖尿病患者がインスリンを摂取しなければならない理由です）。

インスリンが不足しているので、体は大量のケトンを作り出します。

しかし血液中にグルコースが多く含まれ、脳はグルコースを使いたがるので、ケトンはエネルギー源として燃やされません。ケトンは未使用の薪《まき》のように細胞の外に積み上げられ、生命を脅かすほどの危険な状況になるのです。

糖尿病ではない通常の健康状態であれば、ケトンが多くても、脳が継続的にエネルギー源として燃やしてくれます。あなたが1型糖尿病患者でないなら、ケトアシドーシスを心配しなくてもいいでしょう。

COLUMN

ファスティングとコルチゾール

人間が生き残るために必要なホルモン

コルチゾールは、肉体的・心理的なストレスを受けたときに放出されるホルモンです。体を「闘争または逃避反応」に備えさせるため、まさに、**人間が生き残るために、また環境に適応する能力を発揮するためには、欠かせないホルモン**なのです。

ただし、コルチゾールは肥満の主な原因の1つでもあります。

実際に、プレドニゾンと呼ばれる合成コルチゾールは、体重増加を引き起こします。特に四肢以外の部分の体重が増えます。

そのため、ファスティングによって、コルチゾール値が上昇するのを心配する人もいます。

ファスティング中のコルチゾール値上昇はあまり心配しなくていい

しかし、間欠的ファスティングの研究によれば、コルチゾール値は一般的に影響を受けないことがわかっています。

2週間の間欠的ファスティングでは、コルチゾール値が上がりませんでした。

さらに、72時間のファスティングでさえも、コルチゾール値の大幅な上昇は見られなかったのです。

値は個人によって異なるものの、総じて言うと、**「コルチゾール値の上昇はファスティング時の大きな問題にはならない」**と言えるでしょう。

私の経験では、ファスティングをする人の大部分にはコルチゾール値の上昇が見られませんでしたが、誰もがこうなるとは限りません。

ファスティングによってコルチゾール値に悪影響が出ているように感じられる患者を治療することもときどきありますが、そういった場合は、ダイエットのやり方の変更が必要となります。

WHAT IS FASTING

AND WHY IS IT GOOD FOR YOU?

やせるためだけじゃない！
2型糖尿病のための断食《ファスティング》

CHAPTER 6

世界保健機関（WHO）は2016年、
糖尿病に関する最初のグローバルレポートを発表しました。
この報告書から、糖尿病が一種の「災害」であることは
明らかです。
1980年に比べ、
糖尿病に苦しむ人の数は4倍に跳ね上がりました。
古代から存在するこの病気は、
どうやって「21世紀の脅威」になったのでしょうか？

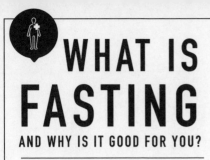

✓ 糖尿病は紀元前から続く病気

糖尿病の存在は何千年も前から認識されていました。

紀元前1550年頃に書かれた古代エジプト医学パピルス「エーベルス・パピルス」には、この症状について初めて「尿が多すぎる」と記述されています。

ほぼ同時期の古代インド人の書物に、「マドゥメハ（大まかに翻訳すると「はちみつ尿」）」という病気についての記述があります。患者は不思議なほどやせ細り、栄養補給をしても効果はありませんでした。

興味深いことに、アリは患者の尿に惹《ひ》きつけられました。甘い味がしたからです。

紀元前250年までに、ギリシャの医師、メンフィスのアポロニウスがこの症状を「糖尿病（diabetes＝「過剰な排尿」の意）」と名づけました。

この数千年の間に、医学、テクノロジー、栄養事情があらゆる進化を遂げたにもかかわらず、なぜ**現代の医療システムが古代の病《やまい》に勝てない**のでしょうか？

✓ 1型糖尿病と2型糖尿病

糖尿病には主に、1型と2型という2つのタイプがあり、多くの面で2つは正反対です。

1型糖尿病は自己免疫疾患です。体の免疫システムが膵臓のインスリン産生細胞を攻撃して破壊し、深刻なインスリン欠乏症を引き起こします。

一方で**2型糖尿病は生活習慣病**です。高血糖が頻発すると、体が反応して過剰なインスリンを産生し、それがインスリン抵抗性をもたらします。たとえるなら、しばらく部屋の中にいてその部屋のにおいに慣れてしまうと、その部屋のにおいが判別できなくなるようなものですね。

体は、過剰なインスリンに長時間さらされ続けると、インスリンの信号に反応できなくなります。2型糖尿病と肥満には明らかな関連性があり、減量することで、このタイプの糖尿病はしばしば回復します。

1型糖尿病患者はインスリンが足りないので、インスリン注射が命を救う治療法となります。

しかし2型糖尿病の場合、インスリンの投与は必ずしも成功しません——体がすでに十分な量（実際には過剰な量）のインスリンを分泌しているからです。最も成功の見込みが高いのは、食事療法です。**2型糖尿病の食事療法の歴史は数世紀前まで遡《さかのぼ》ることができますが、残念なことに、過去の教訓はほとんど忘れ去られてきました。**

19世紀半ばまでは、どちらのタイプの糖尿病にも特定の治療法はありませんでした。

1型糖尿病は、1921年にインスリンが発見されるまで、一様に死に至る病でした。

2型糖尿病は、20世紀まで2つの理由で非常に稀でした。

1つ目は、50歳以降に診断されることが多く（かつては「成人発症糖尿病」と呼ばれていました）、当時の平均寿命が今よりも短かったこと。

2つ目は、食物が今ほど豊富に手に入らなかったこと。

平均寿命の短さや食糧不足とが相まって、2型糖尿病の発症は稀だったので、効果的な治療法探しにはあまり力を入れてこなかったのです。一般的に糖尿病は、効果的な治療法がない、致命的な病気であるという認識でした。

✓ 糖尿病の治療食の確立

流れが変わったのは、現代糖尿病学の創始者とも呼ばれるアポリネール・ブーシャルダ（1806〜1886）が、糖尿病の治療食を確立したのがきっかけです。

彼は普仏《ふふつ》戦争（1870〜1871）中に、断続的な飢餓《きが》状態によって尿糖（尿中グルコース）が減少することを発見しました。

著書『尿糖または糖尿病（De la Glycosurie ou Diabète Sucré）』には、砂糖やでんぷんなどの食物を禁止する包括的な食事戦略が示されています。

奇妙なことに、この食事戦略は、近年、2型糖尿病の治療に効果的であると再認識された「低炭水化物ダイエット」によく似ています。

ファスティング経験者 クレア談

低炭水化物ダイエットで目標の半分を達成できて、残りはファスティングが叶えてくれた！ 20年間続いていたインスリン抵抗性を治すことができ、今では13・6キロも減ったのよ。40歳で、米国のサイズ4が入るなんて、すごい！

フレデリックとジョンソンの「飢餓治療」

20世紀に入って、糖尿病の集中的な食事療法を提唱したのが、アメリカ人医師フレデリック・マディソン・アレン（1879〜1964）とエリオット・ジョスリン（1869〜1962）です。

アレンは糖尿病を「無理をして働いた」膵臓が過剰な食事の要求に追いつかなくなる病気だと考えました。この考えは、2型糖尿病は膵臓が「燃え尽きた」状態とする現在の理解から大きく逸脱していません。

アレンの仮説は、食事を大幅に減らすことで、機能不全になった膵臓の仕事量を減らして回復させられる、というものでした。膵臓が完全に機能しなくなるまでは、患者は生き延びられるわけです。

アレンの「飢餓治療」は、1921年にインスリンが発見されるまで、最高の治療法

（食事療法その他も含めて）だと広く考えられていました。

食事はカロリーが非常に低く（1日当たり800キロカロリー）、炭水化物が厳しく制限されていました（1日当たり10グラム未満）。

患者は病院に入院し、午前7時から午後7時まで、2時間ごとにウイスキーとブラックコーヒーを摂取し、他のすべての食物を控えました（アレン博士がウイスキーを必要と考えた理由は不明）。これを、尿から糖が抜けるまで続けました。

この誘導段階の後に、尿中のグルコース値が低く保たれている限り、タンパク質と低炭水化物食品を、少しずつ食事に加えていきました。食事が厳しく制限されるため、成人で体重がわずか65ポンド（29・3キロ）という例が数多く報告されました。

それにもかかわらず、一部の糖尿病患者は、過去に例を見ないほど回復しました。尿中のグルコースが引き起こす過剰な排尿と喉の渇きの症状は、著しく改善されることが多かったのです。

アレンは、1915年、44人の患者についての最初の症例報告を「アメリカン・ジャーナル・オブ・メディシン」に発表しました。

1914年から1917年の間に、さらに96人の患者を治療し、平均入院日数は69日、最長は304日でした。「絶望的な」糖尿病患者をアレンに紹介する医師は後を絶たなかったのです。

ただし退院した後も、患者が質素な食事療法を続けていたかどうかは不明です。アレンは1919年の著書『糖尿病の治療のための食事制限の全て（Total Dietary Regulation in the Treatment of Diabetes）』で、76人の患者の詳細な臨床結果を発表しました。

✓死の瀬戸際の挑戦

実際には、アレンの治療に対して反応が良かった患者は、2型糖尿病または不完全な1型糖尿病であった可能性が高いです。

アレンの治療を有効活用するための大きなネックになったのは、1型糖尿病と2型糖尿病の違いが理解されていなかったことでした。

1型糖尿病患者は重度の低体重の子どもが多く、2型糖尿病患者はほとんどが太りすぎの成人でした。

超低カロリーの食事は、重度の栄養失調の1型糖尿病患者にとって死の危険をはらんでいました。実際、多くの子どもたちが、この食事療法によって飢餓状態になり、死に至ったのです。

アレンとジョスリンは婉曲的に「低栄養療法（inanition）」と呼びましたが、実際には、それは飢餓状態による「衰弱」を指す用語でした。悲劇的な結果ですが、当時1型糖尿病は、ほぼ一様に死に至る病気だったことを思い出してください。

アレンとジョスリンは、命を救うために最後の努力を試みたのです。アレンの治療が

「糖尿病で死ぬか、栄養失調で死ぬか」という瀬戸際の取引だということは、広く理解されていましたし、アレン自身でさえもそれを知っていました。

とはいえ、これは糖尿病の最初の実行可能な治療法であり、それ自体が大きな進歩でした。**アレンの食事療法は、多くの大学病院で標準的な治療として採用され、大勢の患者の命を救ったことが広く認められています。**

患者の多くは、インスリン注射の開発まで生き延びることができたのです。

ジョスリンは糖尿病を専門とする最初のアメリカ人医師であり、おそらく歴史上最も有名な糖尿病専門医です。ボストンに世界的に有名な「ジョスリン糖尿病センター」を設立し、彼が執筆した権威ある教科書『糖尿病の治療（The Treatment of Diabetes Mellitus）』は、今でも版を重ねています。アレンの治療によって、ジョスリンの数名の患者に奇跡のような改善が見られたのを受けて、彼は1916年にこう記しています。

「栄養を一時的に制限することが糖尿病の治療に有効であることが、2年間のファスティングの経験の後に認識されることになるだろう」。

✓ インスリン発見

1921年、フレデリック・バンティングとジョン・マクラウドが、トロント大学でインスリンを発見しました。糖尿病がついに治療できるようになったという喜びが広がり、食事療法への関心は事実上消えてしまいました。

しかし残念ながら、糖尿病の話はこれでハッピーエンドではなかったのです。インスリンは、1型糖尿病患者を死の危機から救い出したものの、2型糖尿病患者の全体的な症状の改善にはほとんど役立たなかったのです。

図6-1

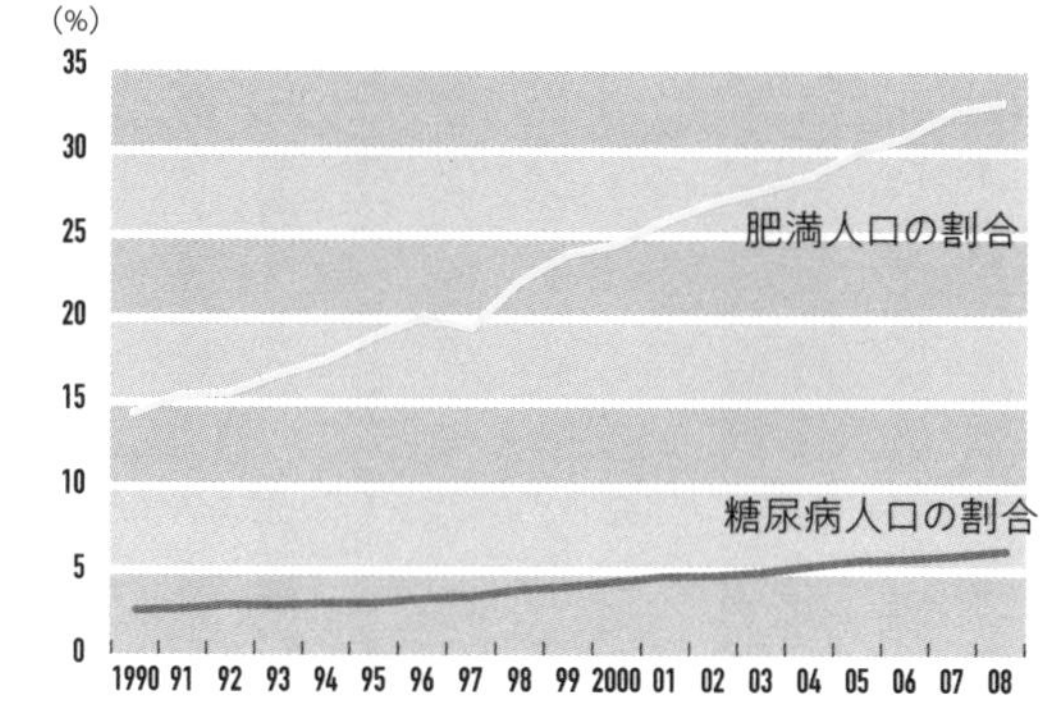

1990年以降、肥満（BMI 30以上と定義）の
数が増加するにつれて、
糖尿病患者数も増加している。

出典："Diabetes and Obesity Growth Trend in the U.S.," *Diabetic Care*, blog, http://blog.diabeticcare.com/diabetes-obesity-growth-trend-u-s/. Data from cdc.gov.

図6-2

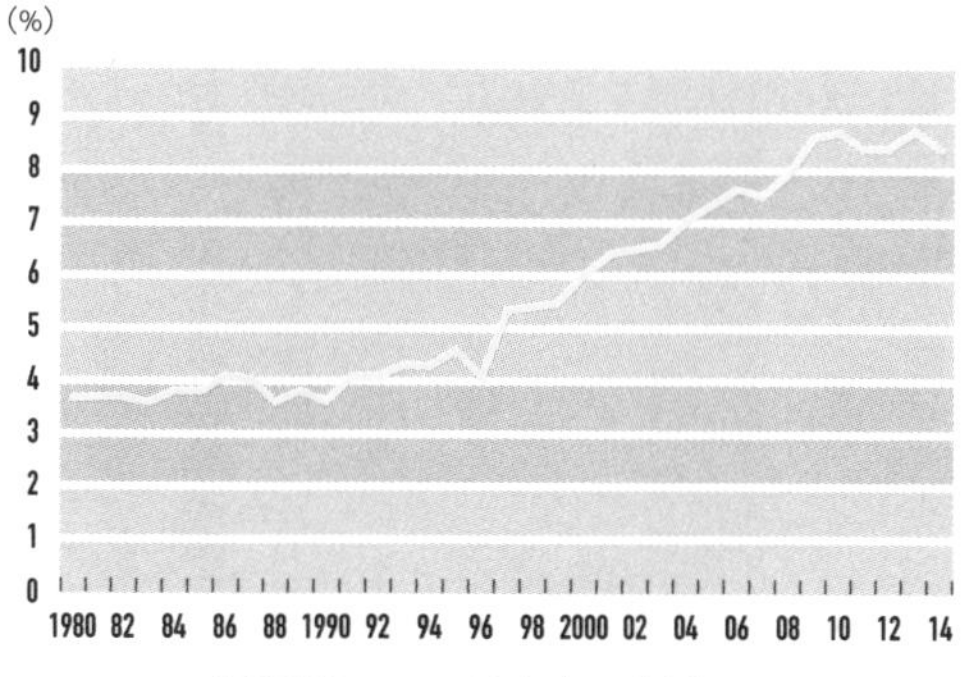

糖尿病のアメリカ人の割合は
1980年以降着実に増加しており、
1990年代後半には増加率が急激に上昇した。

出典：cdc.gov.

幸いなことに、20世紀初頭には、2型糖尿病は肥満と同様に、まだ稀な病気でした。しかし1970年代後半までに肥満の割合が激しく上昇し始め、その10年後に2型糖尿病が容赦なく増え始めました。

過去30年のうちに、2型糖尿病の発生率は、男女ともに、あらゆる年齢層、あらゆる人種および民族、そしてすべての教育レベルの人々の間で、著しく増加しました。患者の年齢層はどんどん若くなり、かつて1型糖尿病の領域であった小児糖尿病クリニックは、今や大流行の2型糖尿病の患者であふれており、その多くが肥満の若者たちなのです。

✓ 2型糖尿病の蔓延が止められない

1800年代以降の飛躍的な医学の進歩と知識の普及にもかかわらず、皮肉なことに、糖尿病は当時よりもさらに大きな問題となっています。19世紀以前、糖尿病は死に至るのが稀な病気でした。

2016年にまで話を進めると、前糖尿病（糖尿病予備軍）と糖尿病を患うアメリカ人は、過半数を超えています――2012年には米国の成人の14・3%が糖尿病、38%が前糖尿病で、合計52・3%でした。

糖尿病は世界中で増加しているのです。

患者のほとんどは体重過多で、糖尿病の合併症に苦しむことになります。

世界最古の病気の1つですが、他の病気のほとんどが医学の進歩により発症率が改善されている一方で、糖尿病は悪化するばかり。患者は世界中にいます。

いったい、なぜ？

どうして**2型糖尿病の蔓延を止めることができない**のでしょう？

✓ 忘れられた知恵——2型糖尿病と食事の関係

現代の糖尿病の専門家は、2型糖尿病は「慢性の進行性疾患」であると考えています。

しかし、これが真実ではないことを証明するのが、肥満外科手術（胃の縮小手術）です（174ページ参照）。胃のサイズを小さくして食物摂取を厳しく制限する肥満外科手術を行うと、2型糖尿病患者の多くは、かなりの体重を落とす前に、数週間以内に症状が改善するからです。

前述したように、ファスティングも肥満外科手術も、急激に厳しい食事制限をします。ファスティングに、肥満外科手術と同様の効果があっても、驚くことではありません。実際に、ファスティングが2型糖尿病を治療することは、100年以上前から知られていたのですから。

ジョスリンは、それが研究も必要がないほど明らかな真実だと考えていました。

興味深いことに、内臓脂肪（臓器内と臓器周囲に蓄積されている脂肪）は、2型糖尿病に大いに関係している可能性があります。内臓脂肪は健康に有害で、残念ながら皮下脂肪よりも蓄積しやすいのです。

そして**ファスティングと肥満外科手術は、どちらも優先的に内臓脂肪を減らします。**

✓ 大戦中に急激に低下した2型糖尿病の死亡率

たとえば、戦時中の飢餓が2型糖尿病におよぼした影響について考えてみましょう。

第一次世界大戦と第二次世界大戦の両方で、2型糖尿病の死亡率は急激に低下しました。**戦時中の食糧配給が、持続的かつ大幅なカロリー削減につながった**のです。

図6－3は、戦時中の砂糖の配給と糖尿病による死亡人数の減少の相関性を示していますが、配給されたのは砂糖だけではないことに注意してください。ほとんどすべての食べ物が制限されており、結果として、アレンの悪名高い「飢餓ダイエット」級の、持続的で厳しいカロリー削減が行われることになったのです。

第二次世界大戦中の英国の成人1人当たりの毎週の配給内容は次の通りです（1オンス＝約28グラムで換算）。

- ベーコン：4オンス（112グラム、薄切りベーコン約5枚分）
- 砂糖：8オンス（224グラム、約1カップ半）
- 紅茶：2オンス（56グラム、ティーバッグ約18袋分）

・チーズ：2オンス（56グラム、6pチーズ約3個分）
・バター：2オンス（56グラム、約大さじ4）

たったこれだけなのです。私の13歳の息子なら、週に一度の配給を1回の食事でたいらげた上、デザートも頼むはずです！

興味深いことに、**糖尿病患者は砂糖の配給をすべて放棄させられ、代わりにバターを与えられました。**戦間期には、1920年代初頭に糖尿病の治療薬としてインスリン注射が導入されたにもかかわらず、**人々が従来の食習慣に戻るにつれて、死亡率が再び上昇**に転じました。

ファスティングと肥満外科手術を比較した研究から、2型糖尿病の治療には、ファスティングのほうが有益であることが明らかになりました。一対一の比較で、**ファスティングのほうが肥満外科手術よりも、体重と血糖値ともに下げ幅が大きかった**のです。

この結果は、**2型糖尿病が慢性的かつ進行性の疾患ではなく、治療可能で可逆的な疾患である**ことを示しています。(＊1)

これは画期的な発見です。

（＊1）図6－4（次ページ）の研究は同一人物におけるバイパス手術の前後の比較であり、手術後の改善効果が、手術による摂食量の低下によるものとの結論が出る。

図 **6-3**

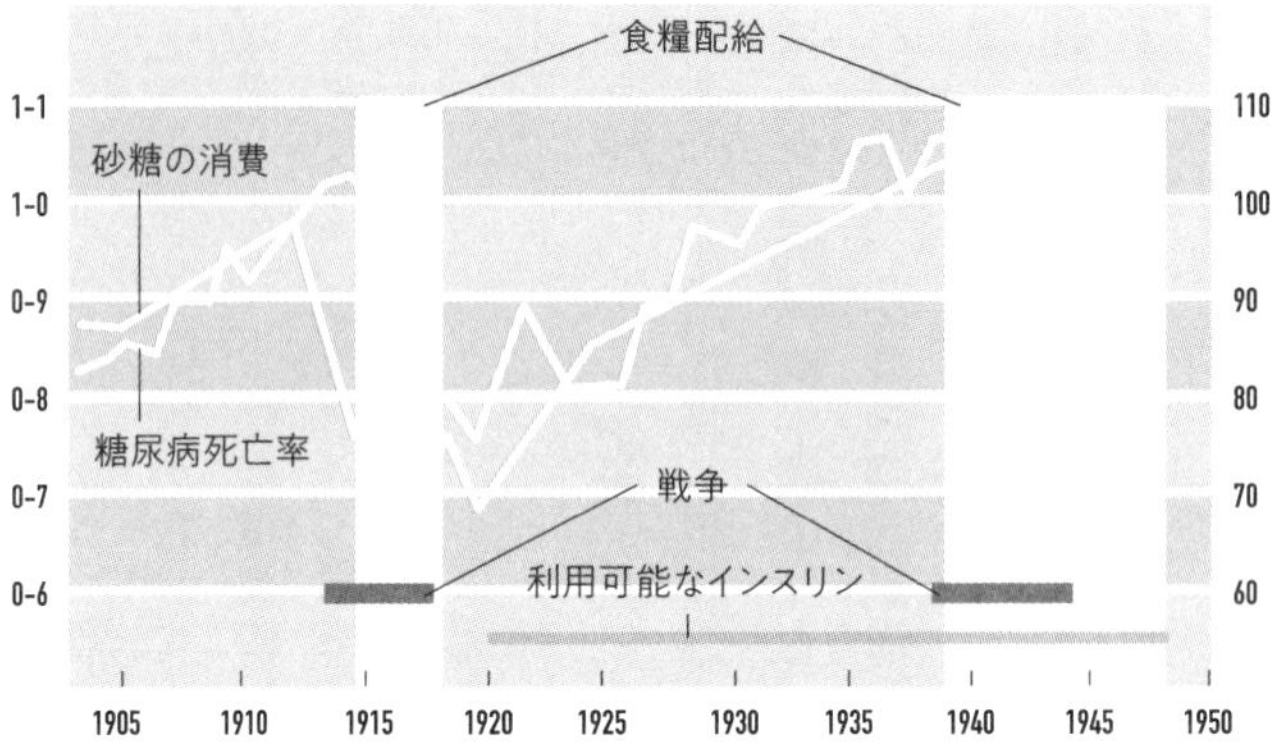

戦時中に糖尿病による死亡率が改善した。

出典:Cleave, *The Saccharine Disease*.

図 **6-4**

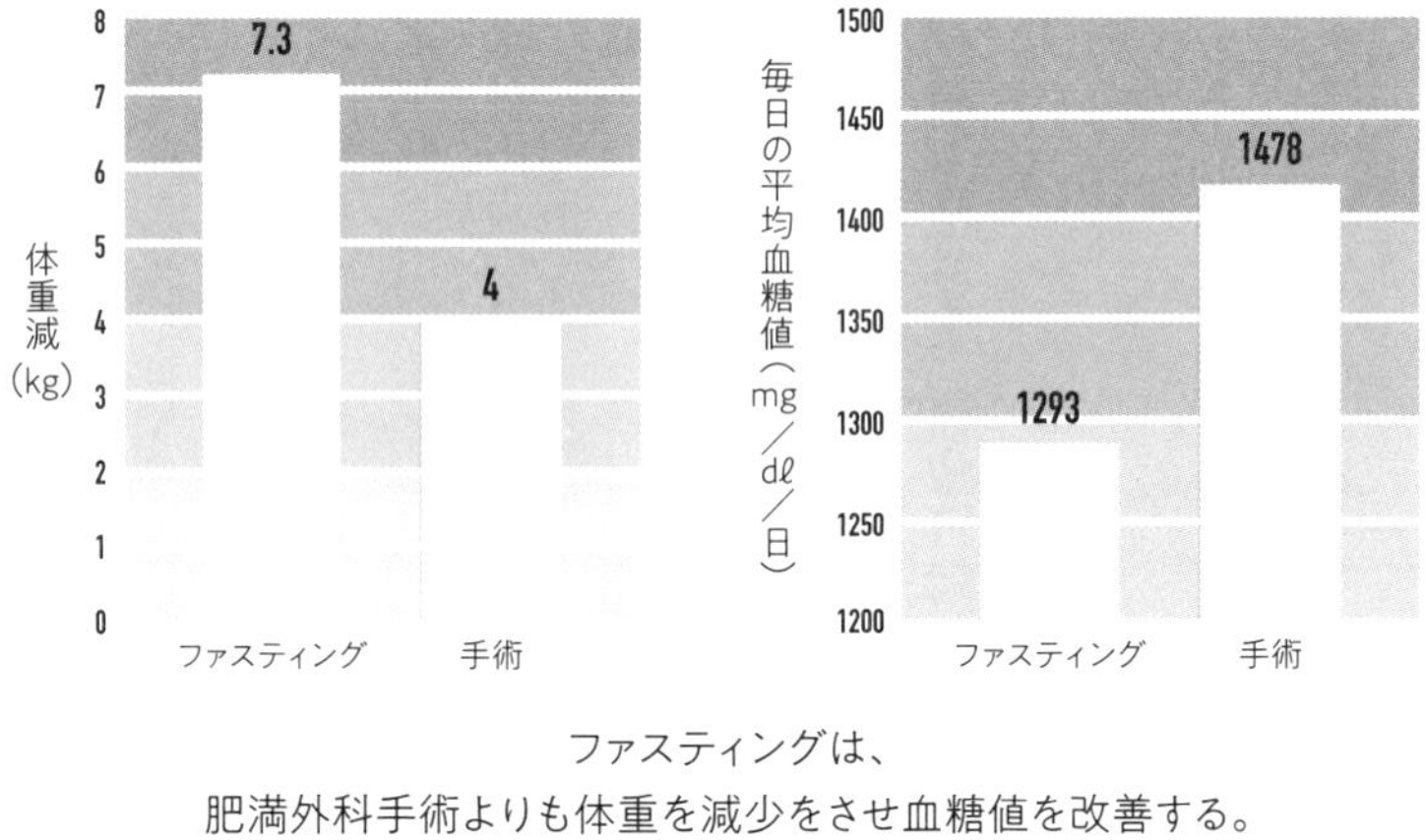

ファスティングは、
肥満外科手術よりも体重を減少をさせ血糖値を改善する。

出典:Lingvay, "Rapid Improvement in Diabetes After Gastric Bypass Surgery: Is It the Diet or Surgery?"

✓ 2型糖尿病にファスティングが効く理由

2型糖尿病がインスリン抵抗性の疾患であることは、よく知られています。

インスリンの大切な役割の1つは、グルコースを血液から組織に移動させること。

そしてグルコースはエネルギーとして使われます。

インスリン抵抗性が発現すると、通常の分量のインスリンではグルコースを組織細胞に移動させることができません。

なぜでしょうか？


細胞を地下鉄の車両にたとえてみましょう。

グルコース分子は、車両に入るのを待っている乗客です。

インスリンは、列車のドアを開ける信号を発し、乗客（グルコース分子）はすんなりと空っぽの地下鉄に乗り込みます。通常は、グルコースを細胞に取り込むのに、それほどの力は必要ないのです。

しかし、電車が空っぽでない場合はどうなるでしょうか？

すでに乗客でいっぱいのときは、インスリンはドアを開ける合図を出しても、ホームで待っている乗客（グルコース分子）は入ることができません。つまりこの電車（細胞）はインスリンの信号に耐性がある状態（インスリン抵抗性が上昇した状態）になったということです。

では、さらに多くの人を電車に詰め込むには、どうすればいいでしょう？

1つの解決策は、乗客を押し込むスタッフを雇うこと。

満員の通勤電車に客を押し込む駅員さんを想像してみるとわかりやすいですね。

✓ 細胞がパンク状態でもおかまいなしのインスリン

インスリンは言わば、体にとっての「乗客整理スタッフ」です。結果に関係なくグルコースを細胞に押し込もうとします。通常量のインスリンでグルコースを押し込めない場合、体は「もっと強く押せ」と求めます――**「インスリンを増やせ！」**と。

しかし**インスリン抵抗性の主な原因は、細胞にすでにグルコースがあふれていること**なのです。

細胞にグルコース（ブドウ糖）が満ちあふれているため、グルコースが細胞から流れ出て、血糖値が上がります。これが2型糖尿病と診断される状態です。さらにインスリンを増やすか、インスリンの産生を刺激する薬剤を投与すれば、一時的には、さらなるグルコースを細胞に押し込むことができます。

ただし空間には限界があるのです。

限度に達した時点でインスリンを増やしても、グルコースを細胞に移動させることはできなくなります。

✓細胞内にあふれるグルコース

これはまさに、時間の経過とともに2型糖尿病に起きることの典型例です。最初は、インスリンの産生を刺激する1種類の薬を少量使うことで病気を治療することができます。しかし数年が経つと、それでは不十分になり、投薬の量が増えます。さらに数年後には、2番目、3番目の薬が追加されますが、すべてはインスリンの産生を増やすのが目的です。(*2) 最終的には、インスリンそのものが、ますます高用量で投与されます。

こうした治療の進行が、根本的な問題に役立たないのは明らかです——2型糖尿病は悪化の一途をたどります。**投薬は、血糖のコントロールをするだけで、2型糖尿病の原因に対処していない**のです。

細胞内がグルコースであふれんばかりに満たされていることが問題なら、解決策は明白です——**すべてのグルコースを細胞から取り除けばいい**のです！

インスリン治療のように、グルコースをさらに押し込むと、事態は悪化するだけです。では、体内の過剰なグルコースをどうやって取り除けばいいか？ 組織細胞のグルコースが根本的な問題であり、血流中のグルコースは問題ではないことに注意してください。

（＊2）現在、インスリンの効果を増やしたり、糖の吸収を抑制したりするなどいろいろな目的の薬剤も使用されており、血中インスリン値を下げる働きのものもある。

✓グルコースを燃やすにはファスティングしかない

細胞内にあふれて、体に悪影響をおよぼしているグルコースを体外に出す方法は、２つしかありません。

１つ目は、グルコースの摂取をやめること。これは、超低炭水化物ダイエットまたはケトジェニックダイエット（181ページ参照）をすれば実現できます。実際に多くの人が、このような食事法を実践して糖尿病を改善しています。ファスティングもまた、炭水化物を排除することができます（それ以外のすべての食物も）。

２つ目は、過剰なグルコースを体に燃焼させること。ここでもファスティングが明らかな解決策になります。

心臓、肺、肝臓、腎臓などの重要な臓器をすべて機能させるために、体にはエネルギーが必要です。特に脳は、睡眠中でも適切に機能するためにかなりのエネルギーを必要とします。

ファスティングの間は、新しいグルコースが入ってこないので、体は貯蔵されたグルコースを使い果たすしか選択肢がありません。

根本的に、**２型糖尿病は「グルコースが過剰」な病気**です。血液中だけではなく体内の過剰なグルコースも問題なのです。食べないと血糖値が下がります。血糖値が一貫して正常範囲内になると、糖尿病とは見なされなくなります。

ファスティング経験者 リリアナ談

長期間のファスティングが、朝（覚醒時）の血糖値を過去最低の85㎎／㎗にまで下げてくれたの。糖尿病を患って15年で、こんな驚異的な数字を目にしたのは初めて！

主治医に相談の上ファスティングを始めよう

2型糖尿病またはその他の疾患の治療を受けている方は、ファスティングを行う前に必ず主治医に相談してください。ほとんどの糖尿病治療薬は、「現在の食事内容」に基づいて血糖値を下げる働きをしているからです。

薬を調整せずに食事を変えると、血糖値が下がるリスクがあり、非常に危険です。震え、発汗、吐き気などの症状が出たり、もっと深刻な場合は意識を失い、死に至ることさえあります。ですから、食事計画の変更について主治医に相談し、必要に応じて経過観察や薬の調整をしてもらうことが不可欠です。

血糖と無関係の薬のほとんどは、ファスティング中に服用できますが、その場合も事前に必ず主治医に相談するようにしてください。

血糖値の薬を服用していないなら、ファスティング中の血糖値を監視する特別な理由はありません。血糖値はわずかに低下する場合がありますが、正常範囲内に留まるでしょう。

ただし**糖尿病の薬を服用している人は、繰り返しになりますが、ファスティングの前に主治医に必ず相談すること。そして、血糖値(*3)をこまめにチェックしてください。**

血糖値はファスティング中もファスティングをしない日も、少なくとも1日2回（理想的には1日4回）測定すること。特に低血糖症を引き起こしやすい薬もあるので、主治医の指示を仰ぎましょう（283ページ参照）。

私がしばしば患者にすすめるのは、ファスティングの日は血糖値の薬を「減らす」か服用を「やめる」か、血糖値が高くなりすぎたときにだけ服用するやり方です。少し高いだけなら、多くの場合は問題ありません。食事を摂っていなければ、服薬しなくても血糖値の低下が期待できるからです。

しかし、血糖値が上がりすぎた場合は、薬を服用すると元に戻ります。

薬を服用している場合、私の考えるファスティング時の最適な血糖値の範囲は8・0〜10・0mmol／L（144〜180mg／dℓ）です。

この範囲は、ファスティングをしていないときの基準よりも高いですが、軽度の上昇は、糖尿病の改善を試みている短期間であれば、害はありません。

また、ファスティング中でありながら血糖値の薬を服用する主な目的は、危険な低血糖を回避することです。そして長期的な目標は、首尾よく薬をやめて、正常な範囲の血糖値を維持することです。

一般的には、ファスティング中は薬の使用量を減らすほうがいいでしょう。血糖値が希望よりも高くなったら、いつでも薬を増やして補うことができます。

ただし、血糖値が低くなりすぎる場合は、砂糖を摂る必要があります。そうすると、ファスティングを中断することになり、2型糖尿病の治療には逆効果です。

繰り返しになりますが、**2型糖尿病の改善を目的にファスティングをする方は、事前に主治医に相談してください。**

（＊3）血糖自己測定器が市販されています。

ファスティング経験者 ローラ談

ファスティングを始めたら、インスリンをやめることができたの！　飲んでいる薬はメトホルミンだけ。今では、1日20〜23時間のファスティングをすれば（基本的に夕食しか食べない）、メトホルミンを服用しなくても大丈夫になれたわ。このファスティングのスケジュールを守れば、気分が良くなることもわかったのよ。

エイミーの証言

非常に強力なインスリン抵抗性のある人と高インスリン血症の人には、ファスティングをおすすめします。

ファスティングが、貯蔵された体脂肪をエネルギー源として燃焼させる手助けをしてくれるのね。

さらに、インスリン値が下がるメリットは他にもたくさんあるの。代謝調節異常を何十年も患っている人は、インスリン値を健康的な範囲に戻すためにあらゆる努力をしているけれど、ファスティングはきっと、そういう患者さんたちの役に立つはずよ。

FASTING SUCCESS STORY
【ファスティング成功体験談】ミーガンの話

✓ いくら食べても太らず健康だった20代前半

私の名前はミーガン。トロントにあるファン博士の「インテンシブ・ダイエタリー・マネジメント・プログラム（「IDM」＝集中的な食事管理プログラム）」のディレクターをしています。実は、私はこのプログラムのディレクターというだけではなく、患者でもあります。しかも、患者第一号だったんです。

私は、ここに来る患者さんたちと同じように、体重と健康のことで何年もの間、悩んでいました。

若い頃は、毎日チキンナゲットを食べても体重が増えませんでした。

23歳のときの体重は約44キロしかなかったけれど、肥満気味の少年よりもたくさん食べていました。

体重と健康はまったく問題なかったけれど、母にはしょっちゅう、「35歳になるといろんなことが下り坂になるわよ」と警告されていました。

……実際には、その**下り坂はもっと早くに、やってきた**のです。

体重が増え始めたと思ったら……あっというまの悪夢

26歳の誕生日の直後に、4か月で突然、24キロも増えてしまったのです。

人生最悪の年で、個人的な悩みにも苦しんでいて、砂の中に沈んでいくような重くどんよりした毎日でした。当時の私は食べ物に慰めを求め、とりわけチキンナゲットばかり食べ続けていたのです。

その結果が、まざまざとした現実として、〈体重〉に表れてしまったのです。

人生についての悩みは減っていきましたが、太ってしまったことで、今度は外見についてあれこれと悩み、落ち込むようになっていきました。

何をする気力もなく、いつも頭に霧がかかっているような感覚でした。

何もかも、どうでもよくなりました。誰とのつきあいも、おっくうになりました。

そしてとうとう、朝起きて出勤することができなくなりました。

かろうじて起きたとしても、ただただホームレスのように、家の中をあちこちさまよい歩くばかりでした。

✓ 低脂肪・カロリー制限ダイエットをしても、やせない苛立ち

「何かを変えなければ」と藁《わら》にもすがる思いで、厳格な低脂肪・カロリー制限ダイエットに挑戦。1日当たり800キロカロリー、脂肪を15グラム未満に制限することにしました。

1日に5、6回食べ、週5回1時間を運動にあてました。

最初の2週間で5・4キロやせたのは良かったけれど、次の4週間は週に0・45キロしか減りませんでした。その後は、最善の努力を尽くしたにもかかわらず、体重がまったく減らなくなりました。

しかも、**せっかく減らした体重が戻り始めた**のです。

やせない理由がわかりませんでした。

最高に健康的な食事内容ではないにしても、食べる量をこれだけ制限しているのに……。

カロリー摂取量を調べてみると、毎日わずか1461キロカロリーと脂肪41グラムしか摂っていないことがわかりました。

それなのに、どうして体重が増えるのか――私はすっかり、途方に暮れてしまったのです。

「運動しなさい」「頑張りなさい」ばかりのダイエット専門家

トロントで非常に有名で、費用も桁外れに高額な「ダイエット専門家」を訪ねました。その専門家は私の食事リストをチェックして「素晴らしい選択をしていますね」とほめてくれました。ただ、その後に続けたアドバイスはたったひとこと。

「もっと運動してください」だけでした。

「週に5時間の運動では不十分なの？」と自分に問いかけました。

それから2週間、毎日朝と夕方にジムに通ったけれど、体重は落ちませんでした。

次に訪れたとき、そのダイエット専門家は私を厳しい目で見つめました。私が嘘の報告をしていると思っていることが、手に取るようにわかりました。

彼女からのアドバイスはこのときもたったひとことです。

「もっと頑張りなさい」と。

それきり、その専門家を訪れることはありませんでした。

あらゆる病魔の恐怖

私のいらいらは最高潮に達していました。完全に負け犬の気分です。

毎日6回少ない食事を摂り、満腹感を味わったことがありません。いつも食べ物のことばかり考えていました。

それからまもなく、「心臓の異常とアスパルテーム中毒に関連する希少がんの初期段階」という診断を受けました。

また血液検査により、血糖の指標であるヘモグロビンA1cが6・2%まで上昇したことがわかりました。私は今や、糖尿病予備軍だったのです。

18歳から医学研究者として働いていたので、2型糖尿病がもたらす深刻な影響についてはよくわかっていました。文字通り、糖尿病が人々の健康を破壊するのを、毎日のように見てきたのです。

腎不全、神経損傷、失明、心臓発作、脳卒中——私はショックで動けなくなりました。

ちょうどその頃、私の同僚であるファン博士がIDMを開発中でした。根本的な問題を深く理解した上で、糖尿病と肥満の改善を手助けするためのプログラムです。

肥満、インスリン、糖尿病についての真実は、私が大学の栄養学の講義で学んだこととはほぼ正反対でしたが、すべて理にかなっていました。

私はようやく、**なぜ自分が減量に失敗し、糖尿病予備軍になったのか**を理解するようになりました。何にどう対処すればいいのか、はっきりとわかった瞬間でした。

ファスティングに初挑戦

正直に言うと——**ファスティングを試すのは怖かった**のです。最初のファスティングがとても難しく、2週間は苦労しました。24時間のファスティングを初めて試したときは、22時間しか続きませんでした。

でも、22時間でも「大成功だ」と自分に言い聞かせました。今までより22時間長く食べ物を我慢できたのだし、22時間が過ぎるまで空腹さえ感じなかったのですから。

食べる必要はない——体がそう望んでいたのです。このとき、**ファスティングは気力で乗りきるもの**だと、本気で理解しました。

2度目の挑戦で時間を更新

私は2度目のファスティングで、24時間を達成できました。**忙しかったことが功を奏した**のですね。

その夜ジムに向かいながら、「もしもスピンバイクから転げ落ちたらどうしよう」なんてことを考えていました。でも「人がたくさんいるのだから、何かあれば助けてもらえるはずだ」と楽観的になれたのです。

信じられないことに、**ファスティング中はエクササイズがはるかに楽にできました。**

✓回を重ねるごとに、元気がみなぎるようになる

ファスティングは回数を重ねるごとに楽になっていきました。

最初は頭痛がありましたが、自家製のおいしいボーンブロス（427ページ参照）を数杯飲むと、改善しました。1か月後、頭痛はすっかりなくなりました。活力も増していくように感じられました。

2か月間のファスティングの後、難なく36時間に延ばすこともできました。最近では、7日間のファスティングもときどき追加しており、最長のファスティング期間は14日間です。

ファスティング中のほうが、気分がいいときさえあります。

✓ベーコン、バター、アボカドなどへのハードルを下げる

「高脂肪食」という概念には苦労しました。

子どもの頃から、ベーコンは緩和ケアの患者が食べるものだと聞かされて育ったし、卵を食べるときは白身だけを食べていたくらいです。アボカドは禁止されていました。家に

はマーガリンはあったけれど、バターを見たことはありませんでした。

天然脂肪をたくさん摂るという考えに慣れるまでに、しばらく時間がかかりました。

でも、今まであまり摂ってこなかった**高脂肪の食材を食べれば食べるほど、体のほうは良くなっていきました。**

炭水化物の誘惑からなんとか逃れる

炭水化物を減らすのも、簡単ではありませんでした。

血糖値と血圧測定値が正常にもかかわらず、頭痛、吐き気、震えを経験しました。

ヘロインを体から抜くために自分を隔離する人のように、昼休みになると車の中に閉じこもりました。

ショッピングモールにズラリと並ぶファーストフード店を見るのは怖かったですし、マクドナルドの看板を見ると、ドライブスルーに車ごと引き込まれそうな気分にもなりました。毎日の通勤でも、できるだけ避けて通ったくらいです。

頭がおかしくなりそうでしたが、**天然脂肪をたくさん摂ると具合が良くなることもわかりました。**

ファスティングをしない日は、**ココナッツオイルを小さじ数杯と、アボカド半分**を食べるようになりました。

✓ 甘いものをたっぷり食べても体重コントロールできる

計画を開始してから3か月以内に体重が15キロ減り、目標体重を達成できました。
数か月後には27・2キロ減となり、その体重を1年半にわたって問題なく維持することができたのです。

さらに、特別な努力なしに６・８キロの不健康な脂肪を落とすことができました。その代わりに４・５キロの筋肉組織を増やすことができたのです。

ヘモグロビンＡ１ｃは、２０１６年３月に４・７％で、２０１３年２月以来５・０％を下回っています。こんなに気分と体の調子がいいのは初めてのことです。

以前は、仕事内容によってはＡＤＨＤの薬を服用していましたが、今は何も必要ありません。

こんなにいろんなことに集中できるのは、生まれて初めての経験です！

✓ 体重をコントロールできる余裕も

今でも休暇を楽しみ、特別なイベントのときは自分を甘やかしているけれど、食事のバランスには気をつけています。休暇を楽しんだ後は、ファスティングを実践することでつじつまを合わせています。

日曜日にサンフランシスコ・ジャイアンツの試合を観戦し、〈ギラデリ〉のサンデーを食べました（患者全員に「サンフランシスコに行ったらぜひ食べて」とすすめているくらい、チョコとクリームたっぷりの最高においしいスイーツです）。

月曜日に体重が劇的に増えたけれど、全然あわてませんでした。ほとんどが水分の重さだと知っていたからです。

月曜日にファスティングをし、水をたくさん飲んで、朝の紅茶にココナッツオイルを加えました。頭痛も吐き気もありませんでした。

そして火曜日の朝までに、サンデーを食べる前の体重に戻すことができました。

人生に大切なのは、バランスを取ることです。**ごちそうを食べたらファスティングすること**です。

この経験以来、減量と健康維持が楽にできるようになりました。

✓ 自分の人生を変えた「食事療法（IDM）」で、患者を全面サポート

こうした私自身の経験があるからこそ、患者が自分の健康目標を達成する手助けをすることができます。私は長年にわたって言わば「自己実験」をしてきたのですね。

自分自身で試したことがないことを、患者に要求することはありません。

そして私は、日々、患者から学んでもいます。

ファスティングの経験には個人差があり、誰もがさまざまな課題を抱えています。私たちは患者と協力して、効果的な方法を探しています。

1日おきではなく数日連続でファスティングをするのを好む患者もいれば、1日を超えるファスティングを考えただけでパニック発作を起こす患者もいます。

私は、患者が自分のライフスタイルに最適な方法を探すのを手伝い、ファスティングの指導を行い、問題が発生すれば対応するようにしています。

患者が、私自身も必要とした長期間のファスティングを実践できるように支援し、目標と進捗状況に応じてファスティングの期間と頻度を調整しているのです。

✓ おいしく食べて確実にやせる

プログラムでは栄養面を重要視しています。

私たちの目標は、体が毎日分泌するインスリンの量を制限することです。ファスティングをしている間は、これが簡単にできます。**体は正常に機能するのに必要な量のインスリンしか産生しない**からです。

しかし食事を摂る日には、少し工夫が必要です。私は患者の食事を**「高脂肪、中程度のタンパク質、低炭水化物」**に移行させる指導をしますが、かつての私がそうだったように、炭水化物を大幅に減らしたときの食事内容に戸惑う人がほとんどです。

でも、安心してください。

食事を存分に楽しめる素晴らしいメニューがたくさん用意されているのです。

私は**卵**を1000通りの方法でおいしく食べるコツを学びました。

また、**手羽先**と**ベーコン**をよく食べています。ベーコンと卵を罪悪感なしに食べることができるのは、体に本当にいい食材だとわかっているからです。おかしな話かもしれないですが、本当のことなのです。

患者のほとんどは、2型糖尿病または前糖尿病（糖尿病予備軍）です。非アルコール性脂肪肝炎（脂肪肝）、睡眠時無呼吸、多嚢胞性《たのうほうせい》卵巣症候群の患者も珍しくありません。

患者には2つの異なるプログラムを提供しています——クリニックに来て行うプログラムと長距離プログラムです。

どちらのプログラムでも、ファスティングのやり方と、何をいつ食べるかを患者に指導しています。

オフィスに来て行うプログラムでは、カナダ全土から来る患者を治療しており、オフィスに来ない間に長距離プログラムをはさむこともあります。患者を診る間隔は、毎週、隔週、毎月のいずれかです。長距離プログラムを通して、世界中の人々とつながり、同じ内容のアドバイスと患者への指導を提供することができます。

長距離プログラムを行うことで、さまざまな異なる文化の食物と栄養について知ることができました。いろんな患者と接することで、私の知識も、さらに広く深くなりました。

今朝は、スウェーデンの女性とシンガポールの男性と話すことができましたし、他にも、フランス、ニュージーランド、オーストラリア、南アフリカ、インド、中国、英国、北米のさまざまな地域に患者がいます。

✓「今日より良くなる明日」が信じられるダイエットに、感謝

患者が変化していく様《さま》を見ることができるのは、とても名誉なことです。仕事を通じて人の調子が良くなる過程を目《ま》の当たりにできるのは、医師冥利に尽きます。

患者たちは会うたびに、**必ずと言っていいほど、前よりも少し良くなっている**のですから。患者たちは、健康的なライフスタイルを手に入れるために一所懸命努力をしています。

このような素晴らしい人たちとかかわって仕事をすることは、私にとって誇りであり、心から感謝しています。

WHAT IS FASTING

AND WHY IS IT GOOD FOR YOU?

やせるためだけじゃない！
若返って、賢くなるための断食《ファスティング》

CHAPTER 7

ファスティングの最も明らかなメリットは、
体重の減少と2型糖尿病の治療に効果的なことですが、
他にも、オートファジー（細胞が自己消化するシステム）、
脂肪分解（脂肪が燃焼すること）、老化防止効果、
神経学的メリットなど、たくさんの恩恵があります。
言い換えれば、ファスティングは脳を刺激し、
体を若く保つのに役立つのです。

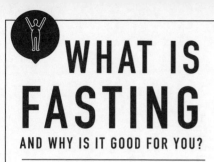

✓ファスティングで体にいいこと、何がある？

ファスティングは、体のさまざまな部分の状態を良くし、機能を向上させてくれます。

本章では、特に、アンチエイジングや若返り、記憶力や集中力といった頭の機能の数々と、ファスティングの関係性について紐解いていきます。

①記憶力の向上
②集中力の強化
③炎症の軽減（頭部）
④インスリン感受性の向上（筋肉）
⑤アテローム性動脈硬化の減少
⑥血圧の低下
⑦心拍数の低下
⑧インスリン感受性の向上（内臓）
⑨脂肪肝の減少
⑩脂肪分解の増加（脂肪の燃焼）
⑪レプチンの減少
⑫炎症の軽減（内臓）

図7-1

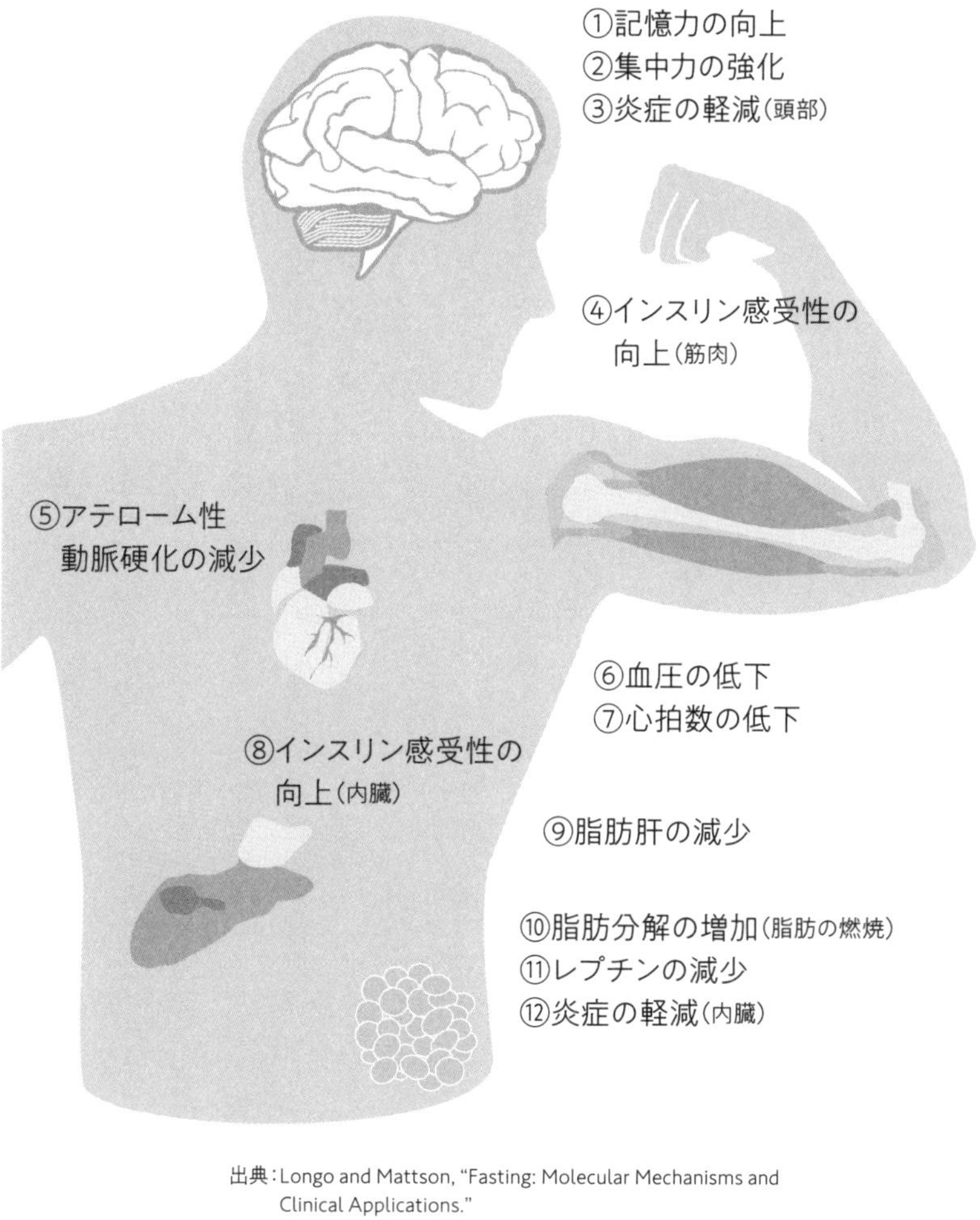

出典：Longo and Mattson, "Fasting: Molecular Mechanisms and Clinical Applications."

✓ファスティングで脳力《ブレインパワー》炸裂！

一般的に哺乳類は、厳しいカロリー不足が起きると、臓器のサイズを小さくして生き残ろうとします。

ただし例外となるのは「脳」と男性の「睾丸《こうがん》」です。種を繁殖させるための生殖機能は維持されるのです。認知機能も同じく重要で、他のすべての臓器を犠牲にしてでも、大切に保持されます。

これは、進化の観点から、非常に理にかなっています。

たとえば食糧が不足していて、食べるものを見つけるのが難しい環境に、あなたがいるとしましょう。認知機能が低下し始めると、頭がぼんやりして、ますます食糧を見つけるのが難しくなります。自然界における人類の最大のアドバンテージである脳のパワーを、無駄使いしてはいけません。

実際には、**カロリー不足の際には脳の能力が「維持される、または高まる」**ことがわかっています。

ローラ・ヒレンブランド著のベストセラー小説『Unbroken』には、第二次世界大戦中の日本でのアメリカ人捕虜の経験が描写されており、極端な飢餓《きが》状態の間に、捕虜たちが驚くほど頭が冴《さ》えるという経験をしています。

明らかに飢餓が原因で、頭脳が明晰になったと言います。ある男性は1週間足らずでノルウェー語を学ぶことができ、別の男性は、記憶を引き出して何冊もの本を「読む」ことができたのです。

✓ 眠気の原因は「食べた量」

人間は、すべての哺乳類と同じく、空腹時には精神活動が増加し、満腹時には減少します。

誰でも、「食後の眠気」を経験したことがありますね。感謝祭の食事で、七面鳥とカボチャのパイをたいらげた後の気分はどうでしょう？

画鋲《がびょう》の針のように鋭くとがった気分？

それとも、たるんだゴムみたいにだらんとした気分？

一般的に言われているように、食後の眠気を引き起こすのは七面鳥に含まれているトリプトファンではありません――実際には、七面鳥のトリプトファンは、他の家禽《かきん》（鶏肉類）とほぼ同じ量です。**眠気を誘う原因は単純に、摂取した食物の「量」なのです。**七面鳥とパイを処理するために消化器系に送られる血液の量が増えると、脳に送られる血液が少なくなります。大量の食事をした後に頭を使ってできることと言えば、ソファにごろんとしてサッカー観戦するぐらいが精いっぱいでしょう。

✓ 空腹だからこそ生き残れる

では、逆はどうでしょう？

本当に本当にお腹がすいたときのことを考えてみましょう。

だるくて疲れているでしょうか？

そうではないはずです。

おそらくあなたは、**感覚が針のように鋭くなり、過度に周囲を警戒している**はずです。

食物不足のときに頭が冴え、機敏に動ける動物は、生存するのに明らかに有利です。

食事を1回抜いただけでエネルギーと知力が低下したら、食べ物を見つけるのがさらに難しくなり、そのためにさらに空腹になり死に至る……という悪循環につながるでしょう。

もちろん、そうはなりません。

私たちの先祖は、次の食事を見つけて〝生き延びられる〟ように、空腹時に鋭敏かつ活発に動けるように変化しました――同じことが現代の私たちにも起きているのです。

✓ アベルの証言

もともと僕は、ファスティングの研究データが「炎症の減少」と「成長ホルモンの増加」を示すことに興味を持っていたんだ。でも、午前中のファスティングを始めたときに、集中力と活力が大幅にアップし、生産性も大きく向上したことにすぐに気づいた。僕は脳科学のオタクだけど、**ファット・アダプテーション**（脂肪をエネルギーに換えやすい体に調整すること）と**間欠的ファスティング**がもたらす精神的なメリットには、感銘を受けたよ。

✓ 空腹だからこそ冴えわたる

「空腹」と「頭の冴え」の関係性は、私たちが使う言葉にも表れています。

「〜に飢えている・〜をしきりに求めている（be hungry for 〜）」と言うとき――たとえば「パワーに飢えている」「愛情に飢えている」と表現するとき――ダラダラしていたり、ぼんやりしていたりするでしょうか？

むしろ、逆なはずですね！

何かに飢えているときは、気を抜かずに、警戒し、いつでも行動する準備ができているはずです。ファスティングと飢えは、私たちを活気づけ、目標に向かって進むための起爆剤とも言えるのです。一般的な認識は逆ですが、それは誤解なのです。

頭の冴えとファスティングに関する研究によると、注意力の持続、集中力、何かに反応（リアクション）するまでの時間、短期記憶、これらすべてが、ファスティングをしても減退したり劣ったりすることはありませんでした。

別の研究で、2日間ほぼ完全にカロリー摂取しない状態を調べたところ、認知能力、活動、睡眠、気分に有害な影響は認められませんでした。

これが、**ファスティング中の脳で起きる真実**なのです。

✓ 老齢でも断食効果で脳は成長する

しかも、ファスティング中の神経学的なメリットは、食事を控えているときだけに留まりません。動物実験から、ファスティングが治療ツールとして驚くべき効果を発揮することがわかっています。

老齢のラットに間欠的ファスティングを開始したところ、**運動協調性、認知能力、学習力、記憶力が著しく改善**しました。

さらに興味深いことに、**脳の接続性と幹細胞からの新しいニューロンの成長が増加**したのです。ニューロンの成長をサポートし長期記憶に重要な働きを持つ脳由来神経栄養因子（ＢＤＮＦ）と呼ばれるタンパク質が、これらの恩恵の一部を担っていると考えられています。

動物では、ファスティングと運動の両方が、脳のいくつかの分野でＢＤＮＦの効果を著しく増加させることがわかっています。通常のマウスと比較して、間欠的ファスティング中のマウスは、加齢に伴うニューロンの悪化が少なく、アルツハイマー病、パーキンソン病、ハンチントン病の症状が少なかったのです。

カロリー削減に関する人間の研究でも、同様の神経学的なメリットが見つかっています。

また、ファスティングでは確実にカロリーが制限されるため、この研究ではファスティングとカロリー削減に似通ったメリットが確認できます。**消費カロリーが30％減ると、記憶力が大幅に向上し、脳のシナプスおよび電気活動が増加する**のです。

✓ インスリン値が低いほど記憶力が良くなる

さらに、インスリン値は記憶力と反比例することがわかっています。

インスリン値が低いほど、記憶力が向上するのです。

反対に、体格指数（BMI）が高いことは、精神能力の低下と、注意力・集中力・論理力・複雑で抽象的な思考に関与する脳の領域への血流の減少に関連があるとされています。

つまり、ファスティングは2つの方法で神経学的なメリットを提供することになります。

インスリンを減少させること。

そして、**体重を減らして維持すること**です。

✓ファスティング経験者 スコット談

1日おきのファスティングと、1～5日の定期的なファスティングを半年間続けてみた。初日が一番大変だけど、**ファスティング中は相当の集中力が得られる**ので、やるだけの価値はあるよ。

✓ 新陳代謝は健康に不可欠

新しい車を購入すると、すべてがうまく機能します。

しかし数年後には少しくたびれて、メンテナンスが必要になりますね。ブレーキパッドを交換し、バッテリーを交換し、さらに部品を交換……ついにしょっちゅう故障して、維持費もかさむことに――それでも乗り続けるのは理にかなっているでしょうか？

そうではないですね。

だからあなたは、その車をお払い箱にして、おしゃれな新しい車を買うことにします。

体の細胞は、この点で、車にとてもよく似ています。

体の細胞も、古くなるにつれて細胞内の部品を取り外して交換する必要があり、最終的に細胞が古くなりすぎて修復できなくなると、破壊して健康な新しい細胞に道を譲る必要があるのです。

「アポトーシス（プログラムされた細胞死）**」と呼ばれるプロセスでは、特定の年齢に達した細胞は「自死」するようにプログラムされています。**不気味に聞こえるかもしれませんが、これによって常に細胞集団が更新されており、健康には必要なことなのです。

ただし、一部の細胞組成のみを交換する場合は、「オートファジー」のプロセスが始まります。

✓ロブの証言

ある研究では、3〜5日間のファスティングによって炎症が劇的におさまり、インスリン伝達が改善し、免疫機能がほぼ完全に「リセット」されるという画期的な結果が示されたそうだ。異常な細胞や前がん細胞は、アポトーシス（個体を良い状態に保つために積極的に引き起こされる、プログラムされた細胞死）に向かっているようだけど、これは基本的に健康な細胞を残すためにすることなんだよ。理論的には、老化の兆候と症状の多くを逆戻りさせ、自己免疫と癌に関与するプロセスの進行を減らしていると説明できるんだ。

✓「自分を食べる」プログラム

「オートファジー」という言葉は、ノーベル賞を受賞した科学者クリスチャン・ド・

デューブによる造語で、ギリシャ語の「auto（自己）」と「phagein（食べる）」に由来しています。

つまり文字通り「自分を食べる」という意味です。

オートファジーは細胞浄化の一種であり、細胞組成を維持するのに十分なエネルギーがなくなったときに細胞成分を分解してリサイクルするという、規制された秩序あるプロセスです。

病気または壊れた細胞のパーツがすべて浄化されると、体は再生のプロセスを開始できます。破壊されたものを置き換えるために、新しい組織と細胞が構築されます。

このようにして、体は自分自身を更新します。

ただし機能させるためには、古い部品をまず廃棄しなければなりません。

私たちの体は、常に更新されています。

多くの場合、新しい細胞の成長に焦点を合わせますが、時折、更新する最初のステップ、つまり「故障した古い細胞」の破壊を忘れることがあります。アポトーシスとオートファジーは体をうまく維持するために必要ですが、これらのプロセスが「乗っ取られる」と、癌などの病気が発生します。古い細胞成分が蓄積すると加齢によって多くの影響が出てくる可能性もあります。

オートファジーによる自食作用が定期的に起こらないと、不要な細胞成分が時間とともにどんどん蓄積していくのです。

✓ダラダラ食べが「オートファジー」を抑制する

グルコース、インスリン、タンパク質の値が上昇すると、オートファジー機能がオフになります。

わずか3グラムのアミノ酸のロイシンがあれば、オートファジーを停止できるのです。

仕組みはこうです。

哺乳類のラパマイシン標的タンパク質（mTOR）の経路は、栄養素利用の重要なセンサーです。炭水化物またはタンパク質を食べると、インスリンが分泌され、インスリン値の増加により、または摂取したタンパク質の分解によってアミノ酸が増加するだけでも、mTOR経路が活性化されます。体は食物が利用可能であると感じ、十分なエネルギーがあるため、古い細胞内組織を排除する必要はないと判断します。

その結果、オートファジーが抑制されます。

言い換えれば、**1日中おやつを食べたりして食物を絶えず摂取すると、オートファジーが抑制される**のです。

逆に、mTORが休止状態なら――摂取した食物からのインスリン値またはアミノ酸の増加に刺激を受けない場合――オートファジーが促進されます。体が栄養の「一時的な」欠如を感じるので、どの細胞の維持を優先するかを決定しようとするのです。

そして最も古く、最も使い古された細胞部分は廃棄され、分解された細胞のアミノ酸は肝臓に運ばれ、糖新生に利用されて、グルコースが生成されます（1章参照）。新しいタンパク質に組み込まれる場合もあります。

重要なのは、mTOR の休眠が、短期間の栄養素の利用可能状態のみに影響を与え、肝臓のグリコーゲンや体脂肪などの蓄積エネルギーには影響しないことです。体にエネルギーが蓄積されているかどうかは、mTOR とオートファジーには無関係なのです。

✓ 長期間のファスティングは「浄化」や「解毒」効果あり

これこそ、オートファジーを最も強く促すのが、ファスティングである理由です。**数あるダイエット法の中で、ファスティングだけがオートファジーを促進します——単なるカロリー制限やダイエットでは不十分**なのです。

目を覚ましてから眠るまで、絶え間なく食べると、オートファジーの浄化経路の活性化が阻まれます。簡単に言えば、ファスティングは、不健康な（または不要な）細胞の残骸を洗い流してくれるのです。

これが、長期間のファスティングが「浄化」または「解毒」と呼ばれるゆえんです。

同時に、**ファスティングは成長ホルモンを刺激します。**

この成長ホルモンの信号により、いくつかの新しい細胞が生成され、体が完全に修復されます。**古い細胞部分の破壊と新しい細胞の生成の両方を引き起こすので、ファスティン**

グは現存する最も強力なアンチエイジング方法の1つと考えられるのです。

✓エイミーの証言

ファスティングをすると、オートファジーが促進され、古く損傷した組織を体から除去するのに役立つのよ。体は常に「ハウスクリーニング」をしているけれど、大量の食物を絶え間なく消化する状態を一時停止すれば、**より多くのエネルギーを「修繕」に集中させることができる**わけ。慢性の炎症性疾患または神経性疾患の人、もしくはその両方を患っている人には、ぜひ試してもらいたいわ。

✓オートファジーがアルツハイマー病の予防にも

オートファジーは、アルツハイマー病の予防にも重要な役割を果たします。

アルツハイマー病の特徴は、脳内のアミロイドベータ（Aβ）タンパク質の異常な蓄積です。これらの蓄積により、最終的に記憶領域と認知領域のシナプス結合が破壊されると考えられています。

通常、Aβタンパク質の塊はオートファジーによって除去されます。脳細胞は細胞内部の「ごみ収集車」であるオートファゴソームを活性化させます。活性化したオートファゴソームが、除去の対象となるAβタンパク質を飲み込んで排出します。体の必要に応じて、除去されたAβタンパク質は、血液によって除去されるか、他のタンパク質にリサイクルされるか、グルコースに変換されます。

しかしアルツハイマー病では、オートファジーが損なわれるため、Aβタンパク質が脳細胞内に留まります。除去されずにどんどんAβタンパク質が蓄積されると、アルツハイマー病を発症するのです。

癌の発病にもまた、オートファジーの関連性が疑われています。

癌生物学ではmTORの役割が知られており、さまざまな癌の治療のために、mTOR阻害剤が食品医薬品局によって承認されています。

ファスティングがmTOR阻害に役立ち、それによりオートファジーを刺激することは、癌の発症予防をするにあたり、興味深いことです。ボストン大学の生物学教授トーマス・セイフリード博士をはじめ、まさにこの理由で、年に7日だけの水のみを摂取するファスティングを推奨する一流の科学者もいます。

＞トーマスの証言

ファスティングは、グルコース依存性の腫瘍の成長を抑制する。またファスティングは、腫瘍の形成と進行に寄与する炎症を標的にすることもできる。私たちの研究から、脳腫瘍の前臨床モデルにおいて、ファスティングまたはカロリー制限が、がん細胞の遠位部への浸潤を大幅に減らすことが示されたんだ。

WHAT IS FASTING

AND WHY IS IT GOOD FOR YOU?

やせるためだけじゃない！
心臓の健康のための断食《ファスティング》

CHAPTER

8

心血管疾患の原因の1つとして、
何かとやり玉に上がるのがコレステロールです。
そのため、コレステロールを多く含む食べ物の摂取を
減らすことで、コレステロール摂取量を減らす
食事指導が長年行われてきました。
ところが、高コレステロール食品や食事から摂る脂肪は、
コレステロール値とは無関係であることが
さまざまな研究から次第にわかってきたのです。
そういった研究の流れの中で、ファスティングにこそ、
コレステロールを下げる効果があるという事実もまた、
明らかになりました。

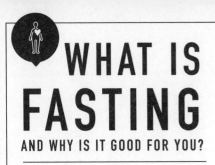

✓ LDL（悪玉コレステロール）とHDL（善玉コレステロール）

高コレステロールは、心臓発作や脳卒中といった心血管疾患の危険因子ですが、治療可能だと考えられています。

治療可能とはいえ、危険因子であることに変わりはないので、コレステロールは毒の一種だという認識が広がっているのです。

でも、これは真実とはほど遠いのです。

なぜなら、**コレステロールは細胞壁を修復し、特定のホルモンを作る働きもある**からです。人間の健康に重要な働きをするため、体のほぼすべての細胞は必要に応じてコレステロールを製造できるようになっています。

従来の血液検査では、低密度リポタンパク質（「LDL」または「悪玉コレステロール」）と、高密度リポタンパク質（「HDL」または「善玉コレステロール」）を測定しています。

コレステロールは、リポタンパク質と呼ばれるタンパク質と一緒に血流に乗って移動し、どのリポタンパク質がコレステロール分子に結合しているかによって、悪玉コレステロール（LDL）か善玉コレステロール（HDL）かが決まります――つまり、**コレステロール分子自体は同じもの**なのです。

私たちが「悪玉コレステロール」と呼ぶのはLDLコレステロールのことで、大規模な疫学研究により、悪玉コレステロール値の増加と心血管疾患のリスクの増加の関連性がわかっています。特定の薬物、特にスタチンには悪玉コレステロール値を大幅に下げる効果があります。

しかし、そもそもなぜ悪玉コレステロール値が上昇するのでしょうか？

この質問にはまだ満足のいく答えが出ていません。最初に思いつくのは、「間違いなく食事のせい」というものですが、少し調べると、そうではないことがわかります。

✓ 心臓病の危険因子「トリグリセリド（中性脂肪）」とは？

トリグリセリドと呼ばれる脂肪の一種も、心臓病の危険因子です。

肝臓に貯えられたグリコーゲンがいっぱいになると、肝臓は過剰な炭水化物をトリグリセリドに変換し始めます。これらのトリグリセリドは超低密度リポタンパク質（ＶＬＤＬ）として肝臓から排出されます。この超低密度リポタンパク質は悪玉コレステロールの産生に使用されます。

血液中のトリグリセリド値が高いことは、心血管疾患と高い相関関係があります。これは多くの医師や患者がより重視している悪玉コレステロールと同じくらい強力な危険因子です。

血中トリグリセリド値が高いと、悪玉コレステロールとは無関係に、心臓病のリスクが61％も増加します。米国では１９７６年以来、２型糖尿病、肥満、インスリン抵抗性とともに、平均トリグリセリド値が上昇しているため、懸念事項となっています。成人したアメリカ人のおよそ31％が、炭水化物の消費増と並行してトリグリセリド値が高くなっていると推定されています。

幸いなことに、高トリグリセリドは低炭水化物の食事療法で治療することができます。肝臓がトリグリセリドを産生するスピードを遅らせるのです。

ただし、トリグリセリド値は食事療法に反応しますが、コレステロールについては同じようにはいきません。

✓ファスティング経験者 ブライアン談

1日おきに、間欠的ファスティングを約20時間行っているよ。でも、トレーニングやその他の活動を、まったく問題なく最後までやり通せるんだ。ファスティングがもたらした最も大きな変化は、腸が活発になったこと。今までよりもトイレの回数が増えたんだ。また、食事の間隔も長くなったね。1年で、トリグリセリドが135から100に改善し、善玉コレステロールが60に上がったんだ。

✓ 高コレステロールは「食事の問題」ではない

食事でコレステロールを過剰に摂取すると血中コレステロール値が上がるとしたら、食事のコレステロールを減らせば血中コレステロール値が下がると考えるのが合理的です。

過去30年以上にわたり、医療専門家は、卵黄や赤身の肉などの高コレステロール食品の摂取を減らすことで、コレステロール摂取量を減らすようにすすめてきました。米国農務省（USDA）の「アメリカ人のための食生活指針」は冒頭から、「過剰な脂肪、飽和脂肪、コレステロールは避けるべきだ」とはっきり述べています。

しかし残念ながら、この考えはまったくの間違いです。

科学界の人間は、ずいぶん前から、摂取するコレステロールを減らしても血中コレステロール値が下がらないことを知っていました。

肝臓は、血液中のコレステロールの80％を産生するため、摂取するコレステロールの量を減らしたところで、ほとんど違いがないのです。(＊1)

同様に、コレステロールを多く摂っても、血中コレステロールは大幅に上がりません。コレステロールの摂取量を減らすと、肝臓は補うために合成量を増やそうとしますが、取るに足らないほどの増減にしかならないのです。

さらに、問題視すべきなのはコレステロール分子そのものではありません――先ほど書いたように、悪玉コレステロールも善玉コレステロールも同じ分子であり、コレステロール分子と一緒に運ばれるリポタンパク質が、良いか悪いかを決定するのです。**食品中のコレステロールを減らしても、生理学的な違いは、まったくと言っていいほど、生じません。**

これは、はるか以前に証明された事実です。

（＊1）食事により血中コレステロールを低下させ、心血管病抑制効果を確かめる大規模臨床研究では、概ね4～14％の血中コレステロールの低下が認められているものの、低下がほとんど認められない試験も複数あった。最近の研究では、低糖質高脂肪食が悪玉コレステロールを上昇させると報告されており、食事がコレステロールに影響があると考えられるようになっているが、上昇の程度には著しい個人差（おそらくは遺伝的素因・体質の差による）があると報告されている。

✓ ウサギが動脈硬化に？

食事によるコレステロール摂取が理不尽にも恐れられるようになったのは、1913年です。

心臓発作や脳卒中を引き起こす動脈の閉塞である「アテローム性動脈硬化のプラーク（血管壁に形成される粥腫《じゅくしゅ》）」は、主にコレステロールからできているため、プラークができるのは食事によるコレステロール摂取が多すぎるためだとの仮説が信じられていました。

言わば、牛の心臓を食べれば心臓が強くなると仮定するようなものですが、なにせ1913年当時の話です。

その年、ロシアの科学者ニコライ・アニチコフは、ウサギにコレステロールを与えるとアテローム性動脈硬化になることを発見しました。

ただしウサギは草食動物であり、コレステロールを含む食事を摂取するようにはできていません。ライオンに干し草を食べさせれば、きっと健康上の問題が生じるでしょう。

残念ながら、この基本的な事実は、プラークの原因を急いで見つけようとするあまり、見逃されてしまったのです。

✓ 食事のコレステロールは犯人じゃない！

ミネソタ大学のアンセル・キーズ教授は、早くも1950年代に食事によるコレステロール摂取が犯人ではないことを証明しました。

当時、卓越した栄養研究者の1人であったキーズは、人間の被験者に増量したコレステロールを与え、血中コレステロール値の増加について調べました。

その結果、血中コレステロール値の増加は見られなかったのです。

また、彼が行った食事と栄養に関する史上最大級の疫学研究である「7か国研究」においても、**コレステロール摂取が血中コレステロールを「上げない」**ことが証明されました。

✓ 食事脂肪にも疑いの目が向けられたが……

食事のコレステロールが無罪になり、次は食事脂肪に容疑がかけられました。

脂肪の摂取量が多いと、コレステロール値が上がるという考えです。

しかし、この推測の誤りについても、長年にわたって立証されてきました。

中でも有名なのがフラミンガムの研究です。

1948年、マサチューセッツ州フラミンガムの住民が、心臓病の発症の要因を明らかにする目的で、食事を含むライフスタイルのあらゆる側面を追跡する長期研究の被験者となりました。現在も研究は順調に続いており、参加者は第3世代に入っています。

フラミンガム心臓研究について何千本もの医学論文が書かれていますが、事実上歴史から忘れ去られていたのが「フラミンガムダイエット研究」です。

研究は、食事脂肪と血中コレステロールの関係を探る目的で、1957年から1960年にかけて1000人以上の被験者を対象に行われました。研究者たちは研究を始める前から、相関性があるものだと信じていました。

しかし、数百万ドルという費用をかけ何年も苦渋の観察を続けた研究者たちの苛立ちとは裏腹に、**食事脂肪と血中コレステロール値の間に、明らかな相関関係を見いだすことができなかった**のです。(*2)**脂肪を多く摂っても少なく摂っても、コレステロール値に違いはなかった**のでした。

この結果は、世間一般の通念と激しく衝突したため、研究者はある選択を強いられることになりました。結果を受け入れて、真実に近い栄養学的理論を探すか、結果を無視して、間違いを信じ続けるか、です。

残念ながら、彼らは後者の選択をしました。結果は表にまとめられた後に封じ込められ、査読《さどく》学術専門誌に掲載されることはありませんでした。

従来の見解に反対する者は、どんなに正しくても容認されなかったのです。

（＊2）食事療法による大規模研究は他にも報告があり、食事介入により最大14％のコレステロール低下が認められているものもある。

✓「脂肪摂取量が増えたら、血中コレステロール値が下がった」という結果

数十年後、マイケル・イーデス博士が、長年失われていた重要な研究の報告書を探し当てました。

統計学者のタヴィア・ゴードンは嘆きました。

「残念ながら、これらのデータはそもそもの研究者本人たちによる決定的な報告書に組み込まれたことはなく、きわめて慎重で思慮深い作業の大部分はフラミンガム報告書に使われていなかった」

研究から「1日の総脂肪（および動物性脂肪）の摂取量と血中コレステロール値との

図8-1

36 The News, Framingham-Natick, Friday, Oct. 30, 1970

Findings of Framingham Diet Study Clarified

FRAMINGHAM — Although there is no discernible relationship between reported diet intake and serum cholesterol levels in the Framingham Diet Study group, "it is incorrect to interpret this finding to mean that diet has no connection with blood cholesterol," Dr. William B. Kannel, director of the Framingham Heart Study has stated.

"It has been repeatedly demonstrated that blood cholesterol levels can be altered by changes in diet; and dietary alteration is still the most acceptable form of medical management for persons with elevated blood lipids," Dr. Kannel said.

"The available evidence indicates that coronary heart disease appears to result from a combination of contributing factors and that no single factor capable of producing the disease by itself has been convincingly demonstrated," he stated.

"However," he added, "if any common denominator does exist through which such multiple, inter-related factors operate to produce atherosclerotic lesions, then some aberration of blood lipids is certainly the chief contender. It appears to be the thread running through the web of circumstances leading to coronary heart disease."

A number of blood lipids have been implicated in coronary disease, Dr. Kannel said, but none more substantially than the blood cholesterol content. That blood cholesterol is somehow intimately related to coronary atherosclerosis is no longer subject to reasonable doubt because of massive evidence that:

—diseases associated with hypercholesterolemia are also associated with premature atherosclerosis.

—persons with inborn errors of cholesterol metabolism develop extremely precocious atherosclerotic disease.

—persons with high cholesterol levels in epidemiological study populations have been observed to develop coronary heart disease with greater frequency than those with low cholesterol levels, the risk being proportional to the degree of elevation of the blood cholesterol.

—countries with high average cholesterol values among their citizens report high coronary death rates; those with low average cholesterol values report low coronary death rates.

—atherosclerotic deposits are usually loaded with cholesterol, and the movement of cholesterol from the blood into the deposits has been amply demonstrated.

—producing high cholesterol values in animals produces atherosclerotic deposits that can be made to regress by lowering blood cholesterol.

"Moreover," Dr. Kannel said, "the evidence incriminating diet in producing elevated serum cholesterol values is quite substantial. For example:

—areas in which the population exhibits high cholesterol values characteristically have diets different from those where low values are characteristic.

—migrants from "low cholesterol" areas to "high cholesterol" areas are often subsequently found to have higher cholesterol levels and to have changed their dietary pattern.

—manipulation of diet can alter serum cholesterol values in predictable fashion in humans and, in animals, can produce atherosclerotic deposits or cause established deposits to regress.

"The reason for the high cholesterol values frequently found in free-living population groups is not always apparent and the details of the mechanisms involved, the role of inheritance, regulatory mechanisms, and what constitutes the 'normal range' of cholesterol values are not completely understood," Dr. Kannel said.

『フラミンガム―ネイティック』紙の1970年の記事。「フラミンガムダイエット研究」が食事と血中コレステロール値の間に相関性がないことを示したと書かれている。

出典：Dr. Michael Eades.

関連性はやや反対向きである」ことがわかりました。

言い換えれば、**脂肪の摂取量が増えると、血中コレステロール値が下がった**のです。

しかし1970年のフラミンガム市の地方紙の記事（図8－1参照）は「フラミンガムダイエット研究グループでは、報告された食事摂取量と血中コレステロール値の間に相関性はない」と明言していいます。

✓ 食事脂肪はコレステロール値を上げない

「低脂肪崇拝」が広まり、**ナッツ、アボカド、オリーブオイルといった健康的な高脂肪食品は何十年もの間、悪者扱い**されてきました。

しかし、真実を永遠に隠し通すことはできません。

そして食事脂肪がコレステロールを上げないことを証明する研究が続々と行われました。

食事脂肪とコレステロールの関連性についての研究は、1976年にミシガン州テカムセのコミュニティでも行われました。参加者は、血中コレステロール値に基づいて、低・中・高の3つのグループに分けられ、各グループの食習慣が比較されましたが、研究者が驚いたことに、各グループが同じ量の脂肪、動物性脂肪、飽和脂肪、コレステロールを摂取していたことがわかりました。

この結果からも、**脂肪を食べても血中コレステロール値が上昇しない**ことは明らかです。

別の研究では、参加者の1つのグループに脂肪22％未満の食事を与え、2つ目のグループに脂肪39％の食事を与えました。

両グループのベースラインのコレステロール値は173mg／dℓでした。50日後、低脂肪グループのコレステロール値は急落……しませんでした。173mg／dℓでした。また、高脂肪グループのコレステロール値も、さほど上がらなかったのです。50日後、高脂肪グループのコレステロール値はわずかに増え、177mg／dℓになりました。

厳しい低脂肪食を実践しても、血中コレステロール値に有益な効果は見られません。ある研究では、悪玉コレステロールはわずかに5％減少したけれど、善玉コレステロールも6％減少しました。〝悪玉〟と〝善玉〟の両方が減ったので、全体的なリスクは改善されなかったのです。

ファスティング経験者 ロバート談

16時間：8時間の間欠的ファスティングを実践し、ほとんどの日は、低炭水化物・高脂肪の食事を午前10時から午後6時まで摂っているよ。月に1回程度、ギアをハイに切り替えて、40時間の「ファット・ファスティング」を行うんだ。食事の内訳は、スパークリングウォーター、バター入りコーヒー（ブレットプルーフ・コーヒー）、クリーム、MCTオイル、少量のボーンブロス。

その結果、4か月で約18キロ減量し、脂質とグルコースの値が劇的に改善したよ。

✓ ファスティングでコレステロール値が下がる

そういった数々の逆の証拠があるにもかかわらず、1977年と1983年に米国と英国で国民の食事療法のガイドラインが導入され、心臓病のリスクを減らすために低脂肪食を守ることが推奨されました。しかしゾーイ・ハーコムビー医学博士による慎重なメタ分析と体系的レビューにより、これらの推奨事項が、当時にも今日にも効果的であるという証拠がないことが確認されています。

何百万人もの人々が低脂肪・低コレステロールの食事療法を行っています。**はるか昔に効果がないと証明されていることに気づかず、心臓に良いと考えている**のです。

ハーバード大学公衆衛生大学院のフランク・フーとウォルター・ウィレットは2001年に「現在では、低脂肪キャンペーンが科学的根拠に乏しく、意図しない健康被害を引き起こす可能性があるという認識が高まっている」と書いています。

では、血中コレステロールを下げる唯一の信頼できる方法は、薬を服用することなのでしょうか？

そうではありません。

コレステロールを自然に下げる簡単な方法が1つあるとしたら――それは、ファスティングなのです。

✓ ファスティングがコレステロール値を下げる理由

肝臓は、血液に含まれる大部分のコレステロールを合成しています。

コレステロール摂取を減らしても、肝臓でのコレステロール産生にほとんど影響せず、逆効果になる場合もあります。肝臓が、入ってくるコレステロールが少ないことを感知して、生産量を増やそうとする可能性があるのです。

では、なぜ**ファスティングは肝臓のコレステロール産生に影響を与える**のでしょう？

食事で摂取する炭水化物が減ると、肝臓はトリグリセリドの合成を減らします。過剰な炭水化物がトリグリセリドに変換されるため、炭水化物がないとトリグリセリドが減るのです。トリグリセリドは肝臓から悪玉コレステロールの前駆体である超低密度リポタンパク質として放出されます。

したがって、**超低密度リポタンパク質を減らすと、最終的に悪玉コレステロール値が下がる**のです。

✓ 悪玉コレステロール値を下げる唯一の信頼できる方法とは？

悪玉コレステロール値を下げる唯一の信頼できる方法は、肝臓での悪玉コレステロールの産生を減らすことです。

研究から、70日間の1日おきのファスティングで悪玉コレステロールを25％減らせることが証明されています。この値は、ほとんどのダイエット法で達成できる値をはるかに超えており、最高に効き目の強いコレステロール値低下薬の1つ、スタチンで達成できる効果の約半分です。トリグリセリドの値は30％低下しますが、これは超低炭水化物ダイエットまたは薬物療法で達成できる値と同じくらいです。

自然でコストがかからないファスティングでこれだけの効果が得られるのなら、悪くな

図8-2

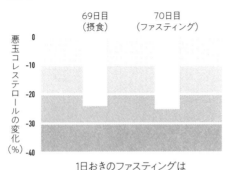

1日おきのファスティングは
悪玉コレステロールを減少させる。

出典：Bhutani et al., "Improvements in Coronary Heart Disease Risk Indicators by Alternate-Day Fasting Involve Adipose Tissue Modulations."

図8-3

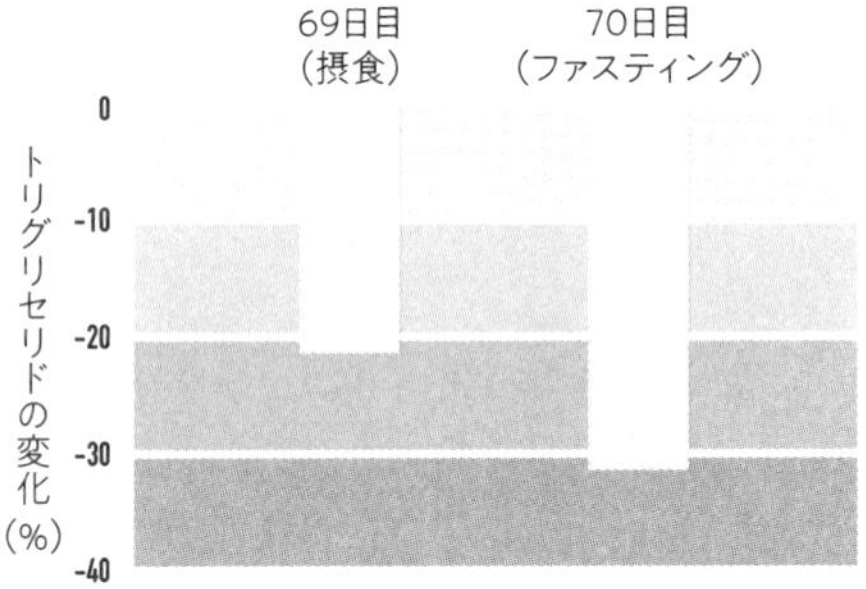

1日おきのファスティングは
トリグリセリド値を下げる。

出典：Bhutani et al., "Improvements in Coronary Heart Disease Risk Indicators by Alternate-Day Fasting Involve Adipose Tissue Modulations."

いですね。

また、スタチン（＊3）は副作用として糖尿病とアルツハイマー病のリスクがありますが、**ファスティングは体重を減らし、除脂肪体重を維持し、ウエスト周りをすっきりさせてくれます。**

さらに**ファスティングは善玉コレステロールを維持してくれるところが低脂肪ダイエットとは異なります。**低脂肪ダイエットでは、悪玉コレステロールと善玉コレステロールの両方が減る傾向にあるからです。

総合的に見るとファスティングは、複数の心臓病の危険因子を大幅に改善してくれます。心臓発作や脳卒中を心配している人には、「なぜファスティングをしないの？」と問いたいくらいです。

（＊3）高コレステロール血症がアルツハイマー病の危険因子とされており、スタチンはアルツハイマー病のリスクを下げるという報告（①②③）と、リスクは変わらないという報告（④）がある。

① Lancet 2000:356:1627-31
② J Neurol Neurosurg Psychiatry 2015:86(12)1299-306. Review
③ NeuroToxicology 2017:61:143-187. Review
④ Cochrane Database Syst Rev 2016(1)CD003160

WHAT IS FASTING

AND WHY IS IT GOOD FOR YOU?

空腹感について知っておくべきこと

CHAPTER 9

長年にわたり何百人もの患者に、肥満と2型糖尿病の
治療目的のためのファスティングについて、
説明をしてきました。全員ではないにせよ、ほとんどの人は、
この治療がきわめて効果的であることを根本的に理解してくれます。
「食べなければ体重が減る。食べなければ血糖値が下がる」
ということを。
しかしほぼ例外なくすべての人は、そもそも断食《ファスティング》を生活に
取り入れることに対して、強い抵抗があるようです。
それはなぜでしょうか？
むくむくと巨像のように立ちはだかってくる、
あの恐怖——そう、「空腹感」のせいなのです。

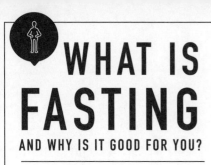

✓ 人間は空腹に勝てないのか？

手に負えない空腹感。

これは間違いなく、ファスティングを始めるにあたって一番よく聞かれる不安です。一部の「専門家」でさえ、ファスティング期間が終わると過食に走る傾向が見られると言っているのですから（しかし、これは間違いです！）。

「一食でも抜いてはいけない。さもないとお腹がすいて、甘いドーナツを山ほど口の中に詰め込むはめになる」と。

また、ほとんどの人は、「空腹感に負けてファスティングを続けられないのでは」と心配します。

意外かもしれませんが、実践した何百人もの患者の経験から、間欠的ファスティング（12章参照）の間は、ほとんどの場合、**空腹感が増すのではなく減る**ことがわかっています。毎日通常の半量しか食べていないのに、予想に反して満腹を感じるという報告が多いのです。このことが、何よりも嬉しい驚き《サプライズ》だったと語る人が大半なのです。

空腹を感じ始めるのは、最後の食事から約4時間後です。

ということは、「24時間ファスティングをすると空腹感が6倍強くなるのでは……？」と想像できますね。もしそれが本当だとしたら、耐えがたいことです。

でも、そうはならないのです。

空腹感を克服するのが骨の折れる辛い作業のように思えるのは、**空腹の性質を基本的に誤解している**からです。

✓ **ファスティング経験者 グロリア談**

最初の3日間は、口さみしくてたまらなくなった。気を紛らわすために大量のボーンブロスを飲んだわ。4日目に気分がおさまり、すべてが順調になった。そもそも、なかなか落ちない最後の4・5キロを減らすためにファスティングをやってみたけれど、今では体重維持とインスリン抑制のために、毎月ファスティングをやっているのよ。

✓ 空腹は心の中で始まる

空腹は、食べないことへの自然な生理学的反応であり、暴風雨に襲われたときのように避けられない、と信じられています。

イメージはこうです。

胃が食べ物でいっぱいになると、脳に「満腹だ」という信号が送られます。胃が空になり、限界値を下回ると、脳が「食べなさい」という信号を送ります。

しかし、これは事実ではありません。朝起きた直後の空腹感について考えてみましょう。

概日《がいじつ》リズム（319ページ参照）の研究から、最後の食事から12～14時間も経っているのに、ほとんどの人は、**朝起きた直後の空腹感が非常に低い**ことがわかっています。

逆に、昼食をわずか6時間前に摂っていても、夕食時の空腹感はたいていの場合、非常に強くなります。

空腹は、胃の中の食べ物の量に左右されるわけではないのです。**学習の結果としても空腹が引き起こされる**のです。

たとえば、お腹がすいていなくても、ステーキの香ばしいにおいとジュージュー焼ける音に食欲をそそられることがあります。食べ物に関する刺激への反応は、ほとんどは生まれつき備わっていて、わざわざ学習する必要がありませんが、本質的に食べ物と無関係の条件下で空腹を感じるようにも「学習」できるのです。

他の例を挙げれば、夕食の合図のベルが聞こえると、それまで感じなかったのに急にお腹がすくことがありますね。こういった刺激のパワーについては、有名なパブロフの犬の実験によって実証されています。

1890年代、ロシアの科学者イヴァン・パブロフは、犬の唾液《だえき》分泌を研究していました。

犬は食べ物を見て食事を期待すると、唾液を流します。この反応は、トレーニングをしなくても自然に起きますが、実験では、助手が犬に餌を与えるようにしたところ、犬はすぐに実験用の白衣と食事を関連づけ始めました。白衣を着た男性には、本質的に食欲をそそる要素はありません。一貫して白衣の男性が餌を与えたことで、**白衣と餌が犬の頭の中でセットになった**のです。

ほどなく犬は、餌がなくても白衣を見るだけで唾液を分泌し始めました。

天才であるイヴァン・パブロフはこの関連性に気づき、あっというまにストックホルムに渡ってノーベル賞を受賞したのです。

✓ 人は「条件反射」で食べている

この心理学の基本は、人が感じる「空腹感」にも、適用できます。

私たちはさまざまな理由から空腹になります。

ステーキの香ばしいにおいやジュージューと焼ける音など、**自然に空腹を引き起こす刺激**もあれば、**常に食事と関連づけられることで空腹を引き起こす刺激**もあります。

後者の**「条件つき反応」は、非常に強力**になり得ます。

「食事」と提案するだけで、体に測定可能な反応が起きるのです。唾液分泌、膵液分泌、インスリン産生は、実際に食べ物が運ばれることではなく、その予測だけですぐに増加します。これは腸の反応と入ってくる食物を同期させるのに役立ち、「脳相《のうそう》反応」として知られています。

上質なレストランが料理の盛りつけに多くの時間とエネルギーを費やすのは、私たちの楽しみが最初の一口からではなく、食べ物を見たときに始まるのを知っているからです。同じ内容であっても、魅力的に盛りつけられた料理は、犬の皿に無造作に投げ込まれた料理よりも、間違いなく食欲をそそります。

この場合、空腹感は視覚から始まっていますが、**私たちを空腹にさせる関連づけは、他にも無数にある**のです。

✓「空腹」じゃないのにお腹がすく不思議

毎朝午前7時に食事をしていると、「条件つき反応」が身について、たとえ前日の夕食で大量の食事を摂ったとしても、午前7時にお腹がすきます。

同じことは昼食と夕食にも当てはまります。

お腹がすくのは時間のせいであり、本質的に空腹を感じているわけではありません。

これは、何十年もの長い期間をかけて学習することでもあります。現に、子どもの場合は、早朝の食事を「お腹がすいていない」と拒否することも多いからです。

同様に、映画館で必ずおいしいポップコーンや甘い飲み物を買っていると、映画のことを思い浮かべるだけでお腹がすいてきます。当然ながら、食品会社は数十億ドルを費やして、こういった条件づけを試みているのです。

野球観戦と食事！
映画館での食事！
テレビを観ながら食事！
子どものサッカーの試合のハーフタイムでの食事！
講義を聴きながら食事！
コンサート会場で食事！

条件つきの反応は誰にでも起きます。私たちの暮らしの中に、無限に潜んでいるのです。

北米には、コーヒーショップやファーストフードレストランがいたるところにあり、あらゆる建物の隅々に自動販売機が置かれています。時計が食事の時間を示すだけで、4時間ごとに「パブロフの犬」のように唾液が出てくるシチュエーションが、そこかしこに整えられているのです。

黄色の「M」のマークと食事との関連づけが整っていると、マクドナルドに抵抗するのがますます難しくなっても不思議ではありません。私たちは毎日、食べ物のイメージや関連づけを浴びるように見せられています。「企業の利便性」と「パブロフの犬反応」の組み合わせは、ますます強大になっています。

このようなパワフルな誘惑の数々に、どうやって抵抗すればいいのでしょうか？

✓ファスティングで「思い込みの空腹」にサヨナラできる

間欠的ファスティングは、独自の解決策を教えてくれます。**食事をランダムに抜いて、食事の間隔を変えることで、何がなんでも1日に3回食べるという習慣を打ち破ることができる**のです。

もし1日3食の習慣を打破できたら、3～5時間ごとにお腹がすくという条件つきの反応とは、これでおさらばです。

「昼だから」「映画を観ているから」という理由だけでお腹はすきません。まったく空腹を感じないというわけではなく、ちゃんとお腹はすきます。

ただし、特定の時間や機会という条件つきで反応するわけではなく、**「お腹がすいているから」空腹を感じる**のです。**時計を基準に食事をするのではなく、栄養摂取が必要なときを体に教えてもらう**のです。

✓エイミーの証言

ほとんどの人にとって、ファスティングの最大の障害は生理学的というよりも心理的なことね。現代の産業化された世界では、私たちは24時間食事をすることに慣れっこになっているわ。

嬉しいときに食べる。悲しいときに食べる。退屈なときに食べ、興奮すると食べる。ストレスで食べる。孤独を感じると食べる。テレビを観るときに食べる。お祝いのときに食べる——あらゆる理由をつけては食べるし、理由がなくても食べてしまうのね。

ファスティングを成功させるには、「1日に数回食べるべき」という考えを捨てることが大切よ。空腹感に慣れるのはいいことだし、実際にメリットが大きいの。体から送られるシグナルにようやく気づけるようになるのは、素晴らしいことね。

私たちの体は、「ごちそう」と「飢餓《きが》状態」を繰り返すようにできているのだから。ごちそうだけが続くようにはできていないのね。

✓「無意識に食べている習慣」を打破しよう

仕事や勉強で忙しくて、朝ごはんと昼ごはんを食べ忘れたことはありませんか？

手元の作業に集中しすぎて、「空腹の手がかり」がたくさんあったにもかかわらず、やり過ごしてしまった……という経験はありませんか？

そんなとき、あなたの体は、**体脂肪として蓄積された豊富なエネルギーの一部を燃やしていた**はずです。

食べ物とそれ以外の関連づけを破る最も簡単な方法を教えましょう——**食事の場所をテーブルだけに限定する**のです。

パソコンの前での食事は禁止。
車の中も禁止。
ソファで食べない。
ベッドで食べない。
講義室での食事は禁止。
野球観戦中も食べない。

ルールを決めたら〝意識的に〟食べないように心がけてみましょう。

すべての食事は、食事として楽しむべきです――映画のついでではなくて！

この方法を取り入れてみると、食べ物がキッチンとテーブルだけに関連づけられます。もちろん、これはまったく新しいアイデアというわけではありません。少し前の世代では常識だったことです。

✓ 習慣を習慣で置き換える

習慣を打破するときは、急にきっぱりとやめようとすると成功しないことが多いものです。ある習慣を別の害の少ない習慣に置き換えるほうが、ハードルが低くていいですね。

禁煙したい人がガムを噛むのは、こういった理由からです。

テレビを観ながらランチを食べる習慣があるなら、食べるのをやめるだけだと何かが足りないように感じるので、ハーブティーや緑茶を飲む習慣に置き換えるほうがいいでしょう。最初は妙な気分になるかもしれませんが、物足りなさを感じることは、はるかに減っていくはずです。

習慣を別の習慣に変えるほうが、はるかに成功率が上がるはずです。

人工甘味料を避けるのもいいですね。たとえノンカロリーであっても、「脳相反応」が始まって、空腹とインスリン産生が刺激される可能性があります。

この点から、私はファスティング中の人工甘味料の摂取はおすすめしません。最近の研究から、ダイエットソーダは概して減量に役立たないことが明らかになっています。理由はおそらく、**空腹を引き起こすのに、空腹を満たしてくれない**からです。

アベルの証言

ファスティングは、「食生活と空腹感との関係を再調整する」ための強力なツールになる。真の空腹感は、胃ではなく体と脳が感じるものだ。練習が必要かもしれないけれど、「真の空腹感」が再び得られるようになると、体の声に身をまかせて、食べたいときに食べることができる。

✓ 断食中の「空腹感」に対処するコツ

特定の刺激が空腹感を引き起こすことと「脳相反応」には、ファスティングを楽にするためのヒントが隠されています。

もちろん、完全に断ち切れない自然の刺激もたくさんありますが、いくつかのシンプルなルールを守れば、空腹感への対処がはるかに楽になりますよ。

コツ1　人工甘味料を避ける

人工甘味料の摂取は、「脳相反応」を促し、空腹感とインスリン産生を誘発する可能性があるので避けましょう。

コーヒーに甘味料を加えることで、ファスティングがずっとやりやすくなり、それが減量につながると感じる人もいます。それで効果があるならいいのですが、私からの最善のアドバイスは、**甘味料を使用せずにファスティングをする**ことです。どうしても使いたいなら少量だけに留めましょう。

ただし、ファスティングがやりにくくなったり、うまく結果が出なかったりするときは甘味料の摂取を中止します。

コツ2　食べ物や、食べ物を連想させるものを避ける

料理をする、食べ物を見る、さらには食べ物のにおいをかぐだけでも耐えられないほど辛くなるので、**あらゆる食べ物の刺激を物理的に取り除きます。**

単に意志が弱いからという問題ではありません。「脳相反応」のスイッチが完全に入っているのに、実際に食べ物が摂取できないのは、あまりに酷なことです。餌をむさぼり食うピラニアはそう簡単には止められないですよね。ファスティング中に食べ物を買ったり、パントリーにおやつを入れたりしてはいけないのも同じ理由です。

コツ3　コーヒーやお茶を大量に飲む

特定の時間に食事をする習慣をやめるのは、とても難しいものです。

1つ試してほしいのは、**ファスティングをしない日に、朝食と一緒にコーヒーやお茶を大量に飲む習慣を作る**こと。ファスティングの日には食べ物が恋しくなりますが、1杯のコーヒーが、食べない時間を楽にしてくれます。そうすれば、朝に何かを摂取する習慣を完全にやめずに済みます。

また、ファスティングの日の夕食に自家製ボーンブロス（427ページ参照）を1杯飲んでもいいですね。長い目で見ると、ファスティングが楽になるはずです。

コツ4　忙しくする

ファスティングの最も重要なコツは、忙しくすること。ランチタイムにも仕事をして忙しく過ごすと、お腹がすいていることさえ忘れてしまいます。

そんなときは、「脳相反応」が活性化されていないのです。誰かが目の前に食べ物を置いたら抵抗するのは難しいですが、書類の山しかなければ、空腹を忘れてもくもくと仕事ができます。

コツ5　空腹感の「波」を乗りこなす

ファスティング中に空腹を感じるのは、当たり前！

でも、**それほどひどい経験ではない**ことを、ぜひ覚えておいてください。

たとえば、あまりの空腹に耐えられなくなり、ついにはドーナツをほおばるはめに……なんていうことは、まったくないのです。

乗りきる秘訣は、空腹に「波」があることを理解すること。

波をうまく乗りこなせばいいのです。

前回、昼食を抜いたときのことを思い出してみましょう。あなたは、会議から抜け出せなかったのかもしれません。空腹でたまらなくなったけれど何もできず……そして1時間ほどが過ぎたら、どうなったでしょうか？

空腹感が完全に消えてしまった――そう、「波」が去ったということです。

✓ いずれ去るとわかれば、空腹は怖くない

ファスティング中の「空腹の波」に耐える最善の方法は、なんでしょう?

多くの場合、**緑茶やコーヒーを飲めば十分**です。

飲み終わった頃に空腹は去り、あなたは次のタスクに取りかかれるはずです。

いったんどんどん増えていき、ピークに達したとしても、その後必ず散って消えます。**空腹感は増え続けることはありません。**

あなたがすべきなのは**空腹感を「無視する」こと**、ただそれだけです。空腹感はまた戻ってくるけれど、再び去るとわかっていれば、自信を持って対処する気力が湧いてくるはずです。

このことは、長期にわたるファスティング（14章参照）のときにも応用できます。

空腹感が強く出るのは最初の1、2日、一般的には2日目です。

その後、空腹感は消えます。これは、脂肪燃焼中に産生されたケトンが食欲を積極的に抑制するからだという説もあります。

内分泌学の専門家であるイアン・ギリランド博士は、彼が観察したファスティング患者について「確かに幸福感が生じている……多幸感の域に達しているかもしれない。初日が終わると、空腹感を訴える不満はなくなる」と書いています。14日間のファスティング中に、**空腹を感じず、さらには「多幸感」すら味わえる**というのです。

ファスティング中に気分が高揚し、14日を超えても続けたいと希望する人もいます。

実際に、「ファスティング中に空腹感が消える」ことは、ファスティングに関する科学論文で一貫して結論づけられており、私たちの「インテンシブ・ダイエタリー・マネジメント・プログラム」（「IDM」＝集中的な食事管理プログラム）でも同様の結果が認められています。

✓ 空腹は胃の状態ではなく、心の状態

24時間を超えるファスティングができないと感じる人には、3～7日間のファスティングを試すようにすすめることもあります。感覚的には正反対のように聞こえるかもしれませんね。「1日さえ続けられないのに、どうして7日間も？」という声が聞こえてきそうです。

この「技《コツ》」が機能するのは、長期にわたるファスティングをすることで、**食べなくても空腹感が消える感覚が体験できるから**です。**体が体脂肪を代謝する方法を学習するため**です。

長期にわたるファスティングは、体を急速にファスティングに順応させます。**最初の1、2日を乗り越えると、空腹感が消え始め、空腹に打ちのめされないという確信が持てるようになります。**空腹感はファスティングにつきものですが、乗り越えられないものではないのです。

なぜ、空腹を感じずに何日間もファスティングができるのでしょうか？

それは、**空腹感が特定の食事時間に決定されないから**です。

空腹感を決定するのは、ホルモンの信号です。信号は、単に胃が空っぽだから出るのではありません。食べ物の光景やにおいといった空腹への自然な刺激、空腹に条件づけられた刺激（決まった食事の時間、映画、野球観戦、学習によって食べ物が出てくると期待される行事）を避けることで、ホルモン信号を回避することができるのです。

ファスティングは、条件づけられたあらゆる刺激を打破する手助けとなります。

だから、空腹感を増すのではなく、減らすほうに役立つのです。

空腹は「心の状態」であり、胃の状態ではない、と覚えておきましょう。

∨ファスティング経験者 キンバリー談

長期にわたるファスティング中に私が学んだ最も重要なことの1つが、最初の数日間に備えて、**気を紛らわすためのリスト**を作っておくこと。このリストを冷蔵庫に貼っておいて、食べ物を探して冷蔵庫の扉を開けてしまったときに、手を止めてリストの項目を実行するようにしているの。

リストには「散歩」「引き出しか戸棚の整理」「水を飲む」など、思いついてすぐにできることがいろいろと書き出してあるわ。これが効果的で、やり終えた頃にはすっかり空腹のことを忘れているの。

✓ファスティング経験者 デビー談

5日間の18時間のファスティングと、それに続く2日間の水だけを摂取するファスティングを行って、インスリン抵抗性を改善させた。

また、1か月おきに10〜18日間連続して水だけを摂取するファスティングをやっているのよ。3日目以降、**空腹感が消え、ケトン値が跳ね上がり、無敵の感覚**になった！

21歳のときよりも、51歳の今のほうがいい気分！

FASTING SUCCESS STORY

【ファスティング成功体験談】ダリルの話

腎臓はすでに1つ……でも、あきらめたくない

ダリルは66歳の男性です。11年間患っている2型糖尿病の治療のために、2015年11月に紹介で私のところにやってきました。

ダリルは高コレステロール血症と高血圧症にも苦しんでいました。

その上、すでに腎臓は1つしかなかったのです。

腹部の肥満に一部起因する、激しい腰痛もありました。

腹周りに余分な肉がついているため、動くとバランスを崩しやすく、背中にも大きな負担がかかっていました。それが、背骨の関節炎と腰痛を引き起こしていたのです。

ダリルは当初、痛みの専門医を紹介されていました。ダリルを診た医師はメタボリックシンドロームの典型的な特徴に気づき、まずは体重を減らすことが痛みの軽減につながると判断したのです。

こうして、まさに満身創痍といった様子で、ダリルは私のクリニックにやってきたのでした。

✓ 典型的な糖尿病がわずか2週間で劇的に改善

ダリルの糖尿病の経歴は典型的なものでした。

少量の単剤の経口薬から始めた治療は、年数の経過とともに容赦なく薬の量が増え、血糖をコントロールするために毎日70単位のインスリンを投与するまでになっていました。

私たちの指導のもと、ダリルは低炭水化物・高脂肪食から始めて、追加で間欠的ファスティングも行いました。週に3日、24時間のファスティングに挑戦したのです。

結果は即座に現れました。

体重と胴囲（ウエスト）が減少し始め、**わずか2週間足らずで血糖値が正常範囲におさまったので、インスリン投与をすべて停止しました。**

それ以来、彼は糖尿病治療薬をまったく服用していません。

最新のヘモグロビンA1cは5・9％と測定され、

図9-1

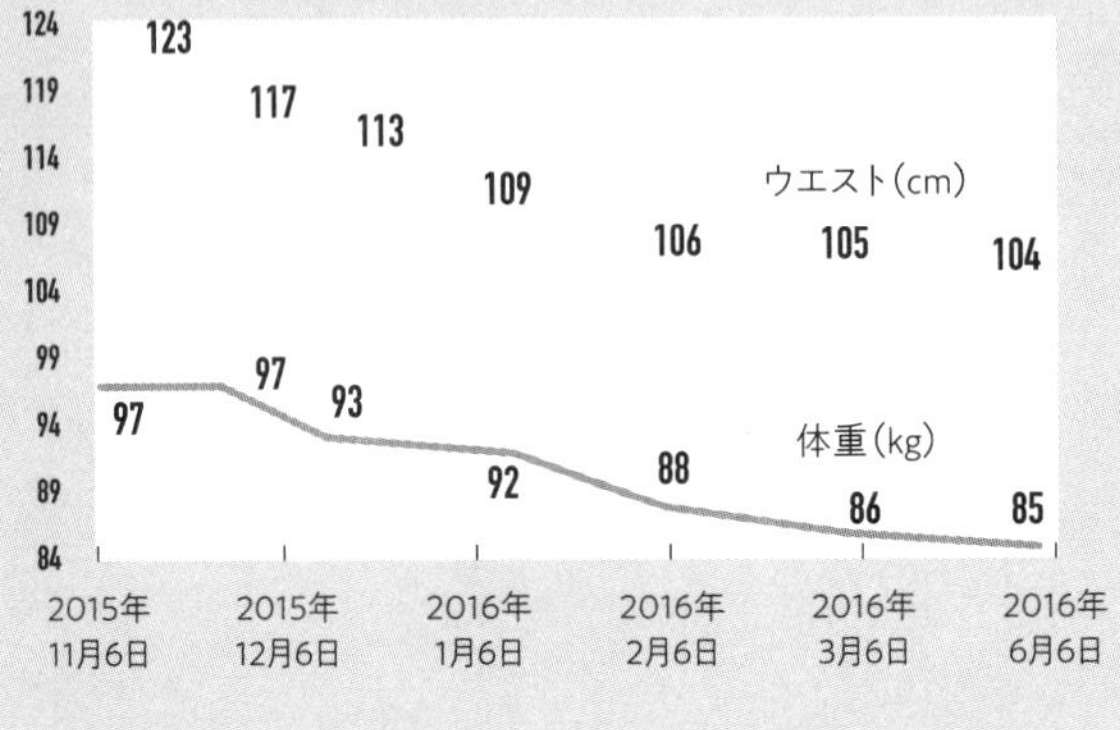

プログラム開始前の6・8%から下がりました。

インスリン投与をやめたにもかかわらず、血糖値はこれまでより改善したのです。

彼はもはや糖尿病患者ではなくなっていました——**糖尿病が完全に治った**のです。

ダリルは11年間も2型糖尿病に苦しんでいましたが、適切な食事によって糖尿病を完全に治せる可能性《チャンス》は、いつでもあったのです。実際に、**簡単な食事のルールに従うだけで、2型糖尿病を治癒することができた**のですから。

根本的な問題を解決していなければ、さらにこの先20年間、インスリン注射をし続けることになっていたかもしれません。

WHAT IS FASTING

AND WHY IS IT GOOD FOR YOU?

断食《ファスティング》をすべきではない人

CHAPTER 10

ファスティングにはたくさんの恩恵がありますが、
重大な警告を追加させてください
——ファスティングは万人向けではありません。
ある程度のリスクを伴うと同時に、通常量のビタミン、
ミネラル、その他の必須栄養素が摂取できなくなります。
本章では、
「絶対に、治療的ファスティングをしてはいけない人」、
「主治医に相談の上、治療的ファスティングを
行ってほしい人」など、
ファスティングを安全に行うために
欠かせない注意点をまとめます。

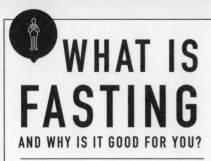

✓ 絶対にファスティングをしてはいけない人

①重度の栄養失調または低体重（体重不足）の人

栄養失調の人が、意図的に栄養素とカロリーを制限することは、明らかに望ましくないし、賢明ではありません。

体脂肪率が４％を下回ると、体はエネルギー源としてタンパク質を使用せざるを得なくなります（参考までに、平均体脂肪率は男性で25％、女性で35％以上。肥満者の体脂肪率はこれをはるかに上回ります。一流のマラソン選手は、非常にやせて見えますが、体脂肪率はだいたい８～10％におさまります）。

エネルギー源としての貯蔵脂肪が尽きると、生き残るために機能性組織を燃やす必要があります。この状態は「るい痩《そう》（病的な痩《や》せ）」と呼ばれ、健康的でも有益でもありません。

体格指数（ＢＭＩ）は、体重をキロで計算し、それを「身長（ｍ）の２乗で割る」ことで算出できます（kg／㎡）。

一般的な低体重の定義は「ＢＭＩ18・５未満」です。５フィート10インチ（約１７８センチ）の男性の場合は、１３０ポンド（58・５キロ）です。

合併症のリスクが劇的に上昇するため、「ＢＭＩが20未満」の人には、私は、すべてのタイプのファスティングを推奨していません。とりわけ重要なのは、長期のファスティングを避けることです。

②18歳未満の人（子ども）

子どもの場合は、適切な栄養を摂ることが、正常に成長するために何よりも大切です。カロリーを制限すると、適切な成長と、重要な臓器（特に脳）の発達に必要な必須栄養素も制限されます。

特に思春期の成長には、膨大な量の栄養素が必要となります。この時期の栄養不足は成長を阻害する可能性があり、あとあと取り返しがつかないことになりかねません。18歳未満のすべての子どもは、ファスティング中の栄養失調のリスクが、容認できないほど高いです。

ときどき食事を抜くことが、子どもの健康に有害だとは言いません。

しかし、24時間を超える長期のファスティングは推奨できません。

この事実は、世界中のあらゆる伝統文化の中で、古くから認識されていました。成長期の子どもを栄養不良から守るために、子どもは伝統的または宗教的なファスティングからは除外されてきたのです。

それよりも重要なのは、**「望ましい食事の選び方」について子どもにきちんと教えること**です。

まずは、**「未加工の自然食品」を「丸ごと」食べること**（59ページ参照）を教えるのがいいでしょう。**高度に精製された穀物を避け、砂糖の摂取を減らすこと**は、肥満防止と健康増進に大変役立ちます。

③妊娠中の女性

妊娠中のファスティングもまた、適切な胎児の発育を妨げてしまいます。

発育中の胎児には、最適な成長のために十分な栄養素が必要です。胎児の栄養不足は、取り返しのつかない弊害を引き起こす可能性があります。特別に処方された妊婦用のマルチビタミンを摂取する女性が多いのは、まさにこの理由からです。

特に重要なのが「葉酸」の補給です。

葉酸が欠乏すると、神経管の欠陥（たとえば二分脊椎《せきつい》症）のリスクが高まるからです。葉酸は人体に数か月しか貯えられません。そのため、葉酸不足が長引くと、胎児の健康上のリスクが高まります。

妊娠期間は9か月に限られているので、この期間にわざわざファスティングをする理由はありません。妊娠（および母乳育児）が終わってから、再開すればいいでしょう。

繰り返しになりますが、**世界中のあらゆる伝統文化の中で、妊娠中のファスティングが危険を伴うことが認識されており、妊娠中の女性は、伝統的または宗教的なファスティングからは除外されてきました。**

④母乳育児中の女性

発育中の赤ちゃんは、母乳からあらゆる栄養素を受け取っています。母親のビタミンやミネラルが不足すると、赤ちゃんも不足してしまうため、赤ちゃんの成長には望ましくありません。そのため、母乳育児中の人にはファスティングはすすめません。ときどき食事を抜くぐらいなら害はありませんが、意図的に長期間のファスティングをすることは推奨できません。

母乳育児は何年も続くわけではなく、一般的には数か月から数年に限定されているものです。この時期に無理にファスティングをする理由はありません。

成人の場合、ほとんどの期間を通じてファスティングを安全に行うことができるのです。安全にファスティングができる時間はたっぷり残されているのですから、**母乳育児が終わってから行えばいい**だけです。

エイミーの証言

私は、ファスティングをしていないときに、好きなものを大量に食べるための言い訳としてファスティングをするのはよくないと思うのよ。食べすぎたり、ズルをしたり、なんらかのダイエット法から「脱落した罰」としてファスティングをすべきじゃないわ。ファスティングにメリットを見いだした人が、調整またはリセットするために取り入れるのはいいけれど、食事の罪滅ぼしの緊急措置としてファスティングを使ってはいけないと思う。

✓ 主治医に相談の上、ファスティングをすべき人

「ファスティングは慎重にすべきだが、必ずしも避けなくてもいい人」もいます。

次のような場合は、治療的ファスティングを試みる前に、医療専門家の助言を求めるようにしてください。

①痛風の人

痛風とは、関節内に尿酸の結晶ができる炎症性関節炎です。尿酸の血中濃度が高いことがこの病気の主な要因の1つであり、再発の可能性を減らすために、血液中の尿酸濃度を下げる薬が処方されることがあります。

ファスティング中は尿からの尿酸排泄量が減り、尿酸値が上がります。理論的には、これが痛風を悪化させる可能性があるのです。ファスティングをした肥満患者42人の研究によると、すべての患者は尿酸値が上がりましたが、痛風は発症しませんでした。

痛風の既往歴がある患者のほとんどは、無理なくファスティングに耐えることができます。

ただし、**潜在的なリスクを知ることは重要**です。

疑問があるときは、ファスティング療法を始める前に、医師に相談してください。

②薬を服用中の人

なんらかの症状や治療のために定期的に薬を服用している人は、あらゆる種類のダイエットまたはファスティング療法を始める前に、主治医に相談しなければいけません。薬によっては、食事と一緒に摂るのが最適なものもありますが、ファスティング中にはそれができないからです。

ファスティング時に問題を引き起こす代表的な薬は、**アスピリン、メトホルミン、鉄分およびマグネシウムのサプリメント**です。

しかし、これらの投薬に合わせてファスティングのスケジュールが調整可能なことも多いです。

アスピリン

アスピリンは、心血管疾患のある人の抗血小板薬（血液をサラサラにする薬）としてよく使われます。

アスピリンの一般的な副作用の1つが胃炎です。胃の内膜が炎症を起こし、重症の場合は胃や小腸に潰瘍ができます。こういった合併症のリスクを減らすために、アスピリンは食べ物と一緒に服用することが多いのです。

現在、多くのアスピリン錠剤は胃の内膜を守るために保護フィルムでコーティングされていますが、胃炎と潰瘍のリスクは軽減されるものの、消えるわけではありません。食べ物なしでアスピリンを服用すると、胃の炎症のリスクが高くなります。

メトホルミン

メトホルミンは、2型糖尿病の最もポピュラーな薬です。この血糖降下薬は1950年代から使われており、多嚢胞性《たのうほうせい》卵巣症候群にも広く処方されています。

大きな副作用の1つが胃腸の不調であり、これが空腹時に悪化する可能性があります。また、下痢、吐き気、嘔吐といった症状も、数多く報告されています。

鉄分サプリメント

鉄分サプリメントの錠剤は、鉄欠乏性貧血と呼ばれる慢性失血による赤血球数減少の改善のために処方されるのが一般的です。

たとえば、月経が重く鉄分量が減っている女性が対象となります。鉄分サプリメントの一般的な副作用には、便秘と腹痛の両方があり、ファスティングによって悪化することがあります。

マグネシウムのサプリメント

マグネシウムは、主に骨に保存されているミネラルです。

マグネシウムのサプリメントは、足の痙攣《けいれん》、片頭痛、むずむず脚症候群の改善のために使用されることが多いです。

制酸薬（胃酸を中和する薬）または下剤として使われることもあります。経口摂取したマグネシウムサプリメントは、腸から吸収されにくく、これが下痢につながることが多いのです。マグネシウムを食物と一緒に摂取すると、こういった症状が軽減されます。また、2型糖尿病患者は多くの場合、マグネシウム値が低いです。

皮膚に塗ることができるマグネシウムオイルやマグネシウムジェルなどから、マグネシウムを吸収する方法もあります。

③1型または2型糖尿病の人

1型または2型糖尿病の場合は、ファスティング中に（または、食事のパターンを変更するだけでも）注意深く経過を見守ることが不可欠です。

薬を服用している場合は、なおさら注意が必要です。投薬量が同じでも、食物摂取量を減らすと、血糖値が極端に低くなる「低血糖症」のリスクが出てきます。

低血糖の症状には、震え、発汗、過敏、緊張、めまい、空腹感、吐き気などがあります。さらに重篤になると、錯乱、意識の混濁、発作などの症状が出ます。

低血糖を治療せずに放置すると、死に至ることさえあるのです。

症状は急激に現れることがあります。その場合は、砂糖入りの飲み物か食べ物をただちに摂取して、命にかかわる危険な状態を回避しないといけません。

どんなダイエットプログラムを始めるときも、事前に医師に相談して、糖尿病治療薬またはインスリンの投与量を調整することが不可欠です。

とりわけ重要なのが、血糖値を注意深くチェックすることです。

それができないなら、糖尿病の人はファスティングをしてはいけません（糖尿病患者のファスティングの詳細については205ページ参照）。

④逆流性食道炎の人

逆流性食道炎（GERD）は、一般に**「胸焼け」**として知られています。

胃酸が食道に逆流し、食道の敏感な組織に損傷を与える症状です。

胸の下部や上腹部に鈍い痛みが感じられ、横になると悪化することが多いです。このときの感覚は、胃の中身が「上に戻ってくる感じ」とよく表現されます。

腹部の脂肪が増えすぎると、胃に圧力がかかって、食物と胃酸が食道に逆戻りします。

ファスティング中の胃には、胃酸を吸収するものがないため、症状が悪化することがあります（これは少し残念で皮肉な話です。なぜなら、ファスティングは体重を減らすために行われることが多く、減量すると最終的には胸焼けが改善されるからです）。

減量できると、胸焼けも解消することが多いです。

ときどき、ファスティングが胸焼けの症状を改善することがあるのは、食物が胃酸の分泌を刺激することがあり、ファスティングによって胃酸が抑えられるからです。

胸焼けの症状を軽くするための簡単なテクニック

- チョコレート、カフェイン、アルコール、揚げ物、柑橘類など、逆流を悪化させる食べ物を避ける（カフェインは下部食道括約筋を弛緩させ、逆流を悪化させる可能性がある）。
- 就寝の少なくとも3時間前に食事を終える。
- 夕食後に散歩に行く（歩く）。
- ベッドの脚の下に何かを置いて、頭を高くする。
- アルカリ水またはレモン入りの水を飲む。

こういったテクニックを試してもうまくいかない場合は、胸焼けを防ぐためにファスティング療法を調整してみてもいいでしょう。

たとえば、本当にファスティングをするのではなく、一定の間隔をあけてグリーンサラダを食べてみるとか。

この方法なら、ファスティングのメリットのほとんどを維持しながら、胸焼けの症状を抑えることができます。

また、ファスティング期間中に脂肪だけを摂る**「ファット・ファスティング」**（298ページ参照）も効果的です。

✓マイケルの証言

ファスティング中は、自覚症状をしっかりと見守ることが重要だね。

また、日が経つにつれて自分が良くなっているのか、悪くなっているのかを判断することも大切。全般的に良くなっている場合は、そのまま続けていい。全体的に悪くなっているように感じたら、今のアプローチが自分に合っていない可能性があるので、別のファスティング方法を試すのがいいかもしれないよ。

✓ 女性がファスティングをしてもいい？

「女性がファスティングをしてもいいですか？」と、尋ねられることがよくあります。

女性はファスティングをすべきではないという噂がどこから始まったのかわかりませんが、あまりにもしょっちゅう耳にするので、この質問にも答えておきますね。

「女性は、男性と同じようなファスティングの恩恵を受けられないのでは？」という根強い不安があるようなのですが、これは真実からはほど遠いものです。

ファスティングに関するほぼすべての研究から、**男性と女性の両方がファスティングの恩恵を受けられることが実証されています。**

さらに言うと、**男女で効力に違いがない**こともわかっています。

図10-1

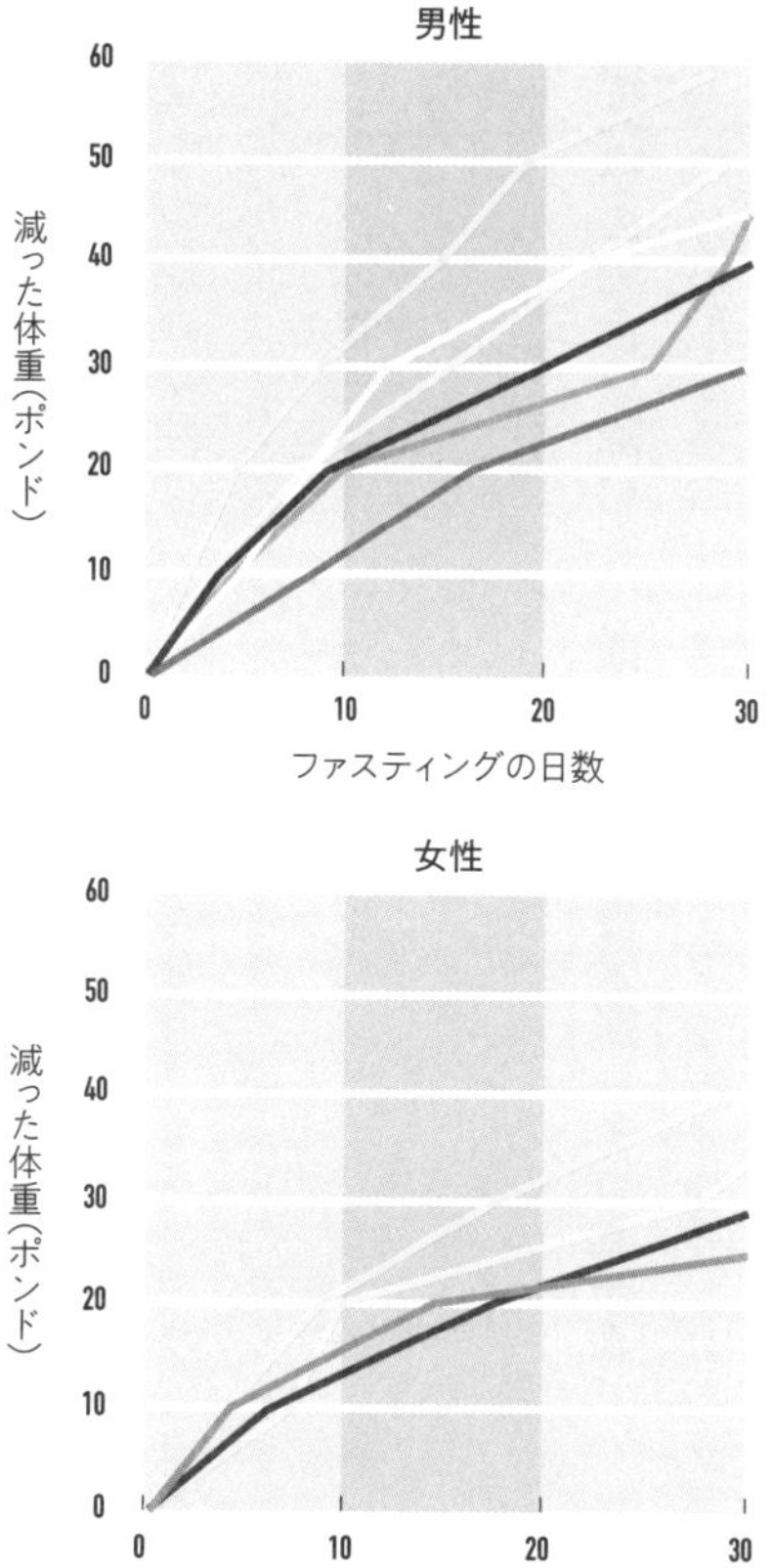

男性と女性のファスティング時の
体重減少率は似通っている。

出典：Drenick, Hunt, and Swendseid, "Influence of Fasting and Refeeding on Body Composition."

✓ ファスティング効果に性差なし

私自身の臨床経験がこのことを裏づけています。過去5年間で何百人もの男女のファスティングの指導をしてきましたが、性差は見られませんでした。どちらかと言えば女性のほうが良い結果を出す傾向にあったかもしれません。素晴らしい成功例の多くは女性です。

当プログラムのディレクターを務めるミーガンは、ファスティングで健康を大幅に改善できたので、それまでの医学研究のキャリアを捨てて、治療目的のファスティングをしたい人たちの手助けをする道を選んだくらいです（208ページ参照）。

もちろん、女性がファスティング中に問題を抱えることもありますが、同じ問題は男性も抱えているものです。

また興味深いことに、**一緒にファスティングを実践する夫婦は最高に成功率が高い**です。お互いに助け合うことが大きな励みになり、ファスティングがはるかに楽になるのです。

✓ あらゆる宗教で男女ともに実践している

ファスティングは、少なくとも2000年にわたって継承されてきた人類の文化です。

イスラム教徒の女性はファスティングを免除されているでしょうか？

仏教徒の女性はファスティングを免除されていますか？

カトリックの女性は？

答えは「ノー」。

何千年にもわたるファスティングの経験から、こういった宗教のいずれも、**女性が妊娠中か授乳中の場合を除いて、成人の男女を区別していません。**

女性が特に心配するのは、ファスティングが性ホルモンに与える影響についてです。確かに、**栄養不良の女性はファスティングをすべきではありません。**体脂肪率が低すぎると、月経困難症や不妊につながる可能性があるからです。

✓ 性ホルモンに異常なし

しかし、通常範囲の体重の女性の場合、ファスティング中の性ホルモンの数値に大きな違いは見られません。

ある研究で、3日間のファスティングが月経周期の各フェーズで性ホルモンにどのような影響を与えるかを調べたところ、グルコース（ブドウ糖）とインスリン値は低いままで、ファスティングはうまくいっているようでしたが、**すべての性ホルモンは正常範囲内に留まりました。**

また、超音波検査から主席卵胞（卵）が正常に成長していることが確認でき、**月経周期は変化しません**でした。無月経と無排卵周期の問題は、体脂肪率が低くなりすぎることで起きます。

ただし、**体脂肪率が極端に低い女性は、そもそもファスティングをしてはいけません（男性も同様です）。ファスティング中に無月経などの月経障害が現れた場合は、すぐに中止しましょう。**

前述したように、妊娠中と授乳中の女性はファスティングをしてはいけません。子どもの成長のために十分な栄養を必要とする時期だからです。

ファスティング中の女性が直面するかもしれない問題は、確かにあります。しかしそれらの問題は、男性にも起こり得ます。

女性が望むように体重を減らせないことはありますが、男性も同じような問題に直面します。

女性がファスティングを難しいと感じることもありますが、それは男性も同様です。

ファスティングの研究の多くは100年以上前にまで遡《さかのぼ》れますが、すべて、どちらの性別にとっても安全であることが示されています。

あなたが**男性であろうと女性であろうと、少しでも気分の悪さを感じたら、すぐにファスティングを中止して、主治医や医療機関に連絡してください。**

ファスティングが拒食症を引き起こす?

神経性食欲不振症（拒食症）の患者は、すでに体重不足で栄養失調であるため、絶対にファスティングをしてはいけません。

さらに、ファスティングが拒食症の発現に直接的な影響を与える場合があります。食べ物は拒食症患者にとっての「薬」なので、それを控えるのは賢明な選択ではありません。

では、ファスティングをすることが、拒食症を引き起こすのでしょうか?

簡単に言うと、答えは「ノー」。

拒食症は、体のイメージの認識が歪んでしまう心の病気です。患者は、ひどく低体重であっても、太りすぎだと認識します。

これは**心理的な病気であり、少食によって引き起こされるものではない**のです。**病気であり、ファスティングが原因ではない**のです。

ですから、ファスティングは、楽しくて夢中になるようなことではありませんね。

ファスティングは、麻薬のコカインのような中毒性はないですし、危険性もありません。

ファスティングが拒食症を引き起こすという主張は、手を洗うと強迫性障害につながると主張するようなものです。過度の手洗いは病気の症状であり、原因ではありません。

さらに言うと、**ファスティングは世界中で何百万人もの人々が何千年もの間、安全に実践してきましたが、拒食症という病気が見られるようになったのはごく最近のこと**です。

もしもファスティングが拒食症を引き起こすなら、何千年も前の記録があり、女性だけでなく男性にも影響を与えたはずです。

このことから、**「ファスティングは拒食症の原因にならない」**と強く主張したいです。

結論として、**ファスティングは拒食症の原因にはなりませんが、拒食症の人はファスティングを行ってはいけません。**

WHAT IS FASTING

AND WHY IS IT GOOD FOR YOU?

実践の断食《ファスティング》

理論がわかったら実践あるのみ!
断食の種類と、最高の効果を引き出す
「ベストプラクティス」の数々について見ていきましょう。

PART 2

WHAT IS FASTING

AND WHY IS IT GOOD FOR YOU?

どんな断食《ファスティング》があるの？

CHAPTER 11

ファスティングの種類については、
2つの観点から分類するとわかりやすいです。
1つは、「ファスティング中に許されること」。
もう1つは、「ファスティングの長さと頻度」です。
長さと頻度については、12章、13章、14章で
くわしく取り上げるとして、
まず本章では、摂取できるものは何かという観点から、
どんなファスティングがあるのかについて、見ていきます。

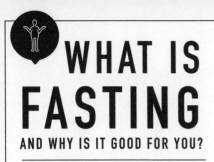

✓ 摂取OKはノンカロリー飲料のみ

ほとんどのファスティングで、**摂取していい飲み物は、ノンカロリー飲料のみ**です。

摂取OKの飲み物

・水
・お茶
・ブラックコーヒー

摂取してはいけないもの（次に挙げる以外の「糖類」も摂取してはいけない）

・砂糖
・はちみつ
・果糖
・アガベシロップ（アガベという多肉植物の樹液から作られた甘味料）

飲み物に入れる人工甘味料には、ステビア、アスパルテーム、スクラロースなどもありますが、これらの是非については意見が分かれています。
カロリーがないため理論的には摂取が許されますが、人工甘味料に含まれる化学物質が、ファスティングの精神性を侵害するとも言えるのです。

ファスティングとは、体を浄化して清めることでもあるので、不必要な糖質や脂肪だけでなく、化学物質その他の薬剤・添加物など、あらゆる人工的なものも取り除くのが理想的です。

同じ理屈で、人工的に味をつけた粉末ドリンクのクリスタルライトやクールエイド、ブイヨンキューブなども避けたいものです。

✓ 水だけのファスティング

水だけを摂取するファスティングは、昔からある伝統的なファスティングの一種です。ファスティング期間中は、水以外のすべての飲み物と添加物の摂取が許されません。

この種類のファスティングには、一般的に塩分が含まれないことに注意してください。**塩分がないと、体は水を保持できないので、脱水のリスクがあります。**

塩水を飲んでもいいという、水だけのファスティングもありますが、塩水を飲み下すのは難しいかもしれません。

とはいえ、食事から塩分を摂れなくても、体は塩分を保持する能力に長《た》けています。そのため、水だけのファスティングが限られた期間であれば、塩分の必要量はかなり少ないので問題にならないはずです。

✓ ジュース・ファスティング

水とジュースを摂取できるファスティングです（ジュースには糖質とカロリーが含まれるため、厳密には本当のファスティングとは言えませんが）。

ファスティングの成果は、摂取するジュースの種類と量によって異なります。フルーツジュースは糖質が多くなりがちなので、厳格なタイプのファスティングに比べると良い結果が得られないことが多いです。

✓ グリーンジュース・ファスティング

最近人気急上昇のファスティングです。名前から推測できるように、ほうれん草やケールのような濃い緑色の葉物野菜の絞り汁を使います。オレンジやリンゴなどの甘い果物のジュースよりもはるかに糖質が少ないことに加えて、葉物野菜には「ジュース（水分）」がわずかしか含まれず、砕いた葉を混ぜるため、食物繊維と微量栄養素が摂取できます。グリーンジュースの材料として、セロリもよく使われます。

✓ ファット・ファスティング

新しいタイプのファスティングで、日本では、「ファット・アダプテーション」とも呼ばれています。ココナッツオイル、クリーム、バターなど、比較的純粋な脂肪は摂取してもいいため、ファット・ファスティングも厳密に言うと、ファスティングではありません。オリーブオイルをコップ1杯飲んだり、バターの塊だけを食べたり、脂肪は通常、単独で食べることはありませんね。

しかし、この方法で脂肪を摂ると、**空腹感が軽減されてファスティングがはるかに楽にできる**と感じる人もいるようです。

✓ ファット・ファスティングで注目の「ブレットプルーフ・コーヒー」

ファット・ファスティングのトレンドに拍車をかけているのが、「ブレットプルーフ・コーヒー（防弾コーヒー）」の人気です（424ページ参照）。

コーヒーを「bulletproof（防弾）」にするために、ココナッツオイル、MCTオイル（中鎖トリグリセリド）、牧草飼育牛のバターなどの脂肪を加えます。脂肪含有量が高いためかなりの高カロリーになるので（レシピによって異なりますが、1カップ当たり400～500キロカロリー）、**「食事がわりの飲み物」**と言ったほうが正確かもしれません。

ただし、実質的にすべてのカロリーは脂肪に由来します。

ファット・ファスティングには多くのメリットがあると言われています。

その1つが**減量効果**です。

ケトジェニックダイエット（181ページ参照）や超低炭水化物ダイエットとセットですると、体がエネルギー源として脂肪を燃やすのに役立つと言う人もいます。

また、**脂肪のおかげで頭が冴《さ》えて、欲求が抑えられ、気持ちが落ち着く**と感じる人もいます。ファット・ファスティングの有効性については、まだ科学的証拠はほとんどないのですが、成功の逸話は実にたくさんあるのです。

✓ ドライ・ファスティング

ドライ・ファスティングでは、液体の摂取が許されません。

イスラム教徒は、ラマダーンの聖月の日中に、このタイプのファスティングを実践します。

ファスティングと軽度の脱水を組み合わせたようなもので、他のタイプのファスティングよりはるかに厳しいです。医師である私としては、医療上のさまざまな理由からおすすめできません。合併症のリスクも、それに伴う脱水のリスクもはるかに高くなります。

✓ ファスティング模倣ダイエット

研究者が作り出した食事療法で、「実際にファスティングをせずにファスティングのメリットを再現しよう」というものです。毎月5日間だけカロリー摂取を減らすという、複雑な食事計画を遂行します。

初日は、タンパク質10%、脂肪56%、炭水化物34%で構成される1090キロカロリーを摂取し、続く4日間は、栄養素の配分は同じで、725キロカロリーを摂取します。

このダイエット法でファスティングの恩恵がすべて得られるというデータがわずかにあるものの、あまりに複雑なため、私はおすすめしません。

だったら、月に5日間、通常のファスティングを行うほうが、はるかに簡単です。

エイミーの証言

ファスティング中に、**スプーン1杯のオリーブオイルまたはココナッツオイル、バターをひとかけ**など、ほぼ純粋な脂肪を摂る人もいます。

人によっては、**マカダミアナッツ**や**クルミ**など、主成分が脂肪で炭水化物をごくわずかに含み、タンパク質はほぼ含まれない固形物を少量摂る人もいます。

どちらも、ファスティングの生理学的メリットの妨げにはならないわ。こうしたものをちょっと口にするだけで、ファスティングが楽になって、続けられるようになることもあるのね。こういった食べ物が、望みの結果を妨げることはほとんどないのよ。

✓ 最高の結果を出すIDMファスティング

インテンシブ・ダイエタリー・マネジメント・プログラム（「IDM」＝集中的な食事管理プログラム）では、減量と2型糖尿病や脂肪肝などの代謝障害の改善のために、広くファスティング療法を取り入れています。

ファスティングの長さに関係なく、次項以降の一般的なガイドラインは、健康的なファスティングを実践するのに役立つはずです。人によって効果のある方法もあれば、そうではない方法もあるでしょう。

厳格なルールはないので、自由に試したり調整したりしながら取り入れてください。

IDMファスティングでは、水、お茶、コーヒーを摂取してもいいことになっていますが、砂糖、はちみつ、アガベシロップ、その他の甘味料は摂取できません。

人工甘味料やフレーバーは摂取できませんが、レモンジュース、ミント、シナモン、スパイスなどの天然フレーバーは摂取できます。

自家製ボーンブロス（427ページ参照）は摂ってOKです。ボーンブロスでファスティングが楽になると同時に、長期間のファスティングによる塩分不足を防ぐことができます。

✓ IDMファスティングで摂取していいもの

水

最高の結果を出す飲み方

ファスティング中は水分補給を十分にすること。

普通の水でも炭酸水でもいいです。毎日2リットルの水、その他の水分の摂取を目指すようにしてください。良い結果を出すためにおすすめなのは、毎朝コップ1杯の冷たい水を飲み、1日のスタートに適切な水分補給をすることです。

必要に応じて、レモンやライムを絞ったり、ピッチャーにオレンジやきゅうりのスライス、ベリーを入れて風味をつけてもいいですね。

水で薄めたリンゴ酢を入れると、血糖値を下げるのに役立つかもしれません。

人工香料と甘味料は禁止なので、クールエイド、クリスタルライト、タンなどの「粉末ドリンク」は混ぜないようにしてください。

お茶

最高の結果を出す飲み方

緑茶、紅茶、ウーロン茶、ハーブティーなど、すべての種類のお茶は飲んでも大丈夫です。

緑茶は、ファスティング中には特におすすめです。緑茶に含まれるカテキンは食欲を抑えるのに役立つと考えられているからです。

いくつかのお茶をブレンドしてアレンジを楽しんでもいいですし、ホットでもアイスでもいいです。

シナモンやナツメグなどのスパイスで風味を加えても変化を楽しめます。

ハーブティーは茶葉を含まないので、厳密にはお茶ではありませんが、ファスティング中にはうってつけの飲み物です。ノンカフェインなので、昼間のお茶のひとときにも、夜寝る前にも、いつでも飲めます。

シナモンティーとジンジャーティーには食欲抑制作用があります。

ミントティーとカモミールティーには、鎮静作用があると言われています。

! 注意

少量のミルクやクリームなら加えてもいいですが、砂糖と人工甘味料、人工香料は使わないようにしましょう。

ただし、成果が表れるのが遅い場合は、ファスティング中にすべてのカロリーを断つことをおすすめします。体重がなかなか減らない場合には、水だけの古典的なファスティングに戻るようにしてください。

コーヒー

最高の結果を出す飲み方

コーヒーは、カフェイン入りもノンカフェインも、ファスティング中に飲んで大丈夫です。

コーヒーや紅茶に、「少量」のクリームまたはココナッツオイルを加えることもできます。これは厳密には「本当のファスティング」ではありませんが、ファスティングの結果に違いが生じることはありません。**柔軟にかまえるのも長続きの秘訣**です。

シナモンやナツメグなどのスパイスなら加えてもいいですが、甘味料、砂糖、人工香料は使わないようにしましょう。

暑い日には、アイスコーヒーにしてもいいですね。2型糖尿病のリスクを減らし、抗酸化物質を摂ることができるので、コーヒーには健康上のメリットがたくさんあると言われています。

！注意

加えてもいい「少量」の目安は、クリームまたはココナッツオイルを小さじ1～2杯です。「ブレットプルーフ・コーヒー（防弾コーヒー）」（424ページ参照）のようにたくさんは使いません。

自家製ボーンブロス（427ページ参照）

骨つき鶏もも肉から作った自家製スープは、ファスティングの日におすすめです。

骨つき鶏もも肉を、野菜や調味料と一緒に煮ます。野菜スープにしてもいいですが、鶏肉を使ったほうが栄養満点です。野菜、ハーブ、スパイスはぜひ加えてほしいですが、人工香料（調味料）とグルタミン酸ナトリウムがたくさん含まれているブイヨンキューブは使わないでください。自家製風に見えても、中身は体によくないので、市販の缶詰のスープにも注意してください。

最高の結果を出す飲み方

自家製ボーンブロスに海塩をひとつまみ加えることをおすすめしています。

長期間のファスティングでは、水、お茶、コーヒーには含まれていない塩分が不足する可能性があり、塩分不足が脱水につながる恐れがあるからです。

海塩にはカリウムやマグネシウムなどの微量ミネラルも含まれており、とりわけファスティング時にはメリットが大きいです（24時間や36時間のような短期のファスティングでは、あまり違いがないかもしれません）。

材料に鶏肉を使ったボーンブロスには少量のタンパク質とミネラル（カルシウムとマグネシウム）が含まれているため、このスープを摂るファスティングは、厳密には本当のファスティングとは言えません。

でも多くの人が、**ボーンブロスのおかげで、長期間のファスティングをはるかに楽にこなせる**ことがわかっています。

! 注意

ボーンブロスに含まれるゼラチンとタンパク質が空腹感を減らすのに役立ちます。抗炎症効果や、骨と関節の健康へのメリットなど、ボーンブロスには多くの健康上のメリットがあります。

トーマスの証言

すべてのタイプのファスティングに治療的効果があるよ。鍵となるのが、長期にわたって、治療的ケトーシス状態（血中ケトン濃度が3～6mMの範囲）と一緒に血中グルコース値が低下（3～4mMの範囲）することだ。患者は、アボット社の血糖測定器「プレシジョン　エクストラ」を使用して、いつ治療ゾーンに入ることができるかを判断する必要があるね。GKI（グルコース・ケトン・インデックス値）1・0以下は治療に最適な範囲だよ。

ファスティング経験者 フィリップ談

22・7キロの減量に成功！

97・5キロから74・8キロに減らして、それを維持しているよ。

低炭水化物・高脂肪の食事、最低18時間の間欠的ファスティング、週に2～3日の水だけのファスティング、これを欠かさずやっているんだ。水だけのファスティングは味気ないものだけどさ！

でもこれのおかげでなかなか減らない体重を減らすことができたのは否定できない事実だよね。

忙しくしていることが、水だけのファスティングを乗りきる一番の秘訣だと思うよ。

WHAT IS FASTING

AND WHY IS IT GOOD FOR YOU?

間欠的ファスティングって、何？

CHAPTER 12

ファスティングの期間や長さは、
ライフスタイルによってさまざまな取り入れ方があります。
そういう柔軟さが、
“続けられるファスティング”の理由ですね。
本章では「通常の食事を摂る期間」の間に
「ファスティング期間」を挟み込む、
間欠的ファスティングの
実践方法やメリットをご紹介します。

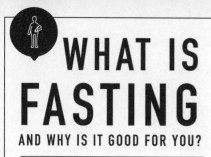

✓「何を食べるか」よりも「いつ食べるか」

パート1では、ファスティングがあなたの体に悪影響がないことを説明しました。

ファスティングは何千年もの間、人間の社会生活の一部であったこと。

食べ物があふれている現代社会特有の健康問題——特に肥満と2型糖尿病——に悩まされている人に、さまざまなメリットがあること。

などが、おわかりいただけたと思います。

伝統的な狩猟採集社会では、たとえ食物が豊富に摂れる時期であっても、肥満や糖尿病を発症することはありませんでした。農業が始まる以前の時代には、人間が食事で摂取するカロリーの約3分の2が動物の肉だったと推定されています。現代でも食されている赤身の肉や飽和脂肪を、私たちの祖先はほとんど問題なく食べていたわけです。

約1万年前、農業革命と食べ物の安定供給によって、私たちは1日に2〜3回食べる習慣を身につけました。

しかし、多くの初期の農業社会では、炭水化物中心の食事でありながら、肥満の問題は起きませんでした。**肥満は現代社会の問題**なのです。

これらの歴史的な例からもわかるように、**糖尿病の心配なしに肉と炭水化物を食べることは可能**なのです。

重要なのは、食物に対するインスリンの反応です。

なぜなら、肥満は主に過剰なインスリンの問題だからです。

インスリンに関して言えば、5章と6章で説明したように、**食事のタイミングと頻度が、食事の内容と同じくらい重要**です。

つまり、**いつ食べるかという問題が、何を食べるかと同じくらい、あるいはそれ以上に重要**なのです。

まさにこの点で、間欠的ファスティングが抜群の効果を発揮します。

「間欠的ファスティング」とは、「通常の食事を摂る期間」の間に、「ファスティングの期間」を定期的に挟み込むファスティングです。

ファスティングの期間と、通常の食事の期間は決まっておらず、好きなように変えられます。

さまざまなファスティング療法がありますが、「唯一無二のベストな方法」はありません。人によっても違うし、効果の程度もさまざまです。

ある人には効果があっても、別の人にはまったく効果がない場合もあります。

短期間のファスティングを好む人もいれば、長期間のファスティングを好む人もいます。どちらも正解で、不正解はありません。**人それぞれのファスティングがある**のですね。

✓ ファスティングを行う期間は？

ファスティングを行う期間は、12時間～3か月以上まで、いろいろです。

ファスティングの頻度は、週に1回、月に1回、年に1回でもいいです。

短めのファスティングは通常、頻度が多く、毎日やる人も多いです。

長めのファスティングは24～36時間が最も一般的で、通常は週に2～3回行われます。

さらに長期にわたるファスティングは、1週間から1か月におよびます。

私はファスティングの期間を「短期（24時間未満）」と「長期（24時間以上）」に分類していますが、これは私が適当に定めた目安にすぎません。

インテンシブ・ダイエタリー・マネジメント・プログラム（「IDM」＝集中的な食事管理プログラム）では、**短めのファスティングは2型糖尿病、脂肪肝、その他の代謝性疾患の治療よりも「減量」に関心のある人に多く取り入れられます。**

ただし、短めのファスティングを、頻度を増やして行った場合も、2型糖尿病、脂肪肝、その他の代謝性疾患の症状に効果が現れます。

短期間のファスティングでは、毎日食事を摂るので、栄養失調のリスクが最小限に抑えられます。

また短めのファスティングは、仕事や家庭生活のスケジュールに合わせやすいというメリットもあります。

✓ やり方はいつでも変更OK

長期間のファスティングは結果が早く出ますが、通常は頻度を下げて行います。24時間以上のファスティングは難しく思えるかもしれませんが、私の経験では、驚くほど多くの患者が、「より長く、より少ない頻度」のファスティングを好んでいます。

長期間のファスティングについては13章と14章でくわしく説明します。

ファスティングの方法は、いつでも変更していいことを覚えておいてください。決定事項ではないですし、絶対でもないので、**いつやめてもいい**のです。

ただし心に留めておいてほしいのは、**ファスティングは最初の数回が最も難しい**ということ。**最初の数回だけは劇的な対処法がないので「とにかく、やるしかない」**のです。

でも、一度乗れたらスイスイこげる自転車のように、ファスティングは、回数を重ねれば重ねるほど簡単になっていくものなのですよ。

✓バートの証言

ファスティングのスケジュールを立てても、それを維持しない限り、食欲が抑制されることはない。

ただし、スケジュールが1日や2日ずれたぐらいでは、すぐに食欲の抑制が打ち消されることはないよ。

✓毎日できる！　短いファスティング

12時間のファスティング

ひと昔前は、12時間何も食べないことが、普通の食事パターンでした。

たとえば、「午前7時から午後7時の間に1日3食を摂り、その後、翌朝午前7時まで何も食べない」とします。そして、午前7時の時点で、「断食を破って（break your fast）」少量の朝食を摂ります。これは1970年代まではかなり標準的な食事パターンでした。当時が、今よりはるかに肥満が少なかったのは、おそらく偶然ではありません。

1977年以降、食事において2つの大きな「変化」がありました。

1つ目は、「アメリカ人のための食生活指針」の発行に伴い、**「高炭水化物・低脂肪の食事」に切り替わったこと。**精製された炭水化物を多く含む食事は、高いインスリン値を持続させます。そうして体重が増え、最終的に肥満になったのです。

2つ目は、ほとんど認識されていませんが、**「食事の頻度」が徐々に上がってきたこと。**

1977年、1日の平均の食事回数（食事とおやつ）は、3回（朝食、昼食、夕食）でしたが、2003年には1日6回近くにまで増えています。毎日食事3回と軽食（おやつ）3回を食べている計算です。

すると、インスリン値が常に高い状態になります。その状態が続くと、時間が経つにつれ、常にインスリンの刺激を受けてインスリン抵抗性が強化されます。それがさらなる高インスリン値を呼び、肥満へとつながります（「インスリン」および「インスリン抵抗性」については、5章・6章参照）。

12時間のファスティングは、日中にインスリン値が下がる時間を作ってくれます。これにより、**インスリン抵抗性の発生が妨げられるので、12時間のファスティングは肥満予防に絶大な効果があります。**

実際に、1950年代と1960年代のほとんどのアメリカ人は、大量の白パンとジャムを食べる習慣があったにもかかわらず（当時、全粒粉のパンは珍しく、全粒小麦パスタは存在が知られていませんでした）、「毎日12時間のファスティング＋未加工の食品を丸ごと食べる＋低炭水化物食＋少ない糖質」という組み合わせを心がけることで、十分に肥満が予防できていたのです。

毎日の12時間のファスティングは予防的戦略としては素晴らしいものですが、体重増加を逆転させるほどのパワーはないかもしれません。減量効果をしっかりと得るためには、もう少し長いファスティング期間が必要になります。

﹀アベルの証言

ほとんどの人には、長期間のファスティングよりも「16時間：8時間の間欠的ファスティング」（食事枠を圧縮する）をおすすめするよ。この方法だと、ファスティングをしている時間のほとんどは「睡眠中」だから、そんなに辛くないはずだしね。

16時間のファスティング「時間制限ダイエット」

16時間のファスティングを毎日の食事スケジュールに組み込みます。

たとえば、毎日午後7時から翌午前11時まで**何も食べない時間を作る**のです。

ちょっと見方を変えれば8時間の食事枠があるため、**「時間制限ダイエット」**と呼ばれることもあります。このスケジュールを使うほとんどの人は、朝食を抜きます。

また、**8時間以内に何回食事をするかは自由に決めていい**のです。枠内に2回食べる人もいれば、3回食べる人もいます。

これは、マーティン・バーカンというスウェーデンのボディビルダーが広めた方法で、「リーンゲインズ・メソッド」とも呼ばれています。その数年後に出版された『8時間ダイエット（The 8-Hour Diet）』という本でも、8時間の食事枠が推奨されています。

16時間のファスティングの主なメリットは、**日常生活に組み込みやすい**ことです。**ほとんどの人の場合、朝食を抜いて、8時間以内に昼食と夕食を摂るだけでいい**のです。多くの人は、朝食を抜いても朝に空腹を感じないので、このメソッドはかなり簡単に実践できます。

16時間のファスティングは、12時間のファスティングよりも強力ですが、最高の効果を得るためには、低炭水化物ダイエットを組み合わせる必要があります。この方法なら、**ゆっくりと、でも着実に、減量できます。**

20時間のファスティング「戦士ダイエット」

『戦士ダイエット（The Warrior Diet）』（2002年）の著者オーリ・ホフメクラーは、**「食事のタイミングはその内容と同じくらい重要である」**と強調しました。

私も先に書いたように、「いつ」食べるかと「何を」食べるかは非常に重要ですが、「いつ（食事のタイミング）」は非常に過小評価されています。

スパルタ人やローマ人などの古代戦士からインスピレーションを得たホフメクラーは、**すべての食事を夕方4時間の時間枠に食べる「戦士ダイエット」**を考案しました。

これにより、毎日20時間のファスティング期間が生じるのです。

またホフメクラーのダイエットは、自然で未加工の食品と高強度のインターバルトレーニングを重視しています。どちらも私は健康的な習慣だと思います。

図 12-1

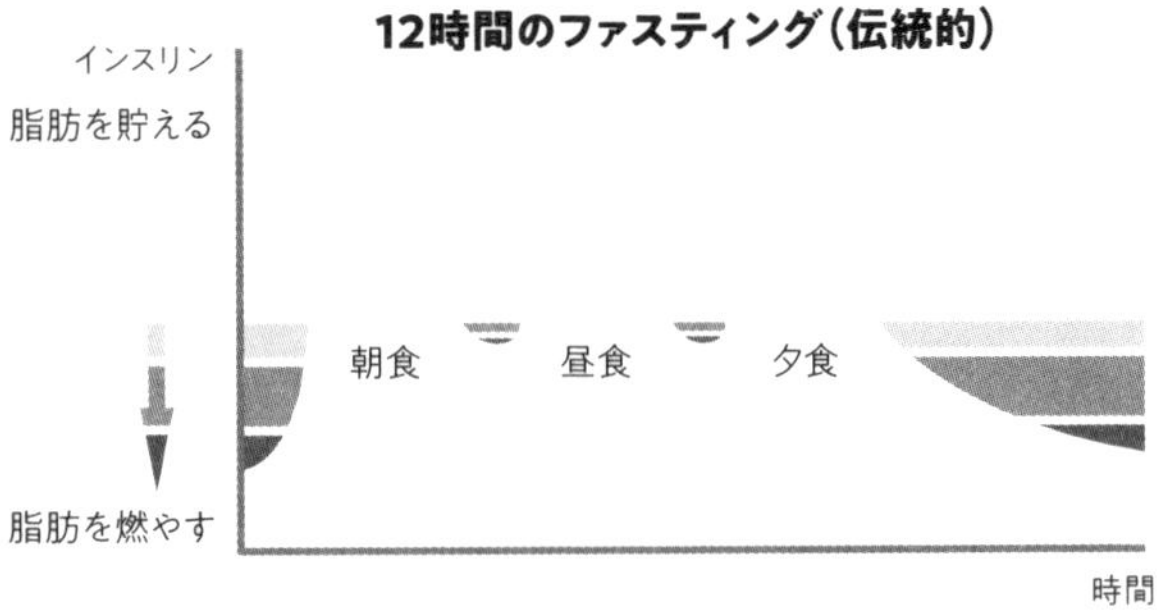

伝統的な1日3食＋12時間のファスティングのスケジュールとインスリン値の変動。

図 12-2

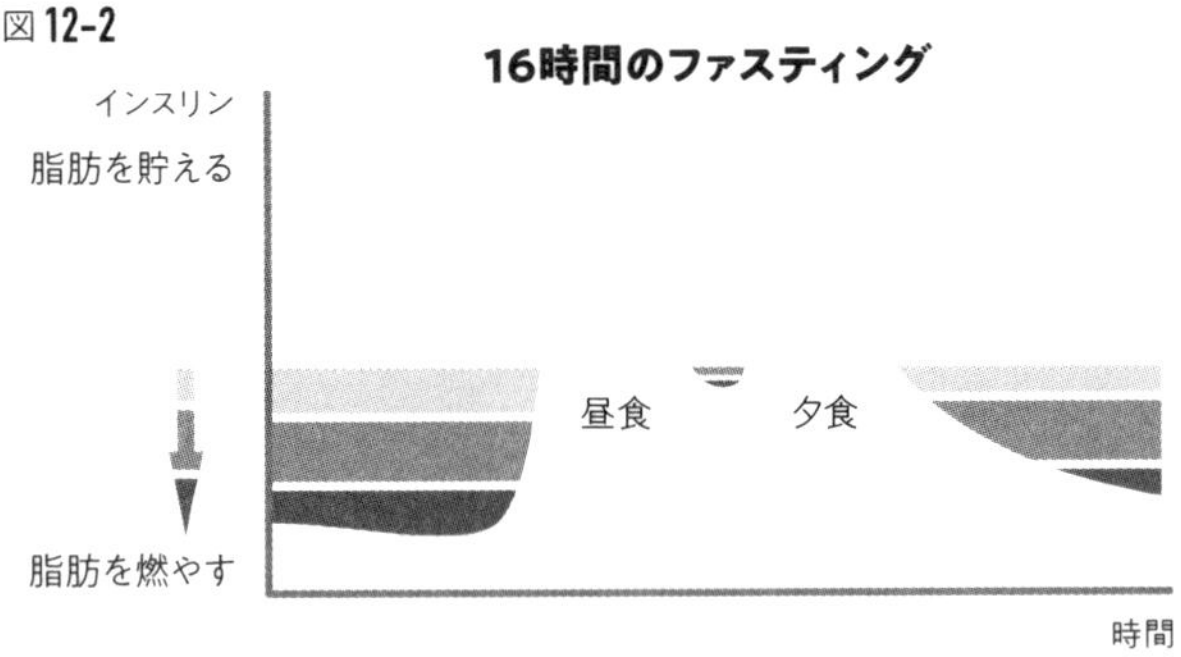

16時間のファスティング＋8時間の食事枠とインスリン値の変動。グラフからわかるように、この食事枠で2回ではなく3回食べることもできる。

図 12-3

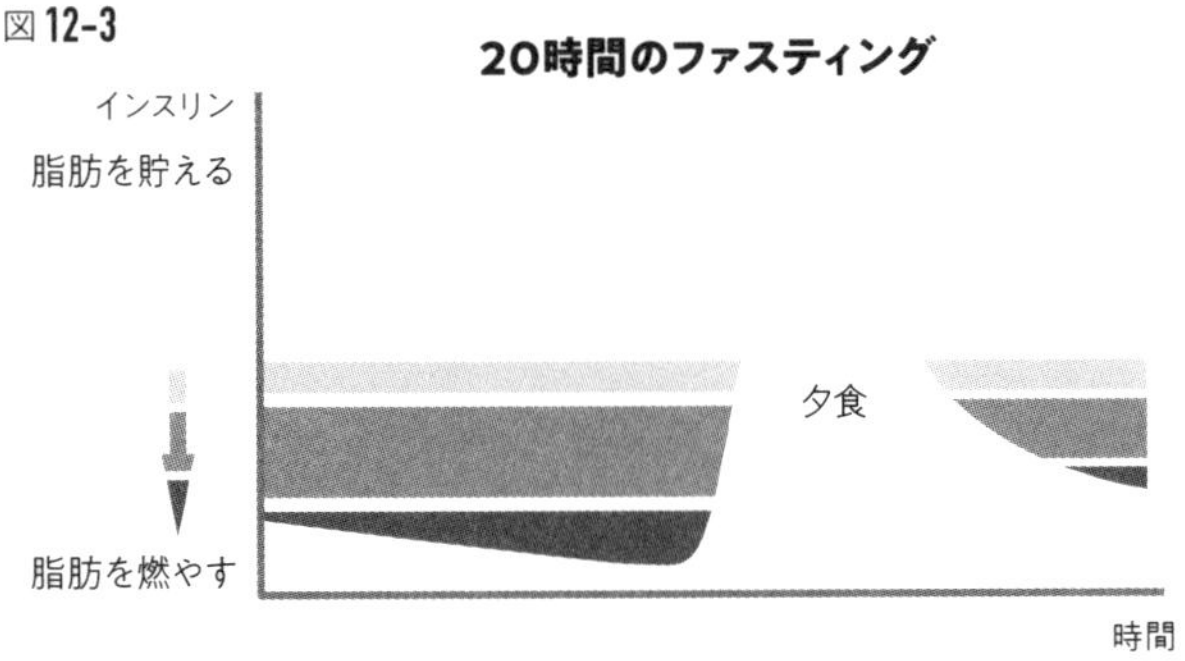

20時間のファスティングスケジュールで、すべての食事を4時間の枠で食べるときのインスリン値の変動。

「概日《がいじつ》リズム」とは？

体重の増加や空腹感にも関係するので、概日リズムのことも少しお話ししておきます。

概日リズムとは、24時間周期で変動する生理的現象のことで、**「体内時計」**とも呼ばれており、ほとんどの生物に存在しています。成長ホルモン、コルチゾール、副甲状腺ホルモンなど、ほとんどすべてのホルモンは概日リズムに従って分泌されます。

また**概日リズムは、「体重増加に影響を与えるインスリン」と「空腹感を制御するグレリン」の管理にもかかわるため、実質的に食事パターンと体重減少に影響を与えています。**

インスリンと夜間の食事

概日リズムは、主に環境光（自然界における1日の光の変化）に反応するように進化し、季節や時刻の変化に対応するようにできています。

旧石器時代には、食物が比較的少なく、食事はほとんど明るい時間にしか手に入らなかったと考えられています。

人間は狩りをし、日中に食事をしました。

いったん日が沈むと、目の前の食べ物さえ見えなくなるくらい真っ暗だったはずです。

夜行性の動物は、夜の食事に適した概日リズムを持っている可能性が高いのですが、人間はそうではありません。

そのことを念頭に、昼間の食事と夜の食事の違いを考えてみましょう。

研究の数は少ないですが、結果はかなり明白です。

✓ 夜の食事のほうがインスリンを増加させる＝太りやすい

2013年の調査では、太りすぎの女性をランダムに2つのグループに分け、グループごとに朝食または夕食を大量に摂ってもらいました。両方とも1日当たり1400キロカロリーを摂食し、最も量の多い食事を摂るタイミングだけを変えました。

すると、**「朝食グループ」は「夕食グループ」よりもはるかに体重が減りました。**

なぜか？

似たような食事を摂り、ほぼ同じ量を食べているにもかかわらず、**夕食グループのほうが、インスリンの増加がはるかに多かった**のです。

遡《さかのぼ》って1992年の研究でも、同様の結果が示されました。1日の早い時間か遅い時間に同じ内容の食事を与えたところ、**遅い時間のほうが、インスリン反応が25〜50％増加**したのです。

✓ホルモンの不均衡が肥満の原因

体重増加を促進するのはインスリンなので、**夕方のインスリン反応が高いことが、夕食グループの体重増加につながった**と考えられます。

肥満を作るのは「カロリーの不均衡」ではなく「ホルモンの不均衡」なのです。

この指摘はまた、夜勤の人に肥満が多いという、夜勤と肥満の関連性の説明にもなります（ただし、睡眠障害によるコルチゾール反応の増加にも関係している可能性があります）。

夕方に大量の食事を食べると、早い時間に食べるよりもはるかに大きなインスリン値の上昇を引き起こします。

もちろん、夕方の大量の食事を避けることは、庶民の知恵でもあります。

理由は、「就寝直前に食べると、燃焼するチャンスがなく、脂肪に変わる」ということでしょうか。厳密には正しくありませんが、意味は合っています。

夜遅くに食べると、体重増加にとりわけ問題があるようです。この反応は、人間が脂肪を身につけるために進化したのかもしれません。古代の生存戦略だった可能性があるのです。

✓ 空腹ホルモンの「グレリン」

空腹にも概日リズムがあります。

お腹がすくのが、単に食べ物が不足するせいだとしたら、夜通しファスティングした翌朝には一貫して空腹になるはずです。

しかし、私の個人的な経験と研究から、空腹感は朝が最も低く、朝は通常その日の最大量の食事ではなく、最少量の食事を摂ります。

空腹感は、「食事とファスティングのサイクル」とは無関係の、自然な概日リズムに従っているのです。

グレリンは「空腹ホルモン」で、概日リズムに合わせて変動し、午前8時が最低に、午後8時が最高になります。

同じラインを描くように、空腹感は午前7時50分に最低レベルに下がり、午後7時50分にピークに達します。これらは、私たちの遺伝子構造に固有の自然なリズムです。「食べない時間が長いほどお腹がすく」という単純なことではないのです。空腹ホルモンの調節が重要な役割を果たすのです。

興味深いことに、長期間ファスティングをすると、グレリンは最初の2日間でピークに達し、その後着実に低下します。これは臨床的な観察結果と完全に一致します。空腹は最初の2日間は最悪ですが、多くの人が、たいてい2日目以降は空腹感が消えると報告しているのです。

✓ その日の「最大量の食事のタイミング」はいつがいい？

では、ホルモンのリズムは毎日の食事にどのような意味を持っているのでしょうか？午前8時、空腹は積極的に抑制されます。

そのとき、強制的に食事を摂るのは逆効果です。食べても体重は減りません。**お腹がすいていないときに無理に食べるのは、勝つための戦略とは言えない**のです。**夜遅くに食べるのもよくない戦略**です。空腹は、午後7時50分頃に最大限に刺激されます。この時点で、インスリンは食物によって最大限に刺激されます。

ということは、**摂取する食物の量が同じでも、インスリン値が高くなる**ということです。インスリン値が上がると、自然に体重増加が促進されます。

残念なことに、このタイミングは北米での1日のメインの食事時間に一致します。夕食を1日の最大量の食事にすることは、健康上の理由からではなく、勤務時間と学校の時間などに左右される場合がほとんどです。

夜間勤務の人は、特に不利になりやすいです。通常の夕食よりもさらに遅い時間に大量の食事を食べる傾向があり、そうすると、さらにインスリン値が高くなるからです。

したがって、**賢い食事戦略は、正午から午後3時までにメインの食事を摂り、夕方は少**

量だけ食べることと言えるでしょうね。興味深いことに、これは伝統的な地中海の食事のパターンです。ランチをたっぷりと食べ、午後に昼寝をし、ほとんど軽食と言っていいほど軽めの夕食を済ませるのです。

地中海の食事がヘルシーなのは、食材の種類が理由だと考えられがちですが、食事のタイミングも重要な役割を果たしている可能性があります。

図 12-4

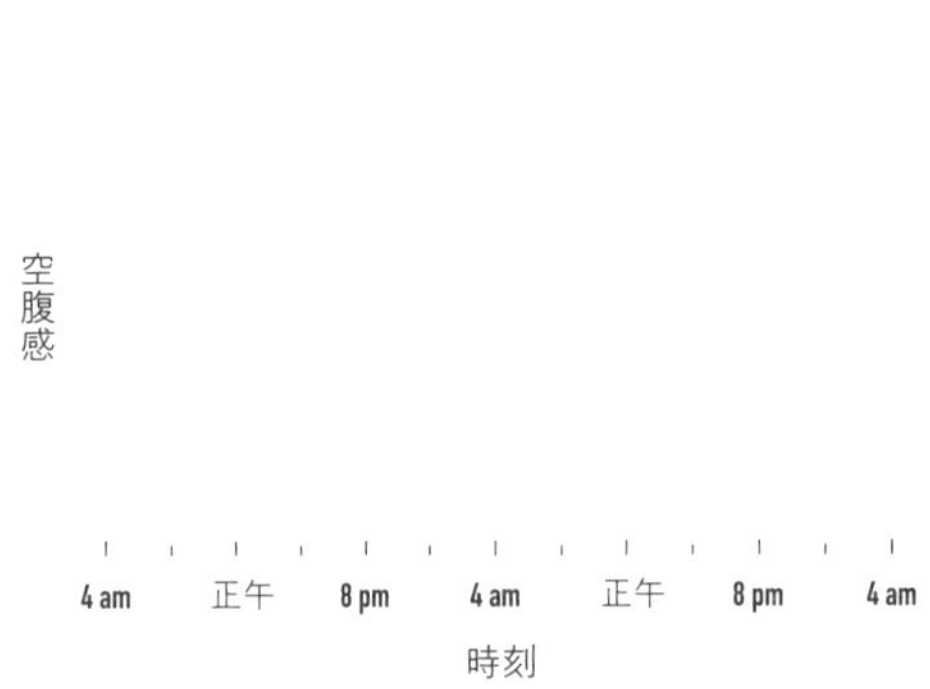

概日リズムによって、空腹感は自然な状態では午前8時が最低で午後8時が最高になる。

出典：Scheer, Morris, and Shea, “The Internal Circadian Clock Increases Hunger and Appetite in the Evening Independent of Food Intake and Other Behaviors.”

図 12-5

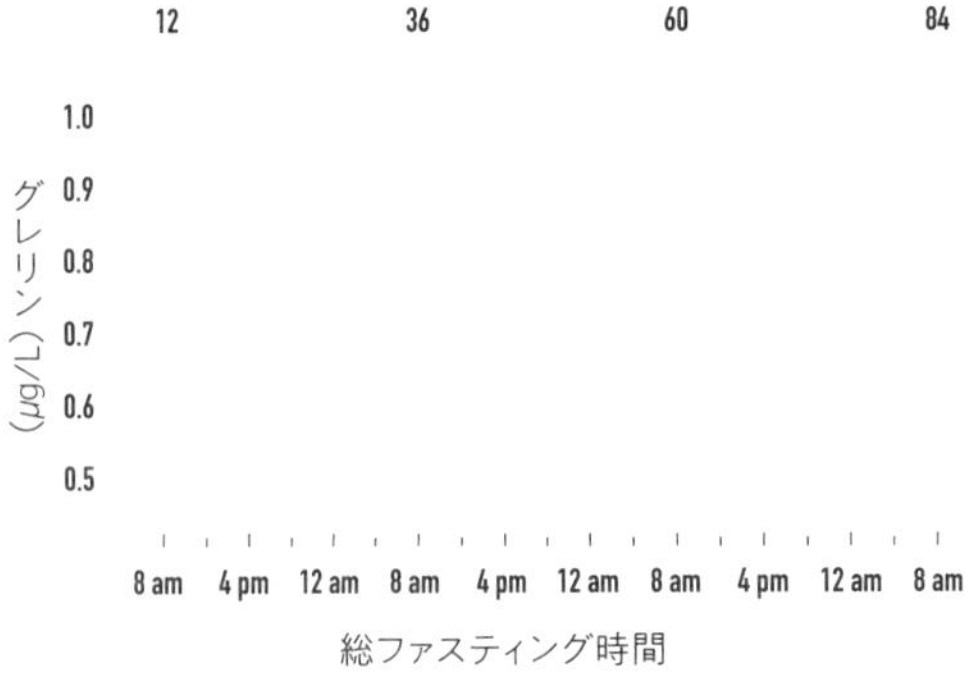

空腹感を調節するホルモン「グレリン」は、長期間のファスティングの2日目以降低下し始める。

出典：Espelund et al., “Fasting Unmasks a Strong Inverse Association Between Ghrelin and Cortisol in Serum: Studies in Obese and Normal-Weight Subjects.”

エイミーの証言

間欠的ファスティングは素晴らしいわ。**定期的に行えば、体が慣れてしまうから考えなくてもできるようになる**しね。

空腹のシグナルが規則的になるの——つまり、体がファスティングに順応して、インスリンやグルコースやストレスホルモンの変動によって引き起こされる「誤った」信号に左右されるのではなく、**「体が食べる準備ができたときに空腹を感じられる」ようになる**のよ。

ロブの証言

ストレスの多い環境にいる人は、間欠的ファスティングを取り入れるのは、少々難しいかもしれないな。

厳しいトレーニング中のアスリートは、間欠的ファスティングのやり方に注意する必要があるね。間欠的ファスティングが脂肪燃焼をしやすくする（特に栄養的ケトーシスとの連携時）という指摘があるけれど、少食が慢性化することで深刻な事態に陥る人もいるんだ。

ファスティングは強力なツールだけど、ツールだからこそ「なぜ使うのか」「どんな状況で使うのか」をじっくり考える必要があると思うよ。

WHAT IS FASTING

AND WHY IS IT GOOD FOR YOU?

長期間の断食《ファスティング》

CHAPTER 13

PART1では、「インスリンとインスリン抵抗性」が
「肥満と2型糖尿病」に緊密に関係していることについて
説明しました。
すべての食物は、インスリンをある程度増加させるため、
インスリンを低下させる最も効率的な方法は
「何も食べないこと」です。
24時間未満の短いファスティングであっても、
インスリン抵抗性の発生を防ぎ、比較的軽いレベルの
抵抗性を改善し、体重減少に必ず役立ちます。
しかし、インスリン抵抗性を改善するには、
インスリン値を下げるだけではなく、
低い値を維持する必要があるため、
より「長いファスティング期間」が必要なのです。

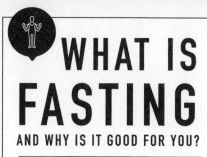

✓ 長期間のファスティングのリスクとメリット

長期間のファスティングでは、**体重減少**や**インスリン値の低下**など、健康上の恩恵がすぐに得られますが、糖尿病患者や薬を服用中の人の**合併症のリスク**も高まります。短期間のファスティングよりも効果が強力なので、とりわけ2型糖尿病や重度の肥満の改善に役立ちます。

そのため私は、**患者のバイタルサイン、血液検査の結果を常に注意深く監視する**ようにしています。**気分が悪いときはファスティングを必ず中止すること**が、非常に重要です。お腹がすくのはいいけれど、気分が悪くなっては元も子もありませんね。

薬を服用している人は、ファスティング中に主治医に注意深く監視してもらう必要があります。

もちろん、**ファスティング療法を始める前や食事内容を変更する前に、必ず主治医に相談すること**。糖尿病治療薬を服用している場合は、特に重要です。

長期間のファスティング中は、食物摂取量が減り、しばしば血糖値が低くなります。通常の食事の日と同量の薬を服用すると、低血糖になるリスクが高く、非常に危険です。

低血糖の症状には、発汗、不安感、意識障害などがあります。

また空腹、震え、脱力を感じることもあります。

治療せずに放置すると、意識の喪失や発作が起こり、極端な場合は死に至ることまであります。

血糖値を下げること自体は難しいことではありません。ファスティング中には血糖値の低下が予想されるからです。治療目的でファスティングをする人たちはみんな血糖値を下げたいのですから！

しかし、血糖値を下げる薬を服用していると、ファスティング中に薬物過剰になってしまいます。低血糖と高血糖の両方を避けるために、血糖値と薬の服用は注意深く調整する必要があります。**ファスティング療法中は、主治医に相談して慎重に薬を調整し、血糖値を監視してください。**

一般に、低血糖を避けるためには、ファスティングの日に糖尿病の薬とインスリン投与を減らさなければなりません。減らす正確な量については、主治医の判断を仰ぐ必要があります。

24時間のファスティング——1日1食

24時間のファスティングとは、夕食から次の夕食まで、または朝食から次の朝食までファスティングを行うことです。

たとえば、1日目の夕食を午後7時に終えた場合、2日目の午後7時の夕食まで、ファスティングをします。「24時間」というネーミングですが、実際にはファスティングの日に1回食事をしているので、丸一日食べないわけではありません。

要するに「1日1食」ということ。

この方法には、他の長期的なファスティングと比べて重要なメリットがいくつかあります。

1つ目は、**ファスティングの日であっても食事をするので、メトホルミン、鉄分サプリメント、アスピリンなど食物と一緒に飲まなければならない薬を服用できる**こと。

2つ目は、**日常生活に最も簡単に組み込める**こと。

朝食と昼食を抜くだけでいいので、家族の夕食を邪魔することなくファスティングできます。

仕事で忙しい日は特に簡単。

朝はたっぷりのコーヒーを飲んで朝食を抜き、ランチの時間も

仕事をして、夕食に間に合うように帰宅。

これにより、時間とお金の両方が節約できますね。朝食の片づけや調理も不要。誰にもファスティングしていることを気づかれずに、家で夕食を摂ることができます。

24時間のファスティングでは、1日1回は食べていることになるので、栄養不足は大きな問題にはなりません。食べるときは栄養分が豊富で、未加工のナチュラルな食品を選び、十分なタンパク質、ビタミン、ミネラルを摂取するようにすればいいのです。

毎日行ってもいいですが、ほとんどの人は、24時間のファスティングを週に2〜3回行うだけでも、効果が出ています。

〝Eat Stop Eat〟の著者ブラッド・パイロンは、週に2回、24時間のファスティングを取り入れることを推奨しています。

5：2ダイエット——週2日はファスティング

24時間のファスティングに関連するアプローチに「5：2ダイエット」があります。

英国に拠点を置くテレビプロデューサー兼医師のマイケル・モズリー博士が提唱するダイエット法で、彼の著書〝The Fast Diet〟はベストセラーになりました。

5：2ダイエットでは、食事を完全に控えるのではなく、低カロリー食の期間を作ります。**ただし、ごく低カロリーに抑えるため、ファスティングと同様のホルモン適応が得られる**という仕組みです。実に成功例の多いメソッドです。

5：2ダイエットでは、5日間は通常通りの食事をします。残り2日間の「断食《ファスティング》」の日に、女性は1日当たり最大500キロカロリー、男性は最大600キロカロリーを食べることができます。2日間のファスティングは、好みに応じて、2日連続で行ってもいいし、間隔をあけてもいいです。500〜600キロカロリーは、1回の食事で摂っても、複数の食事に分けてもいいです（もちろん、回数が増えると1回の食事は非常に少量になりますが）。

ファスティングの日に、限定されているとはいえ食事（カロリー

例

月 Monday	火 Tuesday（断食!）	水 Wednesday
いつも通り食べる!	低カロリーの日	いつも通り食べる!

摂取）が許される理由は、**ルールに多少のゆるさがあったほうが、結果的に、ファスティングを継続しやすくなるから**です。

モズリー博士は、1日中カロリーをまったく摂取しないのは非常に難しいので、多くの人が実践できないと考えました。私自身は、ファスティングは周りが思うほど難しくはないと思っていますが、5：2ダイエットはファスティングを導入するための方法としてもおすすめです。目標体重に達した後も、維持するために5：2ダイエットをずっと続けてもいいでしょう。

ファスティング経験者 ステラ談

24時間のファスティングを1週間に3日行うのが、私にはちょうどいいわ。単に食事を一度か二度抜けばいいだけだから。

それに、ファスティング期間の大部分は睡眠中だしね。**ファスティングの日は夕方に食事を摂るけれど、普段よりはるかにおいしく感じられる**のよ。自然な流れで、きちんとお腹がすいているからね。

断食!

日 Sunday	土 Saturday	金 Friday	木 Thursday
いつも通り食べる!	いつも通り食べる!	低カロリーの日	いつも通り食べる!

隔日のファスティング――2日に1回のファスティング

名前が示すように、隔日のファスティングでは、1日おきにファスティングを行います。

5：2ダイエットのように、ファスティングの日は500～600キロカロリーの摂取が許されますが、ファスティングを週に2回ではなく1日おきに行うため、**5：2ダイエットよりもやや厳しい方法**です。

目標体重に達するまで行う必要があり、その後は理想的な体重を維持している限り、ファスティングの日数を減らすことができます。

肥満の研究者のレオニー・ハイルブロンは、減量のために毎日のカロリー制限に代わるものを探して、隔日のファスティングが有効かどうかをテストしました。

男性と女性のボランティアにこの方法を試したところ、**減量を維持できる**ことが証明されました。

シカゴ大学の栄養学の准教授クリスタ・バラディは、2010年に行った調査で、このファスティングスケジュールが有効であることを確認しました。

例

水 Wednesday	火 Tuesday	月 Monday
いつも通り食べる!	低カロリーの日（断食!）	いつも通り食べる!

男女に隔日のファスティングを1か月間行ってもらい、その後の30日間は自力で続けてもらいました。30日間が終わった時点（合計2か月）で減った体重は、平均5・7キロでした。

ここで重要なのは、**減量は純粋に脂肪が減ったことによるもの**で、除脂肪体重（筋肉、骨）に変化がなかったことです。

✓ファスティング経験者 ダイアン談

そのとき、そのときの自分の心の状態やストレスの度合いに合わせて、**できることをすればいい**のよね。**失敗してもがっかりしない**こと。考え方としては、できる限り、**心の「食べ物スイッチ」をオフにする**ことだよ。

日 Sunday	土 Saturday	金 Friday	木 Thursday
	断食!		断食!
いつも通り食べる!	低カロリーの日	いつも通り食べる!	低カロリーの日

36時間のファスティング――3日に1日はなんにも食べない日

36時間のファスティングでは、丸一日食事を摂りません。たとえば夕食を1日目の午後7時に終えると、すぐにファスティングを始めます。

2日目にすべての食事を抜きます。

3日目の午前7時の朝食までは、何も食べません。

これで合計36時間、ファスティングをしたことになります。

インテンシブ・ダイエタリー・マネジメント・プログラム（「IDM」＝集中的な食事管理プログラム）では、この36時間のファスティングを、週3回のスケジュールで2型糖尿病患者に取り入れてもらっています。

スケジュールは、望ましい結果が得られるまで継続します。

つまり、**患者がすべての糖尿病治療薬をやめることができ、目標体重に到達するまで続ける**のです。

その後はファスティングの頻度を、患者が苦労して達成したことを維持できるレベルにまで減らすので、楽になります。週3回のスケジュールを続ける期間は患者によって異なりますが、概して、糖尿病を患っている期間が長いほど、ファスティングを続け

る期間も長くなります。
20年間患ってきた糖尿病を、数週間で回復させることはできません。
とはいえ、**長期にわたるファスティングは、妥当な時間で良い結果を得るのに有効**だと言えるでしょう。

! 注意 **必ず医師に相談すること**

低血糖・高血糖になる可能性があるので、私たちのクリニックでは、1日に2~4回、血糖値を定期的にチェックすることをすすめています。

通常ファスティング中は低血糖を防ぐために薬を減らすのですが、繰り返しになりますが、**薬を服用している人は、ファスティング療法を試す前に主治医に相談してください。**

影響の出方は人によって異なりますが、処方を変更して、薬を大幅に減らすと、血糖値が上がる可能性があります。定期的に血糖値をチェックしながら、薬を微調整し、常に必要な量だけ服用することが重要です。

> ファスティング経験者 **サンディ談**

36時間のファスティングを実行したら、血糖値が112から88に下がった!

図 13-1

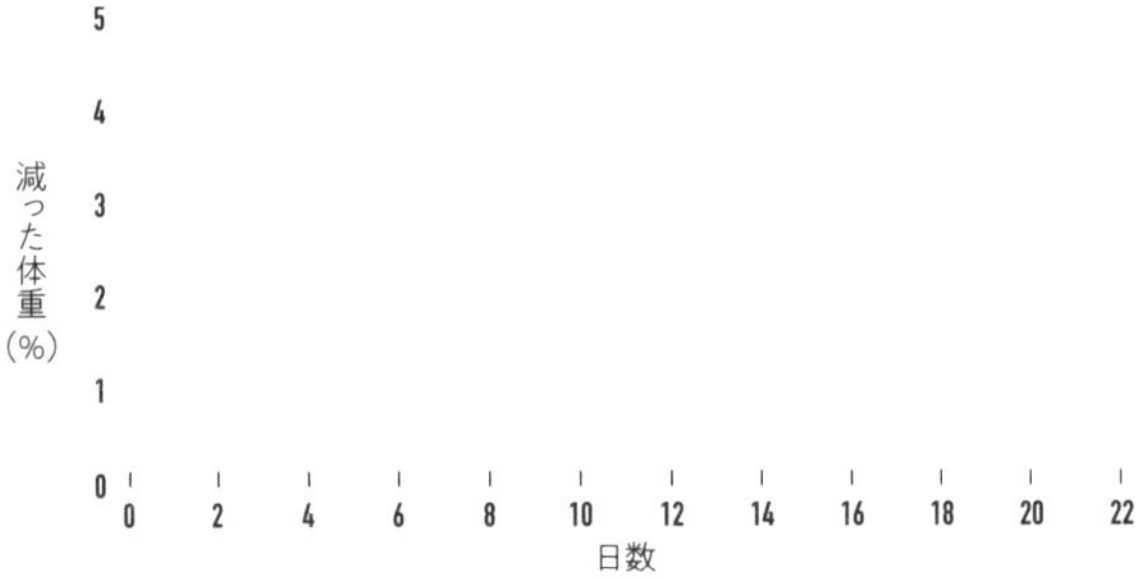

隔日のファスティングは、着実な減量をもたらす。
グラフの谷は食事の日を表しており、体重がわずかに増加している。

出典：Heilbronn et al., "Alternate-Day Fasting in Nonobese Subjects: Effects on Body Weight, Body Composition, and Energy Metabolism."

図 13-2

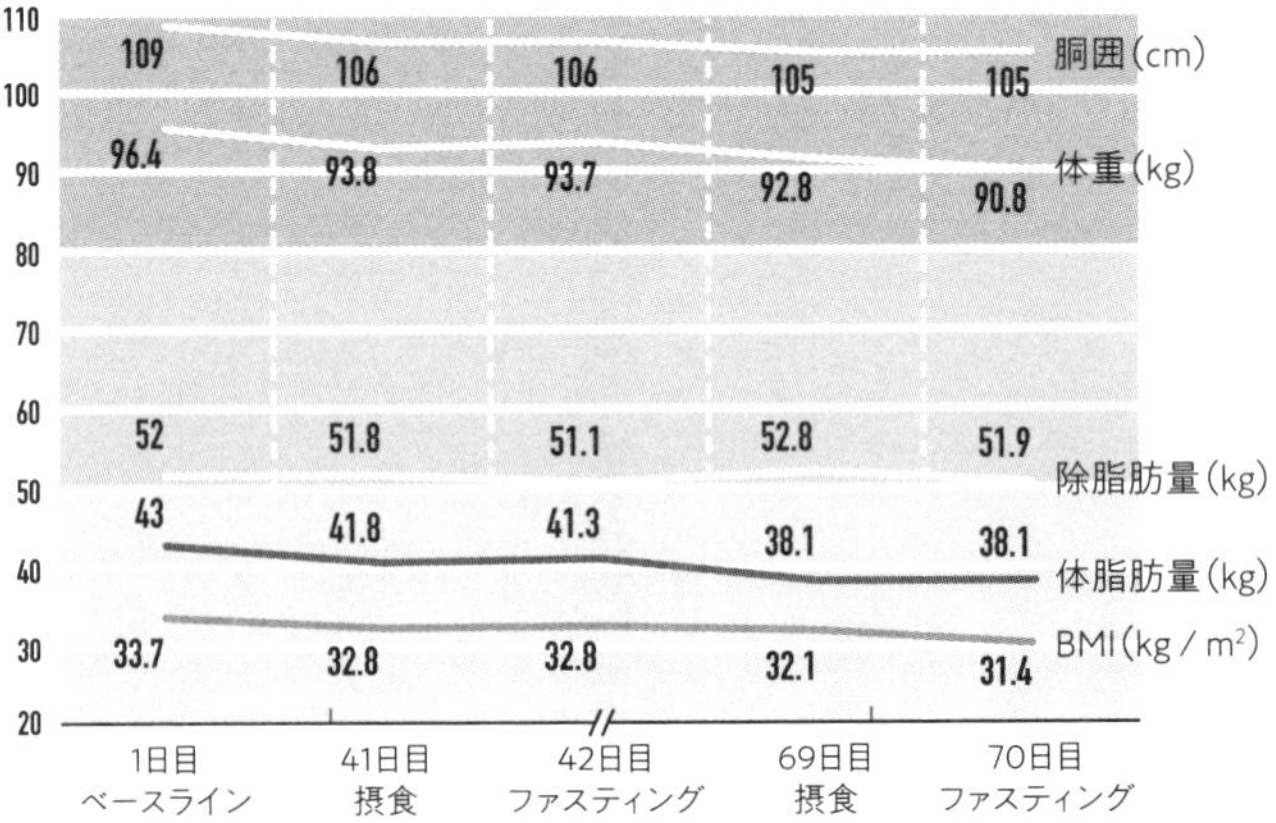

2か月以上の隔日のファスティングで、体重、BMI、体脂肪量、胴囲は
すべて減少したが、除脂肪量（筋肉と骨の量）の損失はなかった。

出典：Bhutani et al., "Improvements in Coronary Heart Disease Risk Indicators by Alternate-Day Fasting Involve Adipose Tissue Modulations."

42時間のファスティング
——16時間と36時間のファスティングの組み合わせ

「IDM」を実行している患者の多くは、朝の食事を抜いて、1日の最初の食事を正午頃に摂ります。これにより、定期的な16時間のファスティング（316ページ参照）を簡単に実行することができます。

起きたらすぐに食べていたら奇跡は起きません。

たっぷりのコーヒーで1日をスタートするならOK！

この日課を、ときどき（週に2～3回）、36時間のファスティングと組み合わせると、42時間のファスティングになります。

たとえば、1日目は午後6時に夕食。

2日目にすべての食事を抜きます（断食）。

3日目の正午に通常の食事を摂ります。

これにより、合計で42時間のファスティングをした計算になります。

例

＞マークの証言

かなりの減量が必要で、体に脂肪燃焼を教え込ませるのに相当時間がかかる人には、24時間、36時間、48時間のファスティングを試してもらうよ。それより短くてもいいけれど、ある程度の頻度（6週間、毎週または2週間ごとに2日間ファスティングをし、その後休む）でやってもらうことになるね。

1日を通じて体を動かし、かなりの運動をしている限り、**脂肪が燃え、ケトン体が利用されるんだ。筋肉がつくことさえある**だろうね。

＞ロブの証言

長期間のファスティングは、ある程度のダウンタイムが取れて、活動や仕事をコントロールできる人に適しているよ。ファスティングは、人類が古来遺伝的に受け継いできた遺産であるのは間違いないけれど、**現代を生きる私たちは、昔の人に比べてはるかに多くのストレスを慢性的に抱える傾向がある**ね。だから、ファスティングの長さを決めるときは、アロスタティック負荷（ストレスによる心身の疲弊）に注意するようにしよう。

COLUMN

FASTING ALL-STARS

マイケルの証言

私の患者のほとんどは、胃腸の症状を落ち着かせるために、2〜4日間という長めのファスティングから始めるのが一番しっくりくるようだね。

その後は、半日または1日のファスティングを、週に1回または数回、定期的に行っているよ。症状が重ければその分、長めのファスティングを患者にすすめることが多くなるけれど、長期間のファスティングの際には、ボーンブロスや液体の栄養剤も摂ってもらうんだ。

主に心配されるのが、疲労、体重減少、栄養不足だけれど、液体の栄養剤を摂れば、そういった症状を防ぐことができるよ。

長期間のファスティングと食事

長めのファスティングを定期的に行うときは、ファスティング後のカロリーを意図的に制限しないのがベストです。引き続き、低炭水化物、高脂肪、未加工の食品からなる食事を摂ったほうがいいですが、**満腹になるまで食べましょう。**ファスティング期間中に、貯えられたエネルギーの相当量が確実に燃えるため、それ以上の意図的なカロリー削減は、長期的にはかなり困難になることが多いです。

[ファスティング成功体験談] サニー（弟）とシェリー（姉）の話

—— 弟のサニー

✓ 最大量のインスリンとメトホルミンが当たり前になっていた

私がサニーに初めて会ったのは、2015年9月のインテンシブ・ダイエタリー・マネジメント・プログラム（「IDM」＝集中的な食事管理プログラム）のときでした。

当時51歳だったサニーは、1990年代半ばに30代で2型糖尿病と診断され、メトホルミンの投薬を開始していました。年月を重ねる間に、血糖値をコントロールするためにますます多くの薬が必要になり、2011年にはインスリンを処方されました。

私に会うまでに、彼は毎日最大70単位のインスリンを注射し、メトホルミンの最大用量を服用するまでになっていたのです。

大量の薬を使ってもなお、血糖値は最適値にはなりませんでした。

3か月間の平均血糖値を反映するヘモグロビンA1cは7・2％。

最適な血糖値は7・0％未満と定義されており、多くの医師は6・5％未満を推奨しています。

✓ 2週間の食事療法でインスリン投与を中止するまでに改善

サニーは、2015年10月2日に「IDM」に参加し始め、低炭水化物で高脂肪の食事に切り替えました。

さらに私たちは、週に3回、36時間から42時間のファスティングをするようにアドバイスしました。1日目の夕食を終えたら、3日目の昼食まで食事を抜くのです。

サニーの血糖値はたちまち改善し、わずか2週間で、すべてのインスリン投与を中止することができたのです。

その1か月後、すべての糖尿病薬を完全にやめることができました。

その後もサニーは、**食事療法のみ（投薬なし）で、正常な血糖値を維持**しています。

クリスマス休暇中には、プログラムの多くの患者と同様に、体重が増え、血糖値がわずかに上がりました。しかし、**ダイエットと間欠的ファスティングを再開すると、体重と血糖値が再び低下**したので、投薬の必要はありませんでした。

✓ 胴囲が減り、尿タンパクも正常値に

サニーはプログラムの間、非常に気分良く過ごしていました。**低炭水化物食と間欠的ファスティングを難なく維持できていた**のです。

２０１６年3月までに体重は安定し、ＢＭＩはわずか19になっていました。

さらに重要なのは、**ウエスト周りが劇的に減った**ことです。胴囲には腹部の臓器周りの内臓脂肪の量が反映されているため、体の代謝状態が如実に表れます。ウエスト／ヒップ比とウエスト／身長比は、体重だけを見るよりも、健康の予測因子として優れていると考えられています。

そして驚くべきことに、サニーの**腎機能がプログラムによってたちまち改善した**のです。ファスティング療法を始めたときは、尿にタンパク質が出ており、通常の限界値をはるかに上回っていました。尿のタンパク質は、糖尿病の腎臓への影響の最初の兆候であり、2型糖尿病が治らないと考えられているのと同じで、腎臓は二度と回復しないと考えられています。

しかし彼が**ファスティングを始めてからわずか1か月後の11月までに、排出されるタンパク質が正常範囲内にまで減少し、以来その状態が維持されている**のです。

✓ ファスティングと食事療法で、薬漬けの日々と決別できた

サニーはそれ以上体重を減らす必要がなかったため、２０１６年3月に、ファスティング計画が週3回、24時間のファスティングに短縮されました。もちろん、食欲不振や血糖値の上昇、体重増加が見られるなら、必要に応じてファスティングの日を増やすこともで

きました。

5年にわたって1日2回インスリンを注射し、20年以上にわたって糖尿病治療薬を服用したサニーは、**わずか数か月の適切な食事療法と間欠的ファスティングによって、2型糖尿病から解放された**のです。

現在の血糖値は、本格的な糖尿病患者ではなく前糖尿病（糖尿病予備軍）患者として分類されるレベルです。病気が回復したのです。

そして、この話にはまだ、続きがありました。

図 13-3

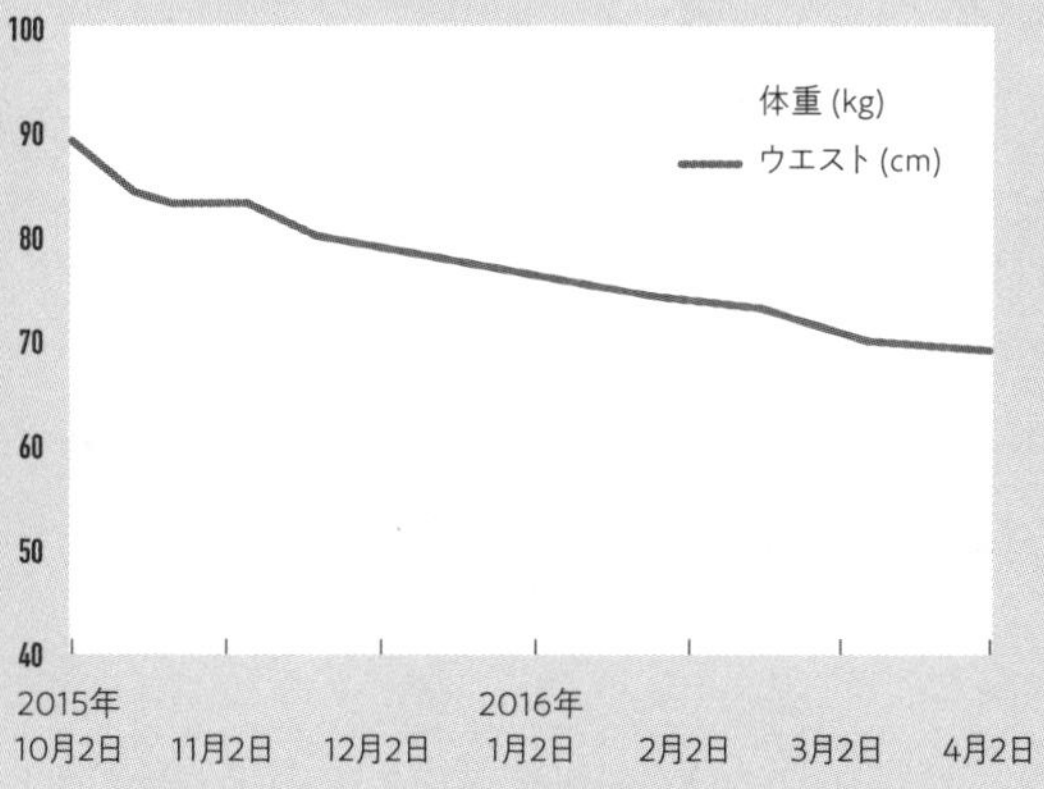

姉のシェリー

✓ 同じ病気に苦しむ姉のやる気に火をつけた

2016年1月、サニーの姉シェリーは、弟の成果に驚きました。**体重は減り、ウエスト周りもすっきりし、すべての糖尿病薬を中止していた**のですから。サニーは、自分のライフスタイルの変化を難しいとさえ感じていませんでした。20年間患った糖尿病が、ほぼ一晩で克服できたのです。

シェリーもがぜん、やる気になりました。

シェリーは55歳。9年も前の46歳のときに、すでに2型糖尿病と診断されていました。その後の経緯は弟に似ています。

1種類の薬から始めて年月とともに薬が少しずつ山のように積み上がっていき、3種類の糖尿病治療薬に加えて、コレステロール、血圧、胸焼けの薬も服用していました。

私たちはシェリーの症状について話し合い、一緒に食事プランを決定しました。**精製された炭水化物を減らし、天然脂肪が多い食事に変更**したのです。

シェリーは、ファスティング中に自分がどうなるかが少し不安だったので、まずは週に3回の24時間のファスティングを行うことに決めました。

彼女の糖尿病は弟ほど深刻ではなかったので、必要に応じていつでもファスティングを増やすことができました。

✓ 治療開始後1か月で、すべての投薬を中止することに

２０１６年２月にプログラムを開始すると、血糖値がすぐに反応したのです。２週間を待たずに、３種類の糖尿病薬がすべて必要なくなったので、全種類を中止しました。血糖値は一貫して正常範囲内にありました。

体重は着実に減り始め、ウエスト周りも細くなっていきました。

胸焼けがなくなったので、胸焼けの薬も中止し、血圧が正常になったので血圧の薬も中止し、コレステロール値が改善されたので、コレステロールの薬も中止することになりました。

開始後１か月以内に、６種類すべての薬をやめましたが、血液検査の値はこれまでになく良好でした。ヘモグロビンＡ１ｃは６・２％で、３種類の糖尿病薬を服用していたときよりも良くなっていました。

シェリーはもはや糖尿病患者ではなく、糖尿病予備軍の症状があるだけでした。

図13-4

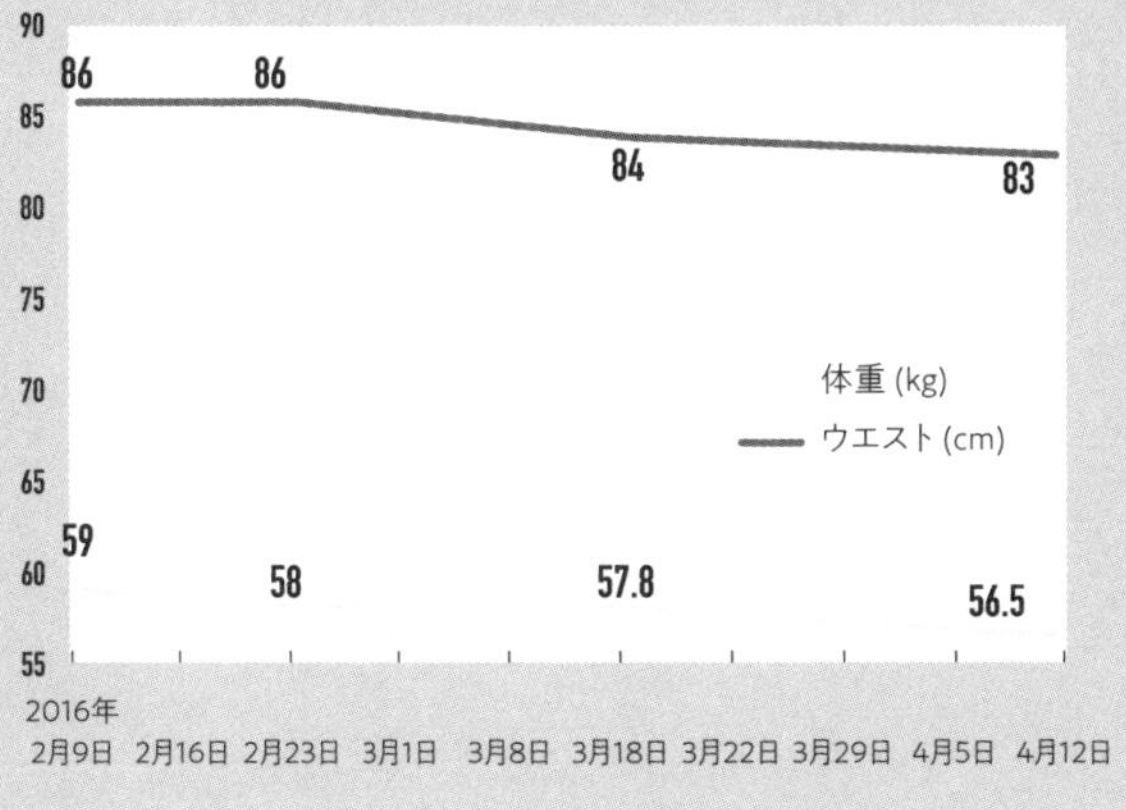

つまり、**病気が回復した**のです。

✓ 薬から解放されて、心も体もとてもいい状態

さらに、シェリーはプログラム実行中**ずっと気分が良かった**のです。ファスティング療法も問題なくこなすことができました。ファスティング期間はサニーよりも短かったですが、非常に良い結果が出ていたので、変更する必要はありませんでした。

開始前は6種類の薬を服用していましたが、薬を飲んでいない今のほうが、以前より100倍気分がいいと感じられました。

シェリーの成功談は重要なポイントを示しています。**2型糖尿病は食事性疾患です。そのため、唯一の筋の通った治療法は、食事とライフスタイルを変えること**なのです。

✓ 「2型糖尿病は治らないという刷り込み」を問いただす

問題が炭水化物の過剰摂取に起因する場合は、炭水化物を減らすことが答えです。

問題が体重過多に起因する場合は、ファスティングを取り入れて体重を減らすことが答えです。

根本的な問題を修正すると、病気は回復するのです。

しかし私たちは、2型糖尿病とすべての合併症の発症は「避けられない」というふうに、洗脳されています。薬の投与量を増やせば食事性疾患に対処できると信じ込まされているのです。薬で糖尿病を止めることができなければ、「慢性的で進行性のある病気」と通告されるだけなのです。

サニーは20年以上2型糖尿病を患っていましたが、わずか数か月で回復することができました。

シェリーは糖尿病治療薬を7年間服用していましたが、やはり数か月で病気を回復させることができました。

とはいえ、2人は特別な例ではありません。

私はほぼ毎日、**あらゆる年齢の2型糖尿病患者が、ファスティング療法によって回復してゆく**のを目の当《ま》たりにしているのですから。

WHAT IS FASTING

AND WHY IS IT GOOD FOR YOU?

さらに長期間の断食《ファスティング》

CHAPTER 14

42時間よりもさらに長いファスティングは、
世界中のさまざまな文化圏で取り入れられてきました。
一度は忘れ去られていましたが、
医療に携わる専門家たちが自ら実践し、
その効果をアピールしたことで、
再び、脚光を浴び始めるのです。

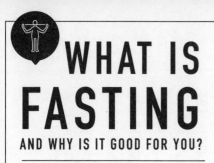

✓ やっぱりすごい、ファスティング

42時間よりも長いファスティングは、何世紀にもわたり、世界中のさまざまな文化圏の中で受け継がれてきました。

また、1915年という早い段階で、医学文献中で広範囲に研究され、オットー・フォリン博士とW・デニス博士は**「肥満に苦しむ人が体重を減らすための安全で効果的な方法」**と説明しています。

同年、フランシス・ガノ・ベネディクトが、長期にわたるファスティングに関する著書の中で、両博士に対して賛成の意見を述べています。

しかしその後、治療ツールとしての長期にわたるファスティングへの関心は、薄れていきました。

ところが、1950年代後半から1960年代にかけて、再び関心を集めるようになります。

医師が次々に、自身のファスティング経験を報告するようになったのです。初期の研究は、主に短いファスティング期間に焦点が当てられていましたが、ファスティングに慣れてくると、多くの医師が期間を延長しました。

✓ 自ら「ファスティング延長」を希望した患者たち

1968年、内分泌学者イアン・ギリランドは、46人の患者についての長期にわたるファスティングの影響を研究しました。ファスティングを確実に実行させ、かつ観察するために、患者たちを入院させ、14日間のファスティングを開始したのです。

ファスティングが終わると患者たちは退院し、自宅で600〜1000キロカロリーの食事を摂るように指導を受けました。**摂っていいのは水とお茶とコーヒーだけ。**

興味深いことに、2人の患者が再び14日間のファスティングをするために再入院を希望しました。比較的簡単に良い結果が得られたので、**ファスティングの期間を延ばして、さらに良い結果を出すことを望んだ**のです。

✓ ぜんぜん、辛くなかった！

14日間のファスティング後の体重減少の平均は7・8キロでした。

予想通り、ファスティング中の血糖値は、糖尿病患者に大きな利益をもたらすレベルにまで下がりました。**3人いた糖尿病患者の全員が、2週間のファスティングを終えるまでに完全にインスリン投与をやめていました。**

インスリンは、肝臓に塩分と水分の保持を促すため、インスリン値を下げるファスティングは、過剰な塩分と水分の排出を助けてくれます。

そのため、ファスティングの最初の数日間は尿の量が増えます。

ギリランドの研究では、重度のうっ血性心不全の患者が、過剰な塩分と水分を除去でき、2週間を待たずに息切れしないで歩けるようになりました。

2週間のファスティングは辛かったのでしょうか？

実際はまったく逆でした。

ギリランドは、**「参加者には『幸福感』と『陶酔感』が見られた」**と説明しています。

お腹はすいたのでしょうか？

驚いたことに、そうでもなかったのです。

図 14-1

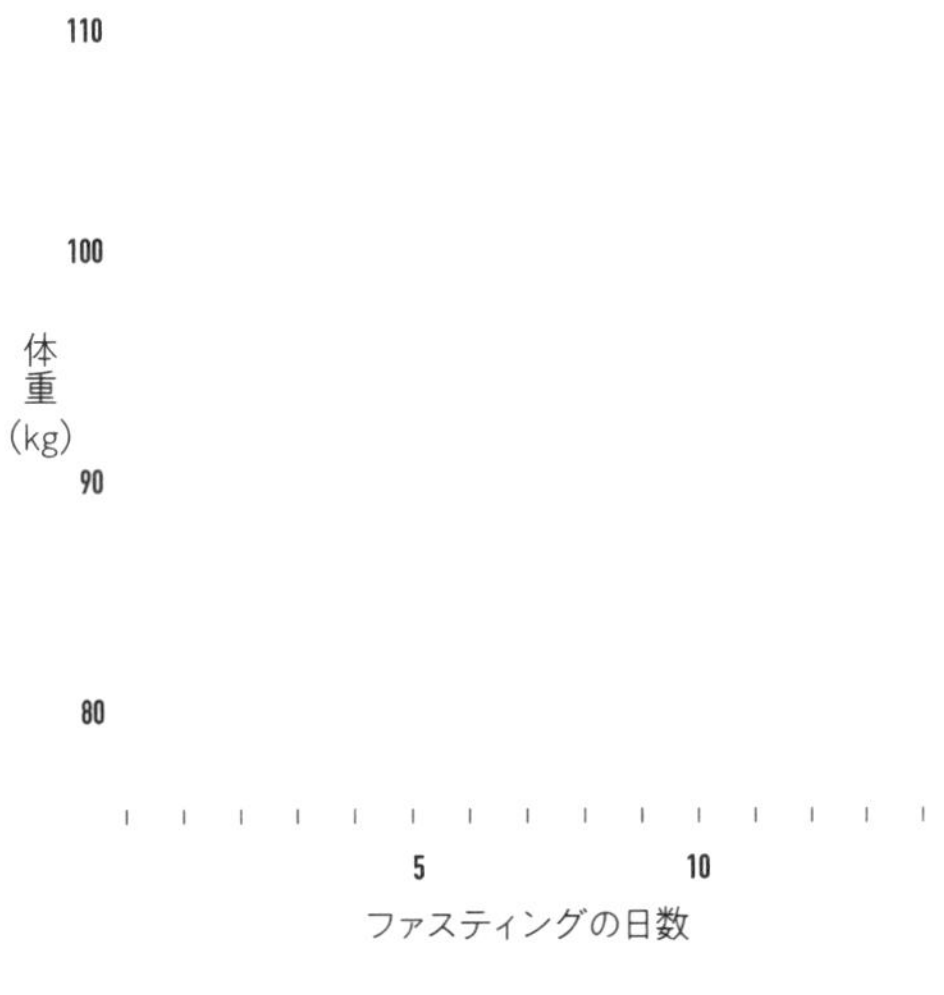

1968年のギリランドの研究より、
ある個人の14日間のファスティングの減量の推移。

出典：Gilliland, “Total Fasting in the Treatment of Obesity.”

「初日以降は、空腹を訴える苦情は一切なかった」と報告されています。

当時の他の研究者たちの記録にも、同様の経験が確認されています。

✓ ファスティング世界最長記録382日!!

しかし、研究の参加者たちは、いったん自宅に帰ると、ギリランドが処方した600〜1000キロカロリーの食事をうまく守ることができませんでした。

2年間の追跡期間中、この食事療法を順守したのは、参加者の50%です。これは、カロリー削減のダイエットの実態を考えると（5章参照）、驚くことではない結果です。


ファスティングには上限がありません。


1970年代、27歳のスコットランド人男性が206・8キロの体重でファスティングを始めました。382日間、ノンカロリーの液体とマルチビタミンとさまざまなサプリメントだけで毎日生活し、ファスティングの世界最長記録を樹立したのです。ファスティング期間中は医師が監視し、重大な健康への悪影響がないことを確認しました。

彼の体重は206・8キロから81・6キロに減り、ファスティングから5年が経過しても、88・9キロに留まりました。血糖値は低下しましたが正常範囲内に留まり、低血糖の症状は発現しませんでした。

✓ファスティング経験者 エヴリン談

私は週3・5日連続でファスティングをし、残り3・5日間は低炭水化物・高脂肪ダイエットをして、それがとてもうまくいっています。1日おきのファスティングを自分バージョンにアレンジしてやっているの。**自分に合った効果的な組み合わせを見つけるために、いろいろ試してみるといい**と思う。

✓長期にわたるファスティングで予想されること

ギリランドの研究では、46人の患者のうち44人が2週間のファスティング期間を完了しました（脱落者の1人は吐き気を催し、1人は自分の意志で断念しています）。

無事に完了した確率は、実に96%！

2週間におよぶファスティングでさえ、多くの人が考えるほど難しくはないのです。私たちの臨床経験が、これを裏づけています。

自分にはできないと信じ込んでいる人が多いのですが、いったんプロセスを説明し、成功するための有益なアドバイスを与え、適切なサポートをすれば、インテンシブ・ダイエタリー・マネジメント・プログラム（「IDM」＝集中的な食事管理プログラム）の患者は、ファスティングが実は非常に簡単であることをたちまち理解するようになります。

ただし、**慣れるまでの期間は必要**です。ファスティングの最初の数日間は非常に苦しいことが多く、空腹感という面では2日目が最も厳しいようです。

しかし、この**2日目をなんとか乗りきると、次第に楽になります。**

空腹はゆっくりと消え、多くの場合、幸福感が得られるようになります。

例として、エクササイズを考えてみるといいでしょう。

初めてウエイトトレーニングをした日は、後で筋肉が痛くなります。これは予想されることであり、そこでエクササイズをやめるべきではありませんね。時間が経つにつれ、徐々に力がつき、同じ重さのウエイトを、苦しさや痛みなく持ち上げられるようになります。

ファスティングも同じです。

最初は辛くても、練習を重ねると楽にできるようになるのです。

✓ グルコースへの依存が減る

ギリランド博士の研究では、1日当たりの減量は、平均0・34キロでした（ファスティング終了後に水分による増量について調整）。

200日以上のファスティングに関する他の研究では、1日当たり0・19キロから0・3キロという同様の範囲での体重減少が示されています。

「IDM」では、患者にファスティング1日当たり平均0・23キロの脂肪減少が期待できると伝えています。それよりも減った分は、インスリン減少によって流れ出した水分の可能性があります。

通常の日に2000キロカロリーを燃焼すると仮定し、1ポンド（0・45キロ）の脂肪が約3500キロカロリーとわかっている場合、完全なファスティング中（カロリーをまったく摂らない）に、1日当たり0・26キロが失われると予想できます（消費カロリー2000／1ポンド当たり3500キロカロリー＝0・57ポンドの損失）。

これは、研究によって示された値にかなり近いです。

つまり、ファスティング期間の代謝が比較的安定していることを意味しています。代謝は落ちていないので、通常の日に燃焼する2000キロカロリーが、ファスティング中にも燃焼しているわけです。

したがって、体重が100ポンド（45キロ）の患者が全体重を失うにはざっと200日間のファスティングが必要だと

図14-2

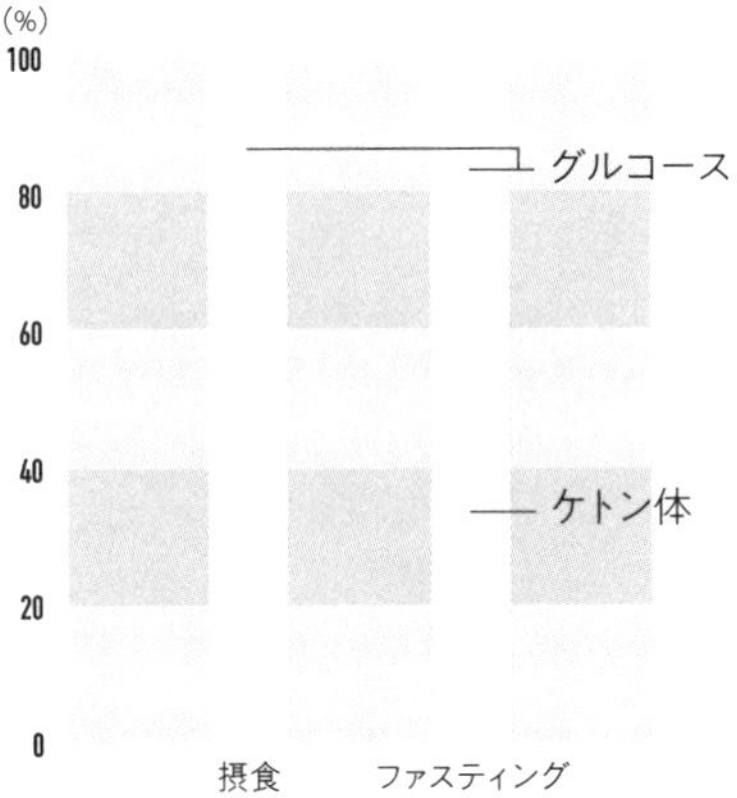

数週間のファスティングの後の脳は、
主にケトンをエネルギー源とする。

出典：Cahill, "Fuel Metabolism in Starvation."

予想できます。

長期にわたるファスティングの間に、脳はエネルギー源としてのグルコースへの依存を減らします。代わりに脳の燃料の大部分が、脂肪燃焼によって産生されるケトン体によって供給されます。脳はこれらのケトンを効率的に使用できるため、知能の向上につながるとも考えられています。**ケトンは、脳の「スーパー燃料」と呼ばれることさえある**のです。ケトンが増加するには、一般的に36〜48時間のファスティングが必要と言われています。その前は、体のエネルギー源のほとんどは、グリコーゲンの分解によってまかなわれます（1章参照）。

✓ 電解質の異常は起きない

長期にわたるファスティングが、電解質の異常を引き起こすことはめったにありません。血液中のカルシウム、リン、ナトリウム、カリウム、塩素（または尿素窒素）、クレアチニン、重炭酸塩の値は正常範囲内に留まり、ファスティング終了まで実質的に変化しません。

血中マグネシウム濃度が低くなることが、ときどきあります。特に糖尿病患者によく見られます。体のマグネシウムのほとんどは細胞内にあり、血中では測定されません。

世界最長記録の382日間のファスティングを監視した研究者は、細胞内のマグネシウム含有量を測定しましたが、正常範囲内に留まっていました。

ただし私たちは、患者の安全を守るために、念のためマグネシウムを補充することが多いです。

✓ 排便が減っても問題なし

長期間にわたるファスティング中に排便が少なくなるのは、正常なことです。

消化器系に何も入ってこないので、ほとんど出ていかないのは理にかなっています。

世界最長記録のファスティング中の排便は37日から48日おきでした。

これが完全に正常な現象であることを心に留めてほしいですね。すっきりした気分で過ごすために毎日便通する必要はありません。

便秘による不快感は、腸が便でいっぱいになったときに起こりますが、長期間ファスティングを行っている間は、腸の内部の不快感がほとんどありません。

これは体が古い（機能不全の）細胞を分解し、必須脂肪酸とアミノ酸をリサイクルしていることの現れでもあります。

最後に、糖尿病を患っている人、または薬を服用している人への注意を再度述べておきます。

長期にわたるファスティングを始める前に、必ず主治医に相談してください。

また、**ファスティング中に気分が悪くなったら、必ず中止してください。**

空腹を感じるのはいいけれど、ふらついたり、気分が悪くなったり、吐き気がしたりした場合は、正常な状態ではないため、**無理やり続けようとしない**ことです。

✓ファスティング経験者 レスリー談

間欠的ファスティング（16：8および20：4）にウエイトリフティング・インターバルトレーニング（筋肉量の維持と貯蔵されたグルコースの排出のため）を組み合わせると、きちんと処方されたケトン食を単独で摂るよりも、早くケトーシス（脂肪が燃えるモード）に入れて、より効率的に脂肪を落とすことができたんだ。ダイエットだけでは空腹感を乗り越えるのに3週間以上かかるけれど、ファスティングと運動をケトジェニックダイエットと一緒に行うと、時間が半分に短縮できるよ。

✓ 2～3日間のファスティング

体重がなかなか減らなかったり、高血糖が続いたりしている場合の1つの対処法として、ファスティングの期間を42時間よりも長くするやり方もあります。延長の期間については個人の好みで選べますが、一般的なガイドラインについて説明しておきます。

「IDM」では、2～3日間のファスティングを患者にすすめることはめったにありません。大多数の人が、空腹感という点で最も厳しいのがファスティングの2日目だと訴えているからです。

2日目を超えると、空腹感が徐々に軽減され、完全になくなる人が多いです（2日ほどで循環し始めるケトン体の数が増えるという仮説があります）。

実践する立場なら、最も困難な日を乗り越えた直後に終了するのはかなり辛いことです。私たちは代わりに、**7～14日間ファスティングを続ける**ように患者にすすめています。

14日間のファスティングは2日間のファスティングの7倍の効果がありますが、2日間のファスティングに比べて難しさはさほど変わらないのです。

✓ 7～14日間のファスティング

重度の2型糖尿病患者には、7～14日間のファスティングから始めてもらうことがよくあります。

これにはいくつかの理由があります。

1つ目は、**体をファスティングの状態にすばやく順応させるため**です。そのほうが、徐々に移行するよりも簡単だと感じる人が多いのです。

言ってみれば、プールの底まで一気に飛び込むのと、数センチずつもぐっていくのとの違いでしょうか。「一気に飛び込んだほうが楽！」と思う人もいるのですね。

2つ目は、**長期にわたるファスティングのほうが、血糖値と2型糖尿病を迅速に改善し**

てくれるからです。大量の薬を服用している患者や臓器障害の合併症に苦しんでいる患者の場合、早急に糖尿病を回復させて体重を減らす必要があります。いったん受けた臓器のダメージのほとんどは、元に戻せないからです。

多くの場合、血糖値が大幅に改善し、糖尿病治療薬を減らすことができるのは、5日目または6日目です。短い期間のファスティングだと、この結果にたどりつくまでに、はるかに時間がかかってしまうのです。

リフィーディング症候群（次項を参照）のリスクを最小限に抑えるために、通常はファスティングの期間を14日間までに制限しますが、多くの人が、14日間をゆうに超えたファスティングを問題なく行っています。

一般的には、ファスティングの延長を繰り返す前に、1日おきのファスティングを2週間続けるように患者にすすめています。

✓ リフィーディング症候群

「リフィーディング（再摂取）」とは、長期にわたるファスティング直後の1～2日のことを指します。

リフィーディング中の合併症は、第二次世界大戦後の日本でアメリカ人捕虜が重度の栄養失調を発症したことで、初めて報告されました。

その後は、神経性食欲不振症（拒食症）やアルコール依存症患者の治療時に、リフィーディング症候群が報告されています。こういった病気の患者たちは特に発症しやすいです。そもそも栄養失調であることが多く、体脂肪貯蔵が十分でないからです。長期にわたって食物がない状態だと、体が必要なエネルギーを供給するために、機能性タンパク質を分解するのです。ですから、十分に栄養を摂り、適切な体脂肪を貯えている患者が発症することは、非常に稀です。

ただし、一度に5日間を超える長期間にわたるファスティングを試みた場合に、ごく稀に発症することがあります。

✓ パワーダウンした症状の数々

リフィーディング症候群は、栄養失調によって、電解質、特にリンが枯渇したときに発生します。

成人は500〜800グラムのリンを体内に保存しており、その約80％は骨格内に、残りは軟《なん》組織内に保持しています。

ほとんどのリンは血液ではなく組織細胞内に保持され、リンの血中濃度は緊密に制御されています。長期にわたる栄養失調の間に、骨の貯蔵分が使い果たされても、リンの血中濃度は正常のままです。

リフィーディングが始まると、食物がインスリン値を上昇させ、それがグリコーゲン、脂肪、タンパク質の合成を刺激します。

そのとき、リンやマグネシウムなどのミネラルが必要となります。

そこで、すでに貯えが枯渇しているリンが、莫大に必要になるのです。

血液中のリンが少なすぎると、体の「パワーダウン」を引き起こします――筋力が低下し、筋肉が分解されるのです。心筋と横隔膜にも影響を与える可能性があります。

また、マグネシウムも枯渇し、痙攣《けいれん》、意識障害、震え、場合によっては発作を引き起こすことがあります。カリウムとマグネシウムが不足すると、心拍の乱れ、さらには心停止を引き起こす可能性があります。

それに加えて、リフィーディング中のインスリン値が高いと、腎臓が塩分と水分を貯えようとし、これが足首などのむくみとして現れることがあるのです（リフィーディング浮腫）。

✓ハイリスクの人はどんな人？

リフィーディング症候群のリスクが最も高いのは、慢性的な栄養失調の人、または重度の低体重の人で、たとえば食欲不振、アルコール依存症、癌、制御できない糖尿病、または腸疾患の人が該当します。

これらのいずれかの症状や病気が当てはまる人は、ファスティングに向かない可能性があるので、始める前に主治医に相談してください。

一般的には、

□BMIが18・5未満
□過去半年に、意図しない体重の10%を超える減量がある
□アルコール依存症や薬物乱用の既往歴がある

などに当てはまる人は、長期にわたるファスティングの実践には、特に注意する必要があります。

こういった属性の人は、一般的に太りすぎではなく栄養失調またはやせすぎのため、治療ツールとしてファスティングを試みる必要がありません。

とはいえ、どうしてもファスティングが必要なら（宗教的またはスピリチュアルな目的など）、24時間未満の短期間のファスティングなら、検討してもいいでしょう。

✓ ファスティングはリフィーディング症候群を起こさない

幸いなことに、リフィーディング症候群は非常に稀にしか起こりません。

たとえ重病の入院患者でさえ、わずか0・43%の発症率であることが研究からわかっています。

リフィーディング症候群の主な危険因子は、長期にわたる栄養失調です。

IDMクリニックでファスティングを治療ツールとして取り入れる患者は、「25年以上も一度も食事を抜いたことがない人」がほとんどです。栄養失調の心配はまずありません。

リフィーディング症候群が起こるのは、多くの場合、それまで飢餓《きが》状態――自分ではコントロールできない不本意な食物制限を受けた状態――にあった人が、消耗し始めたとき（飢餓状態による重度の栄養失調に陥ったとき）です。

ファスティング、つまり**管理された自発的な食物制限によってリフィーディング症候群を発症することは、めったにない**と言えるでしょう。

ファスティング後のリフィーディング症候群を防止するために、私は次の2つのステップをすすめています。

ステップ①

長期にわたるファスティングでは、水だけの摂取は避けること。

自家製ボーンブロスを飲むことで、リンやその他のタンパク質と電解質が得られ、リフィーディング症候群を発症する可能性が低くなります。

また、ビタミン欠乏を防ぐために、毎日マルチビタミンを摂るようにします。

ステップ②

ファスティング中は、筋肉と骨の維持のために、通常の活動（特に運動プログラム）をすべて行うこと。

WHAT IS FASTING

AND WHY IS IT GOOD FOR YOU?

成功する断食《ファスティング》の秘訣

CHAPTER 15

ファスティングはかつて、生活の一部でした。
多くの宗教、たとえばギリシャ正教会やイスラム教などには、
今でも広く慣習として残っています。
1人でファスティングを行うのではなく、
家族や友人たちと一緒に行うので、お互いに支え合うことができ、
実用的なヒントが世代から世代へと受け継がれていきました。
しかし、現代社会ではファスティングの習慣が衰退しているため、
有益なアドバイスを見つけるのは、なかなか大変です。
本章では、何百人ものファスティング経験者の実体験に基づいて、
実用的なヒントを提示し、よくある質問に答えていきます。

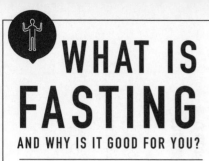

✓始める前の心がまえ

最初に2つだけ、とても大切なことをお伝えさせてください。どんなファスティングを取り入れるにしろ、きっと役立つはずです。

①目標設定をしよう

常に自分の目標を心に留めておきましょう。

たとえば、次の同窓会までに数キロ減量したい場合と、体重が180キロで重度の糖尿病患者の場合とでは、ファスティングにおける戦略は、まったく異なるからです。

②戦略は再調整しよう

結果に基づいて戦略を再調整しましょう。

1日おきのファスティング計画を実践して、良い結果が得られたら、それは素晴らしいことです。

でも、もしもなかなか改善しない場合は、やり方を変えることをおすすめします。長いファスティングのほうが短いファスティングよりもはるかに楽にできることに気づいたら、計画を調整し直して、スケジュールに長期間のファスティングを追加してみましょう。

また、夏は短いファスティングを多めに、冬には長いファスティングを少なめにするほうがいい場合もあるかもしれません。

その都度、調整や変更をしていきましょう。

「ファスティングのやり方に、絶対〝これ〟という決まりはない」のですから！

✓ ファスティングを自分の生活に合わせよう

ファスティングがうまくいくコツ――それは、何はともあれ、**いつでもどこでも、自分が最優先**であること！

これに尽きるかもしれません。

これが最も重要なヒントであり、かつ、ファスティングが続けられるかの鍵を握るヒントでもあるでしょう。

「ファスティングのスケジュールに合わせて生活を変える」ではないんです。

「生活に合わせてファスティングのスケジュールを変える」ようにすればいいんです（395ページ参照）。

ファスティングをしているからといって、休暇や旅行、結婚式など、人生の楽しみを制限しないこと！

また、楽しいイベントやお祝い事のときに、強制的にファスティングをしないこと！

ファスティングができないときというのは、誰でも必ずあります。リラックスして楽しい時間を終えたら、ファスティングを再開したり、時間数を増やしたりして、補っていけばいいのです。

他のさまざまなスキルと同じで、ファスティングにも「練習」と「周囲のサポート」が、欠かせません。

ファスティングを上手に行うためのささやかなコツも、ぜひ参考にしてください。

コツ1　水を飲む

毎朝コップ1杯（200cc程度）の水を飲みましょう。これで1日の水分補給のスタートです。1日を通じて大量の水分を摂るための、心の準備にもなります。

コツ2　忙しくする

忙しいと、食べ物のことを考えずに済みます。忙しい平日にこそファスティングをしてみましょう。忙しすぎると空腹すら感じないかもしれません。

コツ3　コーヒーを飲む

コーヒーには軽い食欲抑制作用があります。また、緑茶が食欲を抑えるというエビデンスもいくつかあります。紅茶と自家製ボーンブロス（427ページ参照）も、食欲を抑えるのに役立ちます。

コツ4 波に乗る

空腹感には波があります。波がやってきたら、コップ1杯の水または熱いコーヒーをゆっくりと飲みましょう。飲み終わる頃には、空腹は過ぎ去っていることが多いです。

コツ5 人に言わない

ファスティングのメリットを理解していない人は、あなたのやる気をくじこうとするかもしれません。ファスティングをしている仲間同士ならば支え合えるかもしれませんが、誰かれかまわず、ファスティングをしていることを教えなくてもいいのです。

コツ6 自分に1か月の猶予を与える

体が空腹に慣れるのには時間がかかります。ファスティングの最初の数回は難しいので、そのための心の準備をしておくといいですね。一喜一憂してはいけません。だんだん楽になっていくはずです。

コツ7 ファスティングをしない日は、栄養価の高い食事を摂る

好きな物を食べる口実に、間欠的ファスティングを使わないように!

ファスティングをしない日は、「糖分と精製された炭水化物が少なく、栄養価の高い食事」を守るようにしましょう。健康的な脂肪を多く含む低炭水化物食を摂ることで、体が脂肪燃焼モードに留まるため、ファスティングがやりやすくなるという効果もあります。

コツ8　ドカ食いをしない

ファスティングが完了したら、「何もなかったかのように」生活します。ファスティングなんてまるでしていなかったかのように、普通に！そして栄養価の高いものを食べること（コツ⑦参照）！

✓ ファスティングを〝上手に〟破るコツは？

ファスティングを破るときは、穏やかに行いましょう。

ファスティング期間が長ければ長いほど、戻るときは穏やかにするべきです。

ファスティングを終えるとすぐに過食する傾向がありますが、興味深いことに、ほとんどの人は、**空腹感に圧倒されるからではなく、心理的に食べたくなるから**だと言います。

ファスティング直後に過食すると、胃に不快感が出やすいです。深刻な症状ではなくてもあまり気持ちのいいものではないので、自分でコントロールできるようにしたいですね。

ファスティングを破るときは、おやつや少量の料理をまず食べます。それから、30～60

分待ってから主食を食べます。こうすることで、空腹の波を逃がす時間ができ、再び食事に徐々に適応できるようになります。

短期間のファスティング（24時間以内）は通常、特別な予防策を必要としませんが、長期間のファスティングの場合は、〝ファスティングを終わらせる＝食べ始める〟ときのことも、事前に計画することをおすすめします。

たとえば、ファスティング明けに食べるものを小さなお皿に入れて冷蔵庫で冷やしておくとか。こういう準備をしておくだけでも、いざ「さあ食べよう！」となったときに、「さて、何から食べようか？」と迷わずに済みます（周囲には、無数のお手軽で便利な食べ物があふれているのですから！）。

✓ おすすめのおやつとその食べ方とは？

ファスティング明けの手始めに、何を食べたらいいか？

どんなふうに食べ始めたらいいか？

もし不安で迷うことがあったら、次の「最初に食べるおすすめのおやつ」「ファスティング終了後、最初のおやつの食べ方のコツ」を参考にしてみてください。

最初に食べるおすすめのおやつ

①マカダミアナッツ、アーモンド、クルミ、松の実（1／4～1／3カップ）
②ピーナッツバターまたはアーモンドバター（大さじ1）
③サラダ少量（ドレッシング代わりにカッテージチーズかサワークリームを試してみる）
④オリーブオイルと酢をかけた生野菜
⑤野菜スープ
⑥肉少量（例：生ハム3枚または豚バラ肉1～2枚）

ファスティング終了後、最初のおやつの食べ方のコツ

コツ1　少量だけにする

一食分を食べる機会は、すぐにやってきます。あわててお腹をいっぱいにする必要はありません。

コツ2　時間をかけてしっかり噛む

十分な咀嚼は、しばらく休んでいた消化器官の負担を和らげてくれます。体のシステムをゆっくりと元に戻しましょう。

コツ3　時間をかける

あわてず、ゆっくりといきましょう。食事を再開したいけれど食べることに不安を感じるなら、1時間以内にしっかり食事が摂れることをイメージします。そうすれば少し安心できます。

コツ4 水を飲むことを忘れない！

ファスティングを始める前と終えた後の最初の食事に、グラス1杯の水を飲みましょう。いったんファスティングをやめると水分補給を忘れがちですが、喉の渇きを空腹感と間違えることがあります。食べすぎないためにも、水分補給をしっかりと！

！注意

ファスティングを終えて食べ始めるときに、胃腸の具合が悪くなる人もいます。一番多い原因は「卵」のようです。胃が敏感な人や、ファスティングを破るときに体調が心配な人は、最初の食事には、卵を避けたほうがいいかもしれません。

お悩み相談室

食べない間のさまざまな不安、モヤモヤ、戸惑い……どうやって解消する？

Q1 **空腹のあまり、**なんにも手につかなくなるのでは……？

A これはおそらく、ファスティングに関する一番の心配事かもしれません。9章では空腹感に関する俗説を検証し、実際の仕組みについて説明しましたが、ここでは、「空腹について予想できること」「それを最小限に抑えるために何ができるか」について、簡単に説明していきますね。

覚えておいてほしいのは、空腹感は持続するのではなく、波のように来たり去ったりするということ。**今感じている空腹感は、そのうち間違いなく過ぎ去る**のです。

ファスティングの日には予定を入れて、いつもより少し忙しめにするのもいいでしょう。体がファスティングに慣れると、貯えた脂肪を燃焼し始めますが、そのことが空腹を抑えるのに役に立ちます。

多くの人が、**「数週間にわたってファスティング療法を続けると、食欲が抑制されるだけではなく、減退し始めることに気づく」**と話しています。**長期間のファスティングでは、2日目または3日目までに空腹が完全に消えるという人が多い**です。

ファスティング中は、空腹を抑えるのに役立つ飲み物やスパイスを摂ることができます。**「食欲抑制効果が期待できる飲み物や食べ物トップ5」**を次に記しておきます。

①水

1杯の冷たい水で1日を始めましょう。水分補給が空腹を防いでくれます（食事の前にコップ1杯の水を飲むと、空腹感が減り、過食を防ぐのにも役立ちます）。炭酸のミネラルウォーターは、お腹が鳴るのと胃の痛みを和らげてくれます。

②緑茶

抗酸化物質とポリフェノールが豊富な緑茶は、ダイエットをする人の頼もしい味方です。強力な抗酸化作用が、代謝と体重減少に役立つと言われています。

③シナモン

内容物を胃から腸へ送り出す速度を遅らせる作用があり、空腹感を抑制してくれます。また、血糖値を下げる効果もあるため、減量にも役立ちます。風味づけにもなるので、お茶やコーヒーに加えても◎。

④コーヒー

多くの人が、空腹を抑えるのはコーヒーに含まれるカフェインのおかげだと考えていますが、複数の研究から、むしろ抗酸化物質が関連している可能性が高いことが示されています。カフェインは代謝を上げ、脂肪燃焼をさらに促進します。また、ある研究によると、カフェイン抜きのコーヒーと通常のコーヒーの両方が、水に溶かしたカフェインよりも空腹感を抑えることがわかっています。健康上のメリットを考えると、コーヒーを制限する理由はありません。

⑤チアシード

チアシードは、可溶性食物繊維とオメガ3脂肪酸が豊富な食べ物です。水をよく吸収し、液体に30分浸すと、種の周りがゼリー状になります。これが食欲抑制に役立つと言われています。乾燥した種を食べたり、ゼリーやプリンにして食べたりします。ファスティング中には、空腹を抑えるために摂ってもいい食べ物です。

繰り返しになりますが、こうしたものを摂ると、厳密にはファスティングの中断になるかもしれません。でも、これらの飲み物や食べ物であれば、その影響はごくわずかなため、ファスティングの恩恵を著しく損なうことはありません。ファスティングを続けることができるかどうかのほうが大切です（空腹感については9章参照）。

Q2 **めまい**が怖いです。

A ファスティング中にめまいがする場合、脱水状態になりかけている可能性が高いです。これを防ぐには、**「塩」と「水」の両方が必要**です。水分を十分に摂るようにし、塩分が不足している場合は、自家製ボーンブロス（427ページ参照）か、ミネラルウォーターに海塩を加えて飲んでください。

めまいが生じるもう1つの原因は、血圧が低すぎることです。特に**高血圧の薬を服用している人は注意が必要**です。薬の調整については、主治医に相談してください。

Q3 **頭痛**にならない？

A 頭痛は、ファスティングの最初の数回に起こることが多いです。比較的塩分の高い食事から、ファスティング中のごく少ない塩分の食事への移行が原因であると考えられています。たいていの頭痛は一時的なもので、ファスティングに慣れると解決することが多いです。慣れるまでは、自家製ボーンブロスから塩分補給するようにしてください。

✓ファスティング経験者 シンダ談

激しい吐き気がして体も衰弱したために、水だけのファスティングを過去に断念したことがあるわ。

でも、毎日小さじ1杯の塩をグラス1杯の水に加えて飲んだら、7日間の水のみのファスティングを達成できたの。吐き気や衰弱を感じなかったのは、素晴らしい経験だった。

Q4 便秘はイヤだなー。

A 便秘はよくあることです！

ファスティング中は食物の摂取量が少ないため、腸の動きも鈍くなります。**不快感がなければ、排便回数が少なくても心配しなくていい**でしょう。

ファスティングをしていないときに食物繊維、果物、野菜の摂取量を増やせば、便秘の改善に役立つことがあります。

症状がどうしても気になるときは、主治医に相談して、下剤を処方してもらってもいいでしょう。

Q5 **胸焼け**だけは避けたい。

A ファスティング後の胸焼けを防ぐには、大量の食事は避けて、普通の量を食べるようにしましょう。

また、食事の直後に横になるのを避け、食後少なくとも30分は直立姿勢を保つようにするといいでしょう。

頭の位置が高くなるように、ベッドの脚の下に何かを置いたり、クッションを敷いたりして角度をつけると、寝ているとき胸焼けの症状が緩和される場合があります。

レモン入りの炭酸水にも効き目があります。

いずれも効果がない場合は、主治医に相談してみましょう。

Q6 **筋肉が痙攣《けいれん》**するって本当ですか？

A 糖尿病患者にありがちなマグネシウム不足が、筋肉の痙攣を引き起こす可能性があります。市販のマグネシウムサプリメントを服用するといいでしょう。

また、マグネシウムオイルなどを使ってマグネシウムを皮膚から吸収する方法もあります。

Q7 **不機嫌**になると聞いたのですが。

A インテンシブ・ダイエタリー・マネジメント・プログラム（「IDM」＝集中的な食事管理プログラム）では長年にわたって数百人の患者を診ていますが、こうした問題はありません。

たとえば、宗教上の理由で日常的にファスティングを行う人たちは世界中にたくさんいますが、そういう人たちが、感情面で何か問題を抱えたり、極端に気難しくなったりするわけではありませんね。ほぼ毎日ファスティングをしている仏教僧に、「不機嫌な男性」という印象はあるでしょうか。

「食べないといらいらする」という固定観念に、無意識に影響を受けてはいないでしょうか？

ファスティングを生活の一部と考えれば、いらいらせずに済むかもしれません。

Q8 **疲弊**しますか？

A いいえ。「IDM」での経験から、まったく逆のことが言えます。

多くの人は、ファスティング中に**活力がみなぎる**のを経験するはずです――これはおそらく、アドレナリンの増加によるものです。

ファスティング中は、普段の日常生活のすべての活動を、エネルギッシュに行うことができます。ファスティングのせいで疲労が続くことはありません。
もし過度の疲労を感じたときは、すぐにファスティングをやめて、主治医に相談してください。

Q9 **混乱**したり**忘れっぽく**なったりするのでは……？

A いいえ。**ファスティング中に記憶力や集中力が低下することはありません。**
それどころか、頭の回転が良くなり、頭の冴《さ》えも良くなります。長い目で見ると、ファスティングが**記憶の改善に役立つ**可能性があるのです。
一説によると、ファスティングがオートファジーと呼ばれる細胞浄化を活発にし、これが加齢による記憶力の低下を防止してくれるそうです（7章参照）。

Q10 **過食**になりませんか？

A ファスティングをした直後は通常よりも多く食べる傾向がありますから、確かに過食にはなるかもしれません。
しかし、**ファスティングをしない日にベースラインを超えて摂った食物量は、直前の**

ファスティングを相殺するにはおよびません。36時間のファスティングに関する研究によると、「ファスティング後に摂取する食事は、通常よりも20％多い」ですが、2日間全体では依然として「1958キロカロリー少ない」ことが示されています。「食べすぎた」量は、ファスティング分を埋め合わせるには、ほど遠いのです。

Q11 しょっちゅう**お腹が鳴ったら**恥ずかしいなー。

A ミネラルウォーターを飲んでみましょう。メカニズムは明確ではありませんが、一部のミネラルが胃の安定に役立つと考えられています。

Q12 食物と一緒に**薬を服用**しています。ファスティング中はどうすればいいですか？

A 薬によっては、空腹時に副作用を引き起こす可能性があります。

アスピリンは胃の不調や潰瘍を、鉄分サプリメントは吐き気と嘔吐を引き起こすことがあります。

糖尿病の治療薬として処方されるメトホルミンは、吐き気と下痢を引き起こす可能性があります。

こういった薬をファスティング中に継続する必要があるかどうかについては、主治医に相談してください。

また、薬を少量の薬物野菜と一緒に摂ることを試してみてもいいでしょう。低カロリーなので、ファスティングの妨げにはならないはずです。

ファスティング中に血圧が下がることがあります。血圧降下薬を服用している人は、血圧が低くなりすぎてふらつくこともあるため、薬の調整について主治医に相談してください。

糖尿病の薬を服用している場合は特に、ファスティング療法を始める前に主治医に相談することが重要です（次項「Q13」も参照）。

Q13 **糖尿病**を患っている場合は、どうなりますか？

A 1型または2型糖尿病、もしくは糖尿病治療薬を服用している場合（メトホルミンなど特定の糖尿病薬は「多《た》嚢《のう》胞《ほう》性《せい》卵巣症候群」などにも使用される）は、特別な注意が必要です。血糖値を注意深く監視し、それに応じて薬を調整します。医師による緊密な監視は欠かせません。

主治医のアドバイスにきちんと従えない場合は、ファスティングをしてはいけません。

ファスティングは血糖値を下げます。ファスティング中に同じ用量の糖尿病治療薬、特にインスリンを服用し続けると、血糖値が極端に低くなり、低血糖症になることがあります。これは生命を脅かすことになりかねません。

たとえファスティングを中止することになっても、血糖値を正常に戻すために砂糖かジュースを摂取する必要があります。**ファスティング中は血糖値を注意深く監視する必要があります。**

低血糖を繰り返すときは、ファスティングがうまくいっていないのではなく、薬が過剰であることを意味します。「IDM」では、血糖値の低下を見越して、ファスティングを始める前に薬を減らしています。

しかし、**ファスティングに血糖値がどう反応するかは予測不可能なので、医師がしっかりと監視することが不可欠です。**

Q14 外食してもいい？

A 食事を伴う人づきあいは、私たちの生活に欠かせない大切な時間です。

食事やコーヒーを友人と一緒に楽しむのは、リラックスできる、かけがえのないひとときです。ファスティング中だからといって、あらゆる社交を避けるのは健康的ではないですし、ファスティングを生活に取り入れるのが、苦しくなるだけです。

ファスティングをあなたのスケジュールに合わせてみましょう。

いつもより豪華な夕食を食べる予定があらかじめわかっていたら、朝食と昼食を抜けばいいんです。

ちなみに、**ファスティングを生活に当てはめる最も簡単な方法の1つは、朝食を抜くことです。**なぜなら、**昼食や夕食のように、朝食は社交的な食事にはなりにくいから**です。平日に、誰にも気づかれずに朝食を抜くのは、比較的簡単ですね。そうすることで、いとも簡単に16時間のファスティングができます。

就業日の昼食を抜くのも、わりと簡単にできます——ランチタイムも仕事をすればいいんです！

そうすれば、難なく、24時間のファスティングが可能になります。仕事をたくさんこなせたら、早めに帰れるメリットもありますね。

忙しく働くことで、空腹を忘れられるかもしれません。

一食抜けば、お金の節約にもなりますね。

同じメンバーで毎日昼食に出かけない限り、誰にも気づかれないでしょう。

お金と時間を節約しながらやせられるのなら、悪くない話ではないでしょうか？

✓ファスティングとエクササイズについて

ファスティング中に運動をするのは難しい！

こんなイメージを持つ人が多いようですね。確かに、運動をするときには体に余分なエネルギーが必要ですが、ファスティング中に保存された食物エネルギーを使用するプロセスには変わりがありません。

エネルギーがなくなっても、筋肉は動く

結論から言うと、「エネルギーがなくなっても、筋肉は動く」のです。

体はまず、肝臓に貯蔵された糖質であるグリコーゲンを燃やすことから始めます。運動中はエネルギーの需要が増えるため、グリコーゲンが早く枯渇します。しかし、体は一般的に24時間分のグリコーゲンを貯えているので、使い果たす前にかなりの量の運動をすることができます。

ただし、トライアスロンをさらに過酷にしたアイアンマンレースの選手、マラソン選手、ウルトラマラソン選手など、持久力系アスリートは、ときどき「すべてを使い果たす」ことがあります。グリコーゲンの貯蔵が尽きて、エネルギーが空のまま筋肉を動かしている状態です（記憶に鮮明なのは、1982年のアイアンマンレースで、立ち上がることさえできずにフィニッシュラインまで這ってたどりついたアメリカ人選手ジュリー・モスの姿です）。

しかし、グリコーゲンが尽きても、体はまだ脂肪のかたちで膨大なエネルギーを貯えています。

そして**ファスティング中の体は、糖質の燃焼から脂肪の燃焼へと切り替わります。**低炭水化物の食事療法やケトジェニックダイエットをすると、体内組織が脂肪を燃焼するように訓練されます。

筋肉が脂肪を燃やし始めるとき

同様に、**ファスティング状態で運動すると、筋肉が脂肪を燃焼するように訓練されていく**のです。限られたグリコーゲン貯蔵に頼る代わりに、脂肪貯蔵からほぼ無制限にエネルギーを使えるようになります。筋肉が適応して、とにかく利用可能なエネルギー源を使えるようになるのです（これは、「すべてを使い果たした」持久系アスリートが遭遇する問題です。エネルギーにグリコーゲンではなく脂肪を使うように適応できていないのです）。

ファスティングでグリコーゲンを使い果たすと、筋肉が学習して、脂肪燃焼の効率が大幅に向上します。脂肪燃焼に特化したタンパク質の数が増加し、エネルギーのための脂肪分解が促進されます。ファスティング状態でトレーニングをした後の筋肉繊維は、利用可能な脂肪が増加しています。

こういったことはすべて、筋肉が糖質ではなく脂肪を燃やすように訓練していることの表れなのです。

パフォーマンスは下がらない

ファスティング中のパフォーマンスは低下するでしょうか？

いいえ、そうでもないのです。

ある研究から、**3日半のファスティングは、筋力、有酸素能力、有酸素性持久力などの運動能力に影響しない**というデータが出ています。

とはいえ、糖燃焼から脂肪燃焼への変化に適応している期間に、運動能力の低下に気づく場合があります。これはおよそ2週間続きます。体の糖質が使い果たされると、筋肉は脂肪の使用に順応するまで時間がかかります。エネルギー、筋力、全体的な運動能力は低下しますが、回復するのです。このプロセスを**「ケト適応」**と呼ぶこともあります。

超低炭水化物ダイエット、ケトジェニックダイエット、ファスティング状態でのトレーニングはすべて、筋肉を訓練して脂肪を燃焼させるメリットがありますが、筋肉が順応するにはある程度の時間が必要なのです。

ファスティング中でも運動できる

体は、グリコーゲンよりもはるかに多くのエネルギーを「脂肪のかたちで貯える」ことができます。

また、持久力の必要なアスリートにとっては、脂肪を燃やし始めることで利用可能なエネルギーが増えることは、大きなメリットです。

ウルトラマラソンを走っているときに、制限のある貯蔵グリコーゲンの代わりに、ほぼ無制限の貯蔵脂肪を利用できることは、**エネルギーを「使い果たさない」**ことを意味します。レースに勝つ可能性は上がるはずです。

体が貯蔵脂肪に頼っているため、ファスティング中はエネルギーが不足することはなく、通常のすべての活動を行うことができます。

だから、ファスティング中に運動を休止する理由はないのです。

ファスティングしながら体を動かすメリット

実際、多くの一流アスリートや持久力系アスリートは、ファスティング状態でトレーニングをしています。**ファスティングによって生じる低インスリン値と高アドレナリン値の組み合わせが、脂肪の分解とエネルギーの脂肪燃焼を促進する**からです。

身長188センチの俳優ヒュー・ジャックマンは、映画の役に合わせて体重を増減させていたそうです。映画『レ・ミゼラブル』のために約9キロの減量が必要だったときは、低炭水化物ダイエットを実践しました。2013年に『ウルヴァリン』の主役を演じるために筋肉をつける必要があったときは、間欠的ファスティングを取り入れました。

ファスティングをしながら運動ができるか？――もちろんです。

メリットは次の通り！

①アドレナリンが増加するため、より激しいトレーニングができる。
②成長ホルモンが増えるため、トレーニングからの回復と筋肉の構築が早くなる。
③脂肪酸酸化が増えるため、より多くの脂肪が燃焼される。

トレーニングを強化できて、筋肉もつき、その上脂肪が燃焼するなんて——まさに「パーフェクト！」と言えるのではないでしょうか。

✓ファスティング経験者　カオリ談

通常、水、コーヒー（ヘビークリームを入れる）、海塩入りのボーンブロスを摂りながら3〜5日、ファスティングをするの。

ファスティングを始めてから、体が完全に変わったわ。

毎年マラソンに出場しているけれど、今年はすごかった！　レースの最初から最後までエネルギーが続いて、昨年から30分以上もタイムを縮めることができたの。初マラソンから8歳年を取ったにもかかわらず、最速記録だったのよ。

ファスティングのおかげで間違いなく健康になったし、以前よりずっと強くなった気がするわ。

✓注意すべき問題について

健康に問題がある人は、ファスティング中の細かい観察が必要ですが、とりわけ糖尿病患者にとっては、これが不可欠です。インスリンを服用している場合は、血糖値を毎日少なくとも4回チェックしてください。震えや発汗といった低血糖の症状がある場合は、ただちに血糖値を測定するべきです。

血圧も定期的にチェックする必要があります。市販の測定器を使って自宅で測定することもできます。

電解質測定を含む定期的な血液検査については、必ず主治医と相談してください。私たちのプログラムでは、通常の電解質に加えて、カルシウム、リン、マグネシウムの値もチェックすることが多いです。

なんらかの理由で気分が悪くなった場合は、ただちにファスティングを中止して主治医に相談してください。

特に、持続性の吐き気、嘔吐、めまい、疲労、高・低血糖、嗜眠《しみん》といった症状は、間欠的または継続的なファスティング中の正常な状態ではありません。こういった症状が出たときは、すぐにファスティングを中断してください。

ただし、空腹感と便秘は正常な状態なので、対処できます（378～380、382ページ参照）。

✓ 人生を楽しむためのファスティング

本章の371ページでも触れましたが、日々の暮らしにはさまざまな出来事や予定があり、ファスティングができるときとそうでないとき、ファスティングをすべきときとそうでないときが、必ずあります。

いつも自分ファーストでいてください。

自分の都合を最優先させてこそ、充実のファスティング・ライフが実現するのです。

人生のリズムを理解する

家族や友人とのお祝いは、人生を豊かにする、大切な時間です。誰でも時には、人生の素晴らしさ、生きている幸運をかみしめる必要がありますね。

有史以来、祝祭にはごちそうがつきものです。

食べるという行為そのものが人生を祝うことであり、重要な出来事をお祝いするときは、ごちそうを食べるものなのです。

このれっきとした事実を認識しないでダイエットをすると、すべて失敗に終わってしまいます。誕生日にはケーキを食べ、感謝祭やクリスマス、結婚式などはごちそうでお祝いし、記念日に素敵なレストランに行く——これこそ、人生のささやかな楽しみです。

誕生日をサラダで祝うことはないし、結婚式にミールバーを食べることはないのです。

感謝祭の宴で、緑野菜のシェイクをがぶ飲みするなんてこともあり得ません。

1年で太りやすい時期はいつ？

人生のあらゆることに通じますが、体重増加は一定ではなく、断続的なものです。

人生には体重が増えやすい時期があります。体重増加が「正常な成長の一部」である思春期と、体重増加が「正常かつ必要な」妊娠期がまさにそうです。

毎年、**1年の体重増加の大部分は「休暇」の期間に集中**します。「感謝祭」から「新年」まではわずか6週間ですが、年間平均0・64キロの体重増加のおよそ3分の2が、この時期に起こるのです。

体重増加が年間を通じて均一でないのなら、減量努力にも変化をつけるべきだと思いませんか？　特定の時期に減量し、それ以外の時期に体重を維持する戦略が必要です。一律に同じだけのカロリーを減らそうとするダイエットは、ごちそうとファスティングが繰り返される「人生の自然なサイクル」に合わないため、失敗する運命にあります。

たくさん食べるのにふさわしいときがあります。

ほとんど何も食べてはいけないときもあります。

それが「人生の自然なサイクル」

図15-1

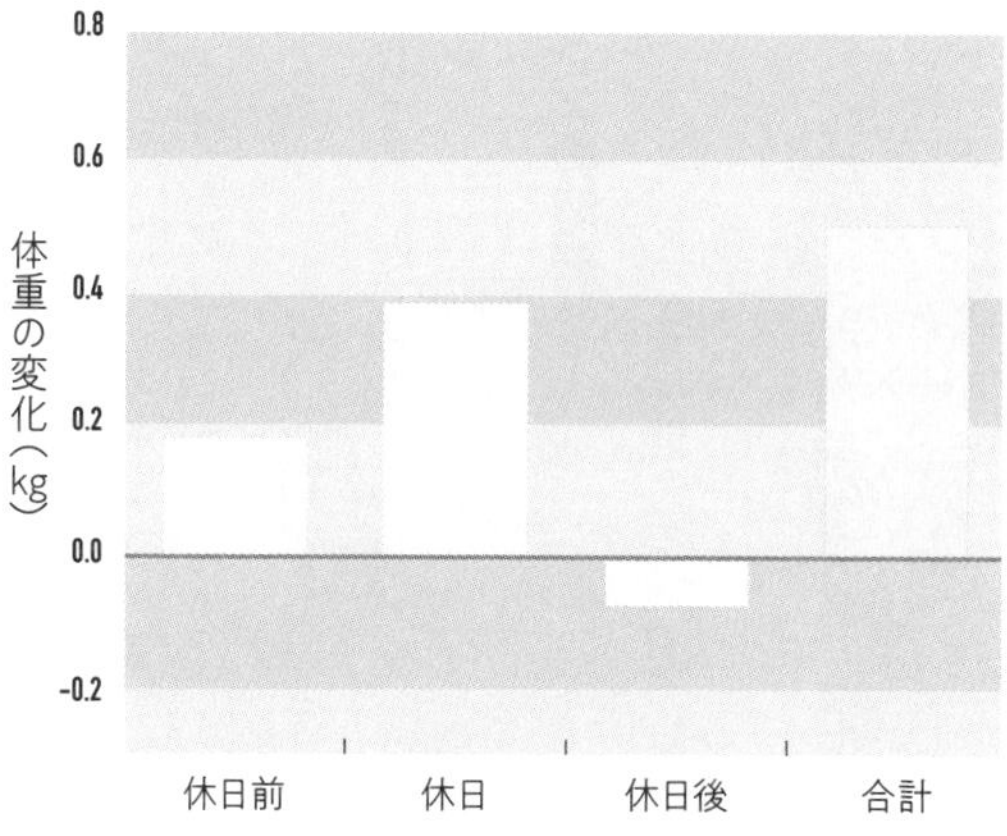

1年の体重増加の大部分は、
年末の休暇期間中に発生する。
人は常に、祝祭日をごちそうでお祝いするからだ。

出典：Yanovski et al., "A Prospective Study of Holiday Weight Gain."

です。

主要な宗教のほとんどでは、たとえばクリスマスのような特定の時期にごちそうを食べ、四旬節《しじゅんせつ》のような別の時期に、ファスティングをします。

古代文明もまた、この人生における「シンプルなリズム」を知っていました。

だから収穫の時期にごちそうを食べ、しばしば冬にファスティングをしたのです。

人生は食べるか食べないか――すべてはバランスの問題

過去50年ほどの間に、私たちはすべての「ごちそう」を堪能し尽くし、そして、すべての「ファスティング」を排除しました。

人生の自然なサイクル、正常なバランスが、乱れてしまったのです。肥満が増加したのも、当然の結果と言えるでしょう。

ごちそうを食べたら、ファスティングをする（しなければいけない）――それだけのことだったのです。

しかし、「ファスティング」をやめた結果、肥満が増えたのだとしたら、「ごちそう」をすべてやめれば、どうなるでしょうか?

おそらく、人生の楽しみがかなり減ることになりますね。

もしもあなたが、結婚式に呼ばれたのにシャンパンで乾杯もせず、ケーキも食べず、前菜にすら手をつけなかったとしたら――まさにパーティの鼻つまみ者でしょう（誰だって、そんなふうにはなりたくない（いはずです！）。

おそらく半年、あるいは1年なら、そんな生き方もなんとか、我慢してできるかもしれません。

でも、一生は？——それはさすがに、無理でしょう？

人生はいいときと悪いときの連続です。繰り返しやってくる「悪いとき」があるからこそ、今この瞬間の「いいとき」を、心から楽しみ、祝う必要があるのです。

そして、「たくさん食べる時期」と「少なめに食べる時期」のバランスを取ることが大切なのです。

すべてはバランスの問題なのです。

ファスティング経験者 ジェームズ談

私が住んでいるルイジアナ州では、食べ物が社会と伝統に大きな存在感を持っている。日常的にファスティングすることで、まったく異なる視点から「ごちそう」の重要性を実感したよ。ファスティングを経験していなければ、お祝いの目的を本当の意味で理解していなかったと思う。ファスティングのおかげで、自分が楽しんでいる地域文化や祝祭について、より深く理解することができたんだ。

祖先のケイジャン人のように、**ファスティングの時期を取り入れながらお祝いのごちそうを食べれば、肥満はずっと少なくなる**だろうね。

✓ファスティング経験者　アンバリー談

10歳未満の子ども4人を育てているわ。わが家の夕食はいつも大混乱！　子どもたち全員に食事を出したり、食べ物を切り分けたり、水のおかわりを用意したり、フォークを拾ったりした後は、子どもたちが食べ終わる前に自分の食事も済まそうと、急いで食べることになるの。

もう、食事の時間は、毎日が戦争よ！

自分がファスティングをしているときは、**夕食の時間が待ち遠しい**わ。その日の出来事を話し合ったりして、リラックスした気分になれるし、子どもたちが食べ終わる前に、自分の食事を終えている心配をしなくていいのだから。

暁《あかつき》現象って何？

ファスティング期間後に血糖値が上がると、「暁現象」に慣れていない人は困惑するかもしれません。

しばらく食べないと血糖値が上がるのはなぜでしょう？　この影響は、長期のファスティングでも確認できます。

暁現象（Dawn Phenomenon）は、約30年前に初めて解明されました。概日《がいじつ》リズム（319ページ参照）によって引き起こされ、2型糖尿病患者の最大75％に発生すると推定されていますが、程度はさまざまです。

目覚める直前（午前4時頃）に、成長ホルモン、コルチゾール、グルカゴン、アドレナリンの分泌量が上がります。これらはすべてインスリンの血糖降下作用に対抗する（つまり血糖値を上昇させる）、「対抗制御的ホルモン」と呼ばれています。

概日リズムに沿ってこういったホルモンが上昇することで、体を翌日に備えます。私たちは深く眠っているときも、それほどリラックスしているわけではなく、これらのホルモンが穏やかに目覚める準備をしているのです。

グルカゴンは肝臓にグルコースの産生を促します。アドレナリンは体にエネルギーを与えます。成長ホルモンは、細胞の修復と新しいタンパク質の合成にかかわります。ストレスホルモンであるコルチゾールは増加して、一般的な活性剤の役割を果たします。

これらのホルモンはすべて、早朝にピークに達し、その後日中に低レベルに下がるのです。そして、翌日への準備の一環として血糖値を上昇させるため、早朝に血糖値が天井知らずに上がることが予想されます。

しかし通常は、そうはなりません。

なぜか？

インスリンもまた、血糖値が上がりすぎないように、早朝に増加するためです。

糖尿病ではなくても、24時間の概日サイクルを通じての血糖値は、一定ではありません。 糖尿病ではない人の早朝の血糖値の上昇は非常に小さいため、見逃しがちなのです。

しかし、インスリン抵抗性のある人は、インスリンがブレーキをかけるのに苦労します――体がシグナルを聞き入れないからです。対抗制御的ホルモンはまだ作用しているので、血糖値は妨害されることなく上昇し、結果として、早朝に血糖値が通常よりも高くなるのです。

同じ現象は、1日を通じてファスティング中にも見られます。

ファスティング時のホルモンの変化には、成長ホルモン、アドレナリン、グルカゴン、コルチゾールの増加が含まれており、これは、目覚めの前に分泌されるのと同じホルモンの構成です。ファスティングをするとインスリン値が下がりますが、これらのホルモンが貯えたグルコースを血流に放出させて、血糖値を上昇させます。

インスリンは、グルコースを、血液という「見ることができる場所」から、「見ることができない組織（肝臓）」に移動させます。いわば、ゴミを台所からベッドの下に移動させるようなものです。**においはするけれど、その存在は見えなくなる**のです。インスリン値が下がると、「ゴミが台所に戻り始め」、血糖値が高くなるのです。

朝や長期間のファスティング中の血糖値の上昇は、厄介な問題なのでしょうか？いえ、そうでもないのです。こんなふうに考えてみましょう。

2日間ファスティングをして、血糖値が高いことに気づいたとして、そのグルコースはどこからきたのでしょう？

出所はあなた自身の体、具体的には肝臓ですね。

グルコース分子はそもそも体内にあったもので、**目に見えるようになったから心配になっただけ**です。

ファスティング中に血糖値が高くなる暁現象は、悪いことが起きているのではありません。貯蔵されたグルコースを一掃するために必要なことをしているだけです。
そして、時間が経つにつれて、ファスティングがその仕事をしてくれるのです。

WHAT IS FASTING

AND WHY IS IT GOOD FOR YOU?

具体的な「断食《ファスティング》プラン」いろいろ

CHAPTER 16

「断食（＝食を断つ）」とは言っても、
「なんにも口にできない！」というわけではないのですね。
摂取できる食べ物や飲み物、
それらを組み合わせた具体的な断食プランには、
どんなものがあるのでしょうか？

（1）原書に記載の材料は、できる限りそのまま残してありますが、日本で入手しにくいものには［※］を付して材料の代案を併記しています。

（2）「入手困難な場合は入れなくてもよい」という材料には［☆］を付しています。

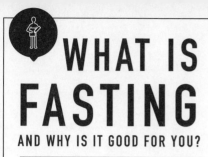

✓ ファスティング中に摂取できるものは何？

ファスティング期間中に摂取できるのは、「水」「お茶とコーヒー（ホットまたはアイス）」「自家製ボーンブロス（スープ）」のみ、です。具体的な食事プランを見る前に、ファスティング継続の力強い味方になる飲み物や、飲み物に加えられる食品類をざっとご紹介します（11章も参照）。

✓ 水

ファスティングをするときは、「普通の水」「ミネラル水」「炭酸水」など、いろんなタイプの水を、1日中ひんぱんに飲みましょう。

水に加えられるもの

- ライム
- レモン
- 果物のスライス（果実そのものを食べたりフルーツジュースを摂るのはＮＧ）
- 酢（ろ過されていない、濃縮還元ではないリンゴ酢がおすすめ）
- ヒマラヤ岩塩　〔※〕岩塩

・チアシード、亜麻仁の粉末［☆］（水1カップに対して大さじ1）

水に加えてはいけないもの

・甘味粉末や液体（砂糖が含まれていなくてもNG）

✓コーヒー

ファスティングの日に最大6杯のコーヒーを飲めます。カフェイン入りもカフェイン抜きもOKです。ブラックコーヒーが望ましいですが、必要に応じて、コーヒーカップ1杯につき脂肪を大さじ1杯まで加えてもいいです（加えてもOKの「脂肪」などについては次のリストを参照）。

また、無糖のアイスコーヒーを飲んでもいいでしょう。いつも通りにコーヒーを淹れて冷やすか、氷を満たしたグラスに注ぎます（ブレットプルーフ・コーヒーについては424ページ参照）。

（＊1）日本人は白人よりカフェイン耐性が低いとされており、最大量には考慮が必要。

コーヒーに加えられるもの

・ココナッツオイル
・MCTオイル（中鎖トリグリセリドオイル）

・バター
・ギー
・生クリーム（乳脂肪分35％以上）
・ハーフ&ハーフ（低脂肪の生クリーム）〔※〕エバミルク
・全乳（成分無調整牛乳）
・フレーバー用の粉末シナモン

！注意

ハーフ&ハーフは低脂肪の生クリームのことですが、日本で買える一番近い市販品としては「エバミルク」がおすすめです。または、市販の生クリームを2～3倍量の牛乳で割って使用することもできます。

コーヒーに加えてはいけないもの

・低脂肪と脱脂乳をなるべく避ける（全乳〈成分無調整牛乳〉のほうが良い）
・粉末の乳製品
・あらゆる種類の天然または人工甘味料

✓お茶

ファスティング期間中は、お茶ならいくら飲んでも大丈夫です。種類も豊富で選ぶ楽しさがあります。また、お茶には食欲を抑えたり、血糖値を下げたりなど、いくつものいい効果があります。

- **緑茶**：食欲を抑制する
- **シナモンチャイティー**：血糖値を下げる・甘いものがほしいときに抑制効果がある
- **ペパーミントティー**：食欲を抑制する・ガスや膨満感など胃腸の不快感を緩和する
- **ゴーヤ茶**：血糖値を下げる効果がある
- **紅茶**：血糖値を下げる効果がある
- **ウーロン茶**：血糖値を下げる効果がある

ファスティング中はストレートで飲むのがベストですが、必要に応じて1カップに大さじ1までなら脂肪を加えてもOKです（加えてもいい脂肪については、407〜408ページのリストを参照）。

冷蔵庫で冷やしたハーブティーや、氷をたっぷり入れた無糖のアイスティーもおすすめです。424ページのコーヒーのレシピをアレンジして「ブレットプルーフ・ティー」（防弾ティー）」を作ってもいいですね。

お茶に加えられるもの

・ココナッツオイル
・MCTオイル（中鎖トリグリセリドオイル）
・バター
・ギー
・生クリーム（乳脂肪分35％以上）
・ハーフ&ハーフ（低脂肪の生クリーム）［※］エバミルク
・全乳（成分無調整牛乳）
・フレーバー用の粉末シナモン
・レモン

お茶に加えられないもの

・低脂肪と脱脂乳をなるべく避ける（全乳〈成分無調整牛乳〉のほうが良い）
・粉末の乳製品
・あらゆる種類の天然または人工甘味料

✓ 自家製ボーンブロス（骨つき鶏もも肉のスープ）

最初の数回のファスティング中に立ちくらみを経験することは珍しくありません。これは、脱水と電解質レベルの低下によって引き起こされるもので、良質のボーンブロス（427ページ参照）を摂れれば、簡単に改善できます。

野菜スープでも効果がありますが、ボーンブロスにはゼラチンが含まれているため、関節炎に効くなど、野菜スープにはない利点が1つあります。

このスープなら、ファスティングを乗りきるために必要であれば、いくら飲んでもかまいません。時間が経つにつれて、飲むスープの量が減っていくはずです。

ボーンブロスに加えられるもの

・葉物野菜など、地面の上で育つ野菜ならなんでも
・にんじん
・玉ねぎまたはエシャロット
・ゴーヤ
・動物の肉や骨
・魚の肉や骨
・ヒマラヤ岩塩 ［※］岩塩

・ハーブ（乾燥または生）とスパイス
・亜麻仁の粉末［☆］（スープ1カップに対して大さじ1）

ボーンブロスに加えられないもの
・あらゆる種類の野菜ピューレ
・じゃがいも、山いも、ビート、かぶ
・店で買ったスープ（オーガニックであっても避ける）

✓ 24時間のファスティング計画《プラン》

24時間のファスティング計画では、週3回、昼食から次の昼食まで、または夕食から次の夕食まで、ファスティングを行います。

1日16時間のファスティングも含まれています（単に、ファスティングの日以外に朝食を抜いて8時間の時間枠の中で食事をするだけです。詳細は316ページの「16時間のファスティング」を参照）。

インテンシブ・ダイエタリー・マネジメント・プログラム（「IDM」＝集中的な食事管理プログラム）では、この計画が緊急性のない減量に有効なことがわかっています。

もう少し集中度が低い内容を希望する場合は、週に2回だけ24時間のファスティングを行ってもいいでしょう。

週3回、24時間のファスティング計画のサンプル

	朝食	昼食	夕食
日	断食	ケールとイチゴのサラダ（452ページ参照）	ガーリックチキンフィンガー（444ページ参照）・ポーク・ラインズのアボカドフィンガーフライ（456ページ参照）
月	断食	断食	2種のスパイス入り・スタッフドピーマン（440ページ参照）
火	断食	ルッコラとプロシュートのサラダ（448ページ参照）	スパイシー・チキンウィングス（443ページ参照）の野菜のスライスとバルサミコ酢のビネグレット添え
水	断食	断食	ポーク・ラインズのベイクドチキン（436ページ参照）
木	断食	アボカド、トマト、きゅうりのサラダ（455ページ参照）	鶏手羽元のベーコン巻き（439ページ参照）のピーマン添え
金	断食	断食	ステーキファヒータ（447ページ参照）
土	断食	3種のベリーパフェ（423ページ参照）	穀物不使用カリフラワーピザ（435ページ参照）

※この表は夕食から夕食までのファスティング例ですが、昼食から昼食までファスティングをしてもいいです。

ファスティングをしない日は、精製された炭水化物が少なく、天然油脂が多い食事をおすすめします。未加工の食品を丸ごと（ホールフード）食べるように努め、加工食品や総菜はできるだけ避けましょう。

生活に取り入れやすい断食《ファスティング》スタイル

この計画では、毎日食事をします。

ですから、**食物と一緒に薬を服用する人には理想的**ですね。

また、**日々のスケジュールに合わせやすいというメリット**もあります。

誰にとっても夕食は大事な時間です。単なる食事の時間ではなく、配偶者やパートナー、子どもなど、家族が集うかけがえのないひとときでもありますから。

このスケジュールなら、家族との食事時間を楽しめますし、仕事のスケジュールにも簡単に組み込めると思います。

前ページの表は、週3回、24時間のファスティングを行う場合の一例です。

日曜日の午後7時30分に夕食を終えると、月曜日の午後7時30分の夕食まで食事をしません。メニューリストでは、**健康的な脂肪を多く含む低炭水化物メニュー**を提案しています。

✓ 36時間のファスティング計画

36時間のファスティング計画では、少なくとも週に3日は終日食事をしません。24時間のファスティング計画とは違って、ファスティングの日に食事を摂らず、水分のみを摂取します（406〜412ページ参照）。

24時間のファスティング計画（412〜414ページ参照）よりも**減量に効果的**であり、ファスティングの時間が長いほど**血糖値が下がりやすい**ので、前糖尿病（糖尿病予備軍）の人にも適しています。

また、24時間のファスティング計画のようにファスティングの日に一食摂るよりも、終日食べないシンプルさを好む人もいます。

ファスティングをしない日は、精製された炭水化物が少なく、天然油脂が多い食事をおすすめします。未加工の食品を丸ごと（ホールフード）食べるようにし、加工食品や総菜はできるだけ避けましょう。

次ページの表は、週3回、36時間のファスティングを行う場合の一例です。日曜日の午後7時30分に夕食を終えると、火曜日の朝7時30分の朝食まで食事をしません。ファスティングをしない日は、朝食、昼食、夕食を摂っても大丈夫です。

週3回、36時間のファスティング計画のサンプル

	朝食	昼食	夕食
日	穀物不使用パンケーキ（428ページ参照）のベーコン添え	梨とルッコラと松の実のサラダ（451ページ参照）	穀物不使用カリフラワーピザ（435ページ参照）・ほうれん草サラダ
月	断食	断食	断食
火	自家製ベーコン（432ページ参照）・スクランブルエッグ	アボカド、トマト、きゅうりのサラダ（455ページ参照）	ポーク・ラインズのベイクドチキン（436ページ参照）・さやいんげんのマスタードソテー（459ページ参照）
水	断食	断食	断食
木	ミニ・フリッタータ（431ページ参照）	ケールとイチゴのサラダ（452ページ参照）	ステーキファヒータ（447ページ参照）
金	断食	断食	断食
土	3種のベリーパフェ（423ページ参照）・ブレットプルーフ・コーヒー（424ページ参照）	ガーリックチキンフィンガー（444ページ参照）・ポーク・ラインズのアボカドフィンガーフライ（456ページ参照）	2種のスパイス入り・スタッフドピーマン（440ページ参照）

※ファスティングの日には、いかなる種類の食事も軽食も摂りませんが、
ファスティング用の水分は摂ります（406～412ページ参照）。

42時間のファスティング計画

42時間のファスティング計画では、少なくとも3日間は終日ファスティングをし、毎日朝食を抜きます。ファスティングの日は、ファスティング用の水分補給（406〜412ページ参照）だけが許されます。

「IDM」では、通常、42時間のファスティング計画を2型糖尿病患者の治療に役立てています。**長期にわたるファスティングによって、血糖値とインスリン値を下げる時間が長くなる**のです。

ただし薬を服用している場合は、低血糖を避けるために、この計画を行う前に医師に相談する必要があります。いくら血糖値を下げたくても、薬の量が多すぎると、血糖値が低くなりすぎる可能性があります。その時点で、糖分を摂取して血糖値を上げるしか選択肢がなくなるかもしれません――それではファスティングをする意味がなくなってしまいます。

ファスティングをしない日（食べる日）には、精製された炭水化物が少なく、天然油脂が多い食事をおすすめします。未加工の食品を丸ごと（ホールフード）食べるようにし、加工食品や総菜はできるだけ避けましょう。

次ページの表は、週3回、42時間のファスティングを行う場合の一例です。日曜日の午後7時30分に夕食を終えると、火曜日の午後1時30分の昼食まで食事をしません。ファスティングをしない日は朝食を抜いて、昼食と夕食のみを摂ります。

週3回、42時間のファスティング計画のサンプル

	朝食	昼食	夕食
日	断食	ルッコラとプロシュートのサラダ（448ページ参照）	ポーク・ラインズのベイクドチキン（436ページ参照）・カリフラワーライス（460ページ参照）
月	断食	断食	断食
火	断食	鶏手羽元のベーコン巻き（439ページ参照）・にんじんとセロリのスティック	梨とルッコラと松の実のサラダ（451ページ参照）
水	断食	断食	断食
木	断食	ケールとイチゴのサラダ（452ページ参照）・スライスしたアボカド	ステーキファヒータ（447ページ参照）
金	断食	断食	断食
土	断食	穀物不使用パンケーキ（428ページ参照）	2種のスパイス入り・スタッフドピーマン（440ページ参照）

※ファスティングの日には、いかなる種類の食事も軽食も摂りませんが、ファスティング用の水分は摂ります（406~412ページ参照）。朝食は、ファスティングをしない日もファスティングをする日も摂りません。

✓ 7〜14日間のファスティング計画

このファスティング計画では、7〜14日間連続してファスティングを行います。つまり7〜14日間連続で食事や軽食を摂らないということです。ファスティング期間中は、ファスティング用の水分補給（406〜412ページ参照）のみ、OKです。

IDMでは、通常、この計画を重度の糖尿病患者や、病的な肥満の患者の治療に取り入れています。治療は待ったなしのため、この計画を開始したら、その後42時間のファスティング計画（417〜418ページ参照）に移行します。

この計画は、体重が減らなくなったときや、休暇や旅行で体重が増えた後などに役立ちます。結婚式や誕生会などのお祝い事、年末年始の後はこのファスティング計画が効果的だとわかっていれば、罪悪感なしにハレの日を楽しむことができますね。

ただ、非常に集中的に行うので、医師の監督の下で実践してください。

薬を服用している人は、ファスティングを始める前に調整が必要になるでしょう（386〜387ページ参照）。

この計画では、微量栄養素の欠乏を防ぐために、一般的なマルチビタミンを毎日摂ることをおすすめします。主治医にファスティング中の血液検査をしてもらってもいいでしょう。

空腹はずっとは続かない

繰り返しになりますが、空腹感は、ずっとは続きません。

通常、**7〜14日間のファスティング計画で最も辛いのは「2日目」**です。

空腹ホルモンであるグレリンの研究によると、長期にわたるファスティングの2日目に値がピークに達し、その後低下します。たいていは、日が経つにつれて楽になるのです。

ほとんどの人は、**7日後にはファスティングを永遠に続けられそうな気分になる（！）**とまで話しています。

ただ、リフィーディング症候群のリスクがあるため（363ページ参照）、私たちのプログラムで14日を超えてファスティング期間を延長することは、ほとんどありません。

代わりに、36時間の計画（415ページ参照）や42時間の計画（417ページ参照）などの1日おきのファスティングをやってから、7〜14日間のファスティングをリピートするようにすすめています。7日間のファスティングは1か月に1回、14日間のファスティングは6週間に1回以下にすることをおすすめします。

ファスティング中のいずれかの時点で気分が悪くなった場合は、いかなる場合もただちに中止してください。

この計画では、たとえば、日曜日の朝から土曜日の夜まで継続して、少なくとも丸7日間は食事も軽食も摂りません。

CHAPTER 17

RECIPES

断食《ファスティング》レストランへ、ようこそ!

え? ファスティングの本なのに「料理レシピ」!?
そうなのです。
間欠的または長期にわたるファスティングは、
あくまで“健康的な食事”パターンの一部です。
健康的な食事には2つの要素があります——
「食べること(摂食)」と「食べないこと(ファスティング)」です。
「健康断食」の実践には、「食べるとき」と「食べないとき」、
この両方をバランスよく取り入れるのが理想的なのです。
永遠に食べないわけにはいかないのですから!
本章では、ファスティング計画に組み込むことができる
おすすめレシピをご紹介します。

(1) 原書に記載の材料は、できる限りそのまま掲載してありますが、日本で入手しにくいものには[※]を付して材料の代案を併記しています。
(2) 「入手困難な場合は入れなくてもよい」という材料には[☆]を付しています。
(3) 黒こしょうはできるだけ挽きたてのものを使用します。
(4) 材料、分量、作り方などは、日本の読者に作りやすいよう、適宜アレンジしている箇所もあります。

RECIPES

01

3種のベリーパフェ

準備時間　15分、冷やすのに30分（お好みで）

調理時間　10分　　できあがり　1人分

材料

生クリーム（乳脂肪分35%以上）……120ml
純度100%のココアパウダー……大さじ1
バニラエッセンス……数滴（お好みで）
アーモンド……6個（砕いたもの）
クルミ……6個（砕いたもの）
イチゴ……3個（さいの目切り）
ラズベリー……15粒
ブラックベリー［☆］……15粒
ブルーベリー……10粒
亜麻仁の粉末［☆］……大さじ1
チアシード……大さじ¼
シナモン……小さじ½

作り方

1 生クリームをボウルに入れ、ココアパウダーとバニラエッセンスを入れてかき混ぜ、泡立て器で角がピンと立つまでホイップする。

2 暑い日なら、生クリームのボウルを冷蔵庫に30分入れて冷やす。

3 1にナッツとベリーを加えて混ぜる。

4 亜麻仁の粉末とチアシードを混ぜ、お好みでシナモンをふりかける。

ヒント　ブラックベリーを使わないときは、ブルーベリーの量を少し増やして20粒くらいにします。

RECIPES 02

ブレットプルーフ・コーヒー

準備時間　2分

調理時間　5分　　できあがり　1人分

材料

淹れたてのコーヒー……1カップ
ココナッツオイルまたはMCTオイル……大さじ1
バター……大さじ1
生クリーム（乳脂肪分35%以上）……大さじ2

作り方

コーヒーにココナッツオイルまたはMCTオイル、バター、生クリームを加え、クリーミーになるまで小さめの泡立て器かスプーンで混ぜる。

ヒント ブレットプルーフ・コーヒー（別名：「防弾コーヒー」）は、近年とても人気の飲み物です。ファスティングの日に１日１回、気持ちを落ち着かせたり、空腹を紛らわすために飲むことができます。昼食を抜く日は、目を覚ましてからランチタイムまでの間に飲むのがおすすめです。

RECIPES

03

自家製ボーンブロス

準備時間 10分

調理時間 1時間(寝かせる時間は除く) できあがり 約3リットル

材料

水……3リットル
リンゴ酢またはワインビネガー……大さじ2
骨つき鶏もも肉……約450グラム
玉ねぎ……1/2個
にんじん……中2本
セロリ……5本
赤ピーマン……1/2個
ピーマン……1/2個
ヒマラヤ岩塩 [※]岩塩……大さじ1/2
黒こしょう(ホール)……大さじ1/2
乾燥ハーブ(または生ハーブ)、スパイス……適宜

作り方

1. 分量の水を厚手の鍋に入れ、リンゴ酢またはワインビネガーを加える。
2. 1に骨つき鶏もも肉を入れて30分待つ。その間に、野菜を粗みじん切りにする。
3. 玉ねぎ、にんじん、セロリ、赤ピーマン、ピーマン、ヒマラヤ岩塩、黒こしょう、乾燥ハーブとスパイスを鍋に入れる。生ハーブを使う場合は4の最後で入れる。
4. 強火で加熱し、ふつふつとしてきたら弱火にする。1時間ほど加熱したら火を止めて、保温しながら半日寝かせる。
5. 冷めたら、肉、野菜を取り出す。
6. 冷蔵庫で5日間保存できる。ふた付きの容器やジッパー付きの冷凍可能な保存袋や製氷器で凍らせると、冷凍庫で4か月間保存できる。

ヒント **風味をさらに良くするコツは、下ごしらえとして、骨つき鶏もも肉をクッキングシートを敷いた天板に載せ、150度に温めたオーブンで30分焼くこと。**

RECIPES 04

穀物不使用パンケーキ

準備時間　10分

調理時間　30分

できあがり　1人分（2～3枚）

材料

卵……2個

生クリーム（乳脂肪分35%以上）……1/2カップ

バニラエッセンス……数滴

はちみつまたはエリスリトール［☆］……大さじ1/2

ココナッツフラワー……1/4カップ

ベーキングパウダー……小さじ1/2

ヒマラヤ岩塩　［※］岩塩……小さじ1/4

バターまたはココナッツオイル……大さじ1

作り方

フライパンまたはホットプレートを中火で予熱する。

ボウルで、卵、生クリーム、バニラエッセンス、はちみつまたはエリスリトールを混ぜる。

別のボウルで、ココナッツフラワー、ベーキングパウダー、ヒマラヤ岩塩を混ぜる。

2の材料を3のボウルに混ぜ込む。

フライパンまたはホットプレートにバターまたはココナッツオイルを溶かす。

4の種を大さじ2～3杯分注いで、直径約8センチのパンケーキを作る。両面を2～3分焼く。残りの種も同じようにする。

お好みで、生クリーム、バター、シナモン（分量外）をトッピングする。

RECIPES

05

ミニ・フリッタータ

準備時間 15分

調理時間 20分　　できあがり 1人分（4個）

材料

卵 ………… 2個
ほうれん草 …… 1/2カップ（粗みじん切り）
ミニトマト ………… 4個（半分に切る）
赤ピーマン（大）
………… 1/3個（さいの目切り）
ピーマン ………… 2個（さいの目切り）
ねぎ ………… 1/6本（小口切り）
チェダーチーズのすりおろし
………… 大さじ山もり2杯（30グラム）
ヒマラヤ岩塩 ［※］岩塩 ………… 大さじ1
黒こしょう ………… 小さじ1
ベーコン ………… 4枚

作り方

1 オーブンを170度に予熱する。マフィン型にバターまたはココナッツオイル（分量外）を塗る。

2 ボウルで、卵、ほうれん草、ミニトマト、赤ピーマン、ピーマン、ねぎ、チェダーチーズ、ヒマラヤ岩塩、黒こしょうを混ぜる。

3 ベーコンをマフィン型の内側にはりつける。余ったら切り取って刻み、**2**のボウルに加える。

4 マフィン型に種を4分の3ぐらいまで入れ、お好みでチェダーチーズをトッピングする（分量外）。

5 **4**をオーブンに入れて約20分（または上部が色づくまで）焼く。

6 オーブンから取り出し、10分冷ます。

ヒント **チーズが好きな人は、チェダーチーズは多めにしてもおいしいです。タンパク質も摂れます。**

RECIPES 06

自家製ベーコン

準備時間　15分　　できあがり　約900グラム

調理時間　2時間（寝かせるのに5~7日／冷やすのに12時間は除く）

材料

豚バラ肉……900グラム

ヒマラヤ岩塩　[※]岩塩……45~180グラム（肉の重量の5~20%が目安）

黒こしょう……大さじ2

乾燥ハーブとスパイス……適宜

作り方

豚バラ肉を水ですすぎ、ペーパータオルで軽くたたいて水気を取る。

ボウルに、ヒマラヤ岩塩、黒こしょう、乾燥ハーブとスパイスを入れて混ぜ、豚バラ肉の表面にこすりつける。

豚バラ肉を密閉容器に入れ、5~7日間冷蔵庫で寝かせる。長く寝かせるほど風味が強くなる。毎日豚バラ肉をひっくり返す。

豚バラ肉を冷蔵庫から取り出し、ヒマラヤ岩塩、黒こしょう、ハーブとスパイスを水で洗い流す。ペーパータオルで軽くたたいて水気を取る。

オーブンを110度に予熱する。

天板に焼き網を置き、豚バラ肉を、脂身側を上にして載せる。

肉の内部が約65.6度に達するまで焼く。通常、1時間半~2時間かかる。

豚バラ肉をオーブンから取り出し、30分冷ます。

肉をクッキングシートで包み、冷蔵庫で一晩（12時間以上）寝かせる。

肉を好みの厚さにスライスする。これで自家製ベーコンのできあがり。さまざまな調理に使うことができる。冷蔵庫で5日間、冷凍庫で2か月間保存できる。

ヒント　**おいしいベーコンを作るには、温度管理がとても大切。調理用の温度計を、ぜひ使ってみてください。**

RECIPES

07

穀物不使用カリフラワーピザ

準備時間 10分

調理時間 35分

できあがり 約20センチのピザ1枚

材料

カリフラワー……中1株（約450グラム）
卵……2個
ヒマラヤ岩塩 [※]岩塩……小さじ1
乾燥オレガノ……小さじ1
ガーリックパウダー……小さじ1
ピザトッピング……適宜

作り方

1 オーブンを200度に予熱する。天板にクッキングシートを敷く。
2 フードプロセッサーでカリフラワーを細かく刻み、ボウルに移す。
3 **2**に卵、ヒマラヤ岩塩、オレガノ、ガーリックパウダーを加えてよく混ぜる。
4 ボウルの中身を天板の中央に置いて、手で広げて形を整え、ピザの生地を作る。
5 **4**をオーブンに入れ、約20分（または少し色がつくまで）焼く。
6 お好みのトッピングを追加し、さらに10〜15分（表面に焦げめがつくまで）焼く。

RECIPES

08

ポーク・ラインズのベイクドチキン

準備時間　15分

調理時間　45分

できあがり　1人分

材料

- ポーク・ラインズ（豚皮を揚げたスナック菓子）　[※]市販のスナック菓子「イカ天」……大さじ4
- ヒマラヤ岩塩　[※]岩塩……大さじ1/4
- 黒こしょう……小さじ1/2
- パプリカパウダー……小さじ1/2
- 卵……1/2個
- 鶏もも肉（皮つき）……1枚

作り方

オーブンを180度に予熱する。 天板にクッキングシートを敷く。

ポーク・ラインズを密封できるビニール袋に入れ、 手で押しつぶしてパン粉の形状にする。 ヒマラヤ岩塩、 黒こしょう、 パプリカパウダーを、 砕いたポーク・ラインズに加え、 調味料とポーク・ラインズが完全に混ざるまでよくふる。

卵をボウルに割り入れて、 かき混ぜる。

鶏もも肉をひと口大に切り、 **3**に入れ、 からませる。

卵でコーティングした鶏もも肉を、 砕いたポーク・ラインズと調味料が入った袋に入れる。 ふって、 よくまぶしつけてから取り出し、 天板に並べる。

5をオーブンに入れ、25～30分（または鶏肉にこんがりと色がつくまで）焼く。途中、 衣が焦げてきたら、 アルミホイルをかける。

RECIPES

09

鶏手羽元のベーコン巻き

準備時間 5分

調理時間 30分

できあがり 1人分（4本）

材料

ベーコン……4枚

鶏手羽元……4本

ヒマラヤ岩塩 [※]岩塩……小さじ1と$\frac{1}{2}$

黒こしょう……小さじ1

作り方

1 オーブンを200度に予熱する。天板にクッキングシートを敷く。

2 ベーコンを鶏手羽元の下部から上部に向かって巻きつける（ようじなどで留めてもよい）。ベーコンの巻き終わりを下にして準備した天板に載せて、ヒマラヤ岩塩、黒こしょうで味つけをする。

3 **2**をオーブンに入れ、25～30分（またはベーコンがカリッとおいしそうに見えるまで）焼く。

RECIPES

10

2種のスパイス入り・スタッフドピーマン

準備時間　10分

調理時間　45分

できあがり　1人分(2個)

材料

バター …… 大さじ1/4
にんにく …… 1/4片(みじん切り)
玉ねぎ …… 1/4個(さいの目切り)
ヒマラヤ岩塩　[※]岩塩 …… 小さじ1/4
黒こしょう …… 小さじ1/8
パプリカパウダー …… 小さじ1/4
チリパウダー …… 小さじ1/4
ミニトマト …… 5個(半分に切る)
鶏ひき肉 …… 120グラム
卵 …… 1/2個(割りほぐす)
大きめのピーマンまたはパプリカ …… 大1個(半分に切る)

作り方

オーブンを180度に予熱する。 天板にクッキングシートを敷く。

フライパンを中火で熱してバターを溶かす。

にんにく、 玉ねぎ、 ヒマラヤ岩塩、 黒こしょう、 パプリカパウダー、 チリパウダーを加え、 5～7分 (材料がしんなりするまで) 炒めたら、 トマトを加える。

鶏ひき肉を加えて、 時折かき混ぜながら約7分 (うっすら焦げ目がつくまで) 炒める。

4をボウルに移し、 卵を入れてゆっくりと混ぜる。

準備した天板に、 半分にカットしたピーマンを並べ、 5を詰める。

6をオーブンに入れ、 約25分 (ピーマンが少しやわらかくなるまで) 焼く。

※写真は4人分のイメージになります。

RECIPES

11

スパイシー・チキンウィングス

準備時間 10分

調理時間 25分

できあがり 1人分（5本）

材料

手羽先……5本

ヒマラヤ岩塩 [※]岩塩……大さじ$\frac{1}{3}$

黒こしょう……小さじ$\frac{1}{3}$

ベーキングパウダー……大さじ$\frac{1}{3}$

パプリカパウダー……小さじ$\frac{1}{3}$

ガーリックパウダー……小さじ$\frac{1}{3}$

ココナッツオイル……小さじ2

チリソース……小さじ2

作り方

1. 手羽先を水で洗い、キッチンペーパーで軽くたたいて水気を取る。
2. ボウルに、ヒマラヤ岩塩、黒こしょう、ベーキングパウダー、パプリカパウダー、ガーリックパウダーを入れて混ぜる。
3. 手羽先を密封できるビニール袋に入れて、**2**のスパイスを加える。袋を密封してふり、手羽先にすり込む。
4. フライパンを中火で熱する。温めたフライパンにココナッツオイルを溶かす。
5. **3**をフライパンに入れて蓋をし、10～12分（うっすら焦げ目がつくまで）焼く。
6. ひっくり返し、同様に焼く。
7. フライパンから取り出して、5分冷ます。
8. 手羽先にチリソースを塗る。

RECIPES 12

ガーリックチキンフィンガー

準備時間　10分

調理時間　30分

できあがり　1人分

材料

- 鶏の胸肉……1枚(約230グラム)(細めの食べやすい大きさに切る)
- ポーク・ラインズ(豚皮を揚げたスナック菓子)［※］市販のスナック菓子「イカ天」……1/2カップ(砕いたもの)
- ヒマラヤ岩塩　［※］岩塩……大さじ1/2
- 黒こしょう……小さじ1/2
- パプリカパウダー……小さじ1/2
- ガーリックソルト……小さじ1/2
- 卵……1個
- チリソース……適宜

作り方

オーブンを180度に予熱する。天板にクッキングシートを敷く。

細く切った鶏肉を洗い、キッチンペーパーで軽くたたいて水気を取る。

ボウルに、砕いたポーク・ラインズ、ヒマラヤ岩塩、黒こしょう、パプリカパウダー、ガーリックソルトを混ぜる。中身を密封できるビニール袋に移す。

ボウルに卵を割り入れて、よく混ぜる。鶏肉を卵につけてコーティングする。

4を**3**の袋に入れる。袋を密封してふり、鶏肉に衣をつける。

準備した天板に**5**を並べて、オーブンに入れる。10～15分焼く。途中、衣が焦げてきたら、アルミホイルをかける。

鶏肉をひっくり返し、10～15分(こんがりと色がつくまで)焼く。

7をオーブンから取り出し、5分冷ましてできあがり。

チリソースを添える。

ステーキファヒータ

準備時間 10分

調理時間 25分

できあがり 1人分

材料

ヒマラヤ岩塩 [※]岩塩……大さじ$\frac{1}{2}$
黒こしょう……小さじ$\frac{1}{4}$
牛肩ロース……230グラム
バター……大さじ1
ピーマン……$\frac{1}{2}$個（さいの目切り）
赤ピーマン……$\frac{1}{2}$個（さいの目切り）
黄ピーマン……$\frac{1}{2}$個（さいの目切り）
玉ねぎ……$\frac{1}{4}$個（粗みじん切り）
レタス……2枚

▶トッピング

- サワークリーム
- グアカモーレ [※]アボカドのディップ
- ピコ・デ・ガヨ [※]サルサソース
- ライムのくし切り
- すりおろしたチェダーチーズ

作り方

1 ヒマラヤ岩塩、黒こしょう（各半量）で、牛肩ロースに下味をつける。

2 フライパンを中火で熱し、バター（半量）を溶かす。

3 3種類のピーマンと玉ねぎを加え、残りのヒマラヤ岩塩と黒こしょうで味つけする。ピーマンがやわらかくなるまで、ときどきかき混ぜながら10分ほど炒める。

4 別の大きなフライパンを中火で熱し、残りのバターを溶かす。

5 **1**の牛肉を**4**に入れ、片側ずつ3～5分（焦げ目がつくまで）焼く。

6 両方のフライパンを火からおろす。

7 牛肉を5～10分冷ましてから、好みの厚さにスライスする。

8 スライスした牛肉と2～4等分した野菜を、大きなレタスの葉に載せる。お好みのファヒータのトッピングを加える。

RECIPES 14

ルッコラとプロシュートのサラダ

準備時間　10分

調理時間　5分　　できあがり　1人分

材料

ルッコラ（手でちぎったもの）……1カップ

生ハムの薄切り……6枚

トマト……大1個（さいの目切り）

グリーンオリーブ（種なしスライス）……大さじ3

▸ドレッシング

・エキストラバージンオリーブオイル……大さじ1

・バルサミコ酢……小さじ1

作り方

1. 器に、ルッコラ、生ハム、トマト、オリーブを入れて混ぜる。
2. オリーブオイルとバルサミコ酢を混ぜておく。
3. 1に2をかけてからめる。

RECIPES

15

梨とルッコラと松の実のサラダ

準備時間 10分

調理時間 5分

できあがり 1人分

材料

ルッコラ（手でちぎったもの）……1カップ
梨（洋梨あるいは和梨）……1/4個（薄切り）
松の実……大さじ3
レモン……1/2個
エキストラバージンオリーブオイル……大さじ3
ヒマラヤ岩塩［※］岩塩……適宜
黒こしょう……適宜

作り方

1 器に、ルッコラ、梨、松の実を合わせる。
2 レモンを絞った汁を1にかける。
3 1にオリーブオイルを回しかけ、お好みで、ヒマラヤ岩塩、黒こしょうで味つけする。

ヒント 日本の梨（和梨）は、洋梨同様、サラダに入れてもとてもおいしいです。

RECIPES 16

ケールとイチゴのサラダ

準備時間 10分

調理時間 5分

できあがり 1人分

材料

ケール …… 6枚
イチゴ …… 10個(さいの目切り)
クルミ …… 大さじ3(粗みじん切り)
バルサミコ酢 …… 大さじ1
エキストラバージンオリーブオイル …… 大さじ3
ヒマラヤ岩塩 [※]岩塩 …… 適宜
黒こしょう …… 適宜

作り方

1. 器に、手でちぎったケール、イチゴ、クルミを合わせる。
2. 1にバルサミコ酢とオリーブオイルを回しかけ、お好みで、ヒマラヤ岩塩、黒こしょうで味つけする。

RECIPES

17

アボカド、トマト、きゅうりのサラダ

準備時間 15分

調理時間 5分

できあがり 1人分

材料

きゅうり……1本（さいの目切り）
ミニトマト……10個（半分に切る）
アボカド……1個（さいの目切り）
グリーンオリーブ（種なし）……6個（半分に切る）
フェタチーズ[※]……$\frac{1}{4}$カップ

[※] クリームチーズ、モッツァレラチーズ、カッテージチーズ

バルサミコ酢……大さじ1
エキストラバージンオリーブオイル……大さじ3
ヒマラヤ岩塩　[※]岩塩……小さじ1
黒こしょう……小さじ$\frac{1}{2}$

作り方

1 器に、きゅうり、ミニトマト、アボカド、オリーブを合わせ、ほぐしたフェタチーズをふりかける。

2 1にバルサミコ酢とオリーブオイルを回しかけ、ヒマラヤ岩塩と黒こしょうで味つけする。

RECIPES 18

ポーク・ラインズの アボカドフィンガーフライ

準備時間 15分

調理時間 15分

できあがり 1人分

材料

ポーク・ラインズ（豚皮を揚げたスナック菓子） [※] 市販のスナック菓子「イカ天」……1/2カップ
ヒマラヤ岩塩 [※] 岩塩……大さじ1/2
乾燥ハーブとスパイス……適宜
アボカド……1個（6~7ミリ厚のスライス）
ライムの絞り汁……1/4個分
卵……1/2個
溶かしたココナッツオイルまたはバター……大さじ1

作り方

1. オーブンを180度に予熱する。
2. ポーク・ラインズを密封できるビニール袋に入れ、 手で押しつぶしてパン粉くらいの大きさに砕く。 ヒマラヤ岩塩と乾燥ハーブ、 スパイスを混ぜる。
3. アボカドはライムの絞り汁に浸し、 溶いた卵にさっとくぐらせ、 ひっくり返して両面に卵をからめてから、 **2**をつける。
4. 溶かしたココナッツオイルまたはバターをグラタン皿に塗り、 **3**を並べる。
5. **4**をオーブンに入れ、 約15分（またはうっすら焦げ目がつくまで） 焼く。

RECIPES

19

さやいんげんのマスタードソテー

準備時間 10分

調理時間 10分

できあがり 1人分

材料

さやいんげん 120グラム（端を切る）

エキストラバージンオリーブオイル 大さじ1/2

マスタード（どんな種類でもよい） 大さじ1/2

ヒマラヤ岩塩 [※]岩塩 適宜

黒こしょう 適宜

作り方

1 鍋にたっぷりの水を入れて沸騰させる。さやいんげんを入れて、少し硬さが残るくらいまでゆでる。

2 フライパンにオリーブオイルを熱し、マスタードを加える。ここに1を加えて炒める。

3 ヒマラヤ岩塩、黒こしょうで味つけをし、皿に盛る。

RECIPES 20

カリフラワーライス

準備時間　10分

調理時間　15分　　　できあがり　1人分

材料

カリフラワー……小1株

ヒマラヤ岩塩　[※]岩塩……大さじ$\frac{1}{3}$

ハーブとスパイス……適宜

作り方

オーブンを150度に予熱する。天板にクッキングシートを敷く。

カリフラワーを小房に分け、茎を取り除く。米のような形状になるまですりおろすか、フードプロセッサーで砕いて「カリフラワーライス」を作る。

天板に、**2**の「カリフラワーライス」を広げ、ヒマラヤ岩塩をふる。

3をオーブンに入れ、5分ごとにひっくり返して12～15分（カリフラワーライスが茶色になり始める前まで）焼き、取り出す。

お好みでハーブまたはスパイスを加える。

ヒント　**原書には「約93度に予熱」とありますが、低温すぎるとカリフラワーライスはうまく作れないこともあります。そのため本書では、あえてもう少し高い温度設定としました。**

APPENDIX

巻末付録

想像以上――私の断食《ファスティング》体験

ジミー・ムーア（ベストセラー作家・テレビ番組司会者）

私の名前はジミー・ムーア。米国のみならず各国でベストセラーになった〝The Ketogenic Cookbook〟〝Keto Clarity〟〝Cholesterol Clarity〟の著者で、最長寿のポッドキャスト健康番組〝The Livin' La Vida Low-Carb Show with Jimmy Moore〟のホストを務めています。

ジェイソン・ファン医師がファスティングで驚くべき成果を出していると知り、彼と協力しながら、できるだけ多くの人にファスティングについての包括的な情報を手に入れてもらいたいと考えました。そこで、ファスティングの治療的な実践法と、驚くべき健康効果を得られるファスティングを生活に取り入れるコツについて、私自身の体験をふまえながらここでご紹介します。

「長時間何も食べないなんて、正気の沙汰じゃない！」

最初に断っておきますが、私はもともと、決して熱狂的にファスティングを支持していたわけではありませんでした。「ファスティングが健康全般の問題を改善する」と初めて耳にしたのは10年以上前ですが、当初はあやしげな印象しかなかったのです。

「いったいどうして、意図的に食事を断つ必要があるのだろう？　わざわざ自分を飢《う》えさせるのが体にいいなんて、誰が思う？　それって悪い冗談では？」

本書を手に取るまで、まったく同じことを考えていた人も多いことでしょう。２００６年当時の私も、ファスティングがもたらしてくれるコレステロール値や血糖値への驚くべき効果をはじめとする恩恵について、さっぱり理解していなかったのですから。

間欠的ファスティング（ＩＦ）のコンセプトについて最初に知ったきっかけは、ベストセラーになった〝Protein Power〟の著者マイケル・イーデス博士です。２００６年、イーデス博士は、間欠的ファスティングと呼ばれる手法を使った減量と健康改善が大きな成功をおさめていることについて、報告書を書き始めました。定期的に何も食べずに一定期間を過ごす、という当時としては斬新なアイデアでした。博士のアイデアは、実行できそうに思えました。午後6時から翌日の午後6時まで、「何も食べない」のです。これを1日おきに続けることで、**24時間の間は食べ物を体に入れない**という戦略になります。

そんなに長時間何も食べないで済ませたことは、それまでの人生で一度もなかったので、たとえ断続的であっても、ファスティングという考え自体に非常に懐疑的でした。なぜかと言うと、私は食べることが大好きで、その証拠に、かつて体重が１８６キロもあったのです。その体重だった頃の私は、明日のことなど考えずに大量のジャンクフードと甘い炭酸飲料を消費していました。子ども時代、大学時代、結婚した20代、30代前半と、私の食習慣はひどいものだったのです。

それでも、ありがたいことに２００４年に低炭水化物ダイエットに出会ったおかげで、1年間で82キロを落とし、高コレステロール血症、高血圧症、呼吸障害の３つの処方薬を手放すことができました。ダイエットで信じられないほどの健康を手に入れた成功体験を他の人と共有したいと思い、〝Livin' La Vida Low-Carb〟というオンラインの巨大なプラットフォームを成長させ、各個人が健康を手に入れるためのレクチャーや激励を行い、ヒントを与えてきました。書籍を出版し、国内外で講演を行い、栄養学やフィットネスや健康の分野でムーブメントを起こしている際立った影響力を持つ知性豊かな人たちと話をさせてもらったのです。そのことは、私の人生において最も喜ばしい仕事の一部となりました。

食事法を大きく変えたにもかかわらず、私は食事を楽しむことをやめませんでした。ですから、間欠的ファスティングには懐疑的だったのです。

しかし、イーデス博士の主張に興味をそそられたので、私は下調べをすることにしました。そして、ある情報に、私の心は突き動かされました。

２００９年、私はボストンカレッジ生物学教授であるトーマス・Ｌ・セイフリード博士に取材をしました。彼は癌予防と代替治療の研究者で、脳疾患やその他の癌治療にカロリーを制限するケトジェニックダイエットを取り入れる効果についても調べていました。30分の取材で、最も興味深く記憶に残ったのが、セイフリード博士が「年に7～10日、水以外を断つファスティングが、癌予防の有効な手段になり得る」という大胆な主張をしたことでした。

それが事実なら、すごいことです！

しかし私は、間欠的ファスティングにさえ疑いの目を向けていたので、１週間のファスティングと聞いてなおのこと縮み上がってしまいました。いったい、こんな無謀な苦行とも思えることを、誰が実践できるのでしょうか?

しかしその時点で、ファスティングを試してみるだけの材料がそろっていたのです。もちろん、数日間連続でのファスティングに挑戦する前に、間欠的ファスティングについて理解しておかなければいけません。私は思いきって、挑戦してみることに決めたのです。

最初のファスティング挑戦

ファスティングのいい面に触れる前に、悪い面についても正直に話しておきたいと思います。私の初めての1日おきの間欠的ファスティング――24時間のファスティングを1日おきに続ける――は、苦しみの連続でした。ファスティングは「4日と19時間15分」続いたのですが、永遠のように感じられました。いくつか間違ったことをしたために、ファスティングが本来よりもはるかに苦痛なものになってしまったのですが、その内容を説明する前に、2006年に行った初めての〝不快な〟間欠的ファスティングの経験から学んだことを書いておきます。

その1 激しい頭痛との戦い

当時の私はカフェインにはまっていました。ファスティングの初日が辛かったのは、1日のほとんどを激しい頭痛に悩まされたからです。しかし2日目までに頭痛はおさまりました。

その2 空腹感との戦い

それまで長い間、私は激しい空腹を感じたことがありませんでした。82キロ減量した後、空腹にならない状態が継続したことで、決して昔の食習慣には戻るまい、と決めていたのです（皮肉なことに、低脂肪ダイエットをしていた日々は、耐えかねるほどの空腹感がありました）。今は、当時のように食べ物の誘惑を感じません。体の声に耳を澄ますことができるようになったからです。

その3 誘惑に負けて大食いしたこと

激しい空腹を感じ、過食をしてしまいました。2日目のファスティングが終わると、妻のクリスティーンと私はプライムリブスペシャルの食べ放題コースを目当てに〈ステーキ&エール〉に入りました。店が混んでいたので、ふだんよりステーキが運ばれてくるまでに時間がかかりました。私は空腹のあまり、数分でサラダを1皿食べ、最初のプライムリブをむさぼるように食べて、20分待ちに待った2皿目もあっというまにたいらげました。その約30分後、食べ物が少し胃に落ち着いてから、次の皿が来て、また食べ始めました。しかし半分ほど食べたところで、もう限界……とうとうお腹がいっぱいになったのです！ もう無理、正真正銘の「満腹」でした。胃が痛くなり、家に帰ってから薬を飲んで横になるはめになりました。情けない話ですが、私は貪欲な獣のように食べてしまったのです！

その4 活力不足と持久力低下に悩まされたこと

毎日運動するので、エネルギー補給のために十分な食事を摂りたいと思っていました。でも、ファスティングの1日目に、いつもの負荷と速度でエリプティカル（クロス）トレーナーを踏もうとしたら、無理でした。

ふだんは時速8・5マイルで13の抵抗ですが、時速7・0マイルで7の抵抗まで下げないと、いつもの運動時間が保てませんでした。もちろん消費カロリーも少なくなりました。さらに悪いことに、食事をした日でさえ、明らかな活力不足になり、間欠的ファスティングを終了するまで復活できませんでした。パワーと持久力が完全に戻るまでに数週間かかったのです。

その5 心ここにあらずという状態

当時の私にとって、24時間食事なしで過ごすことは、現実的ではありませんでした。初日はカフェインを抜いたせいで頭痛がひどいあまり、空腹や頭のふらつきにまで気がまわりませんでした。しかしファスティング2日目は、オフィスにいても体が浮いているような感覚で、いつ倒れても不思議ではない状態だったのです。体が眠っていて、この世のすべてから切り離されているような気がしました。同僚たちは、ふだんのように活発ではない私を見て、心配そうに声をかけてくれました。

間欠的ファスティングを1週間すら完全にやり遂げることができなかった私を、弱虫と呼んでくれてもかまいません。

でも、とにかく私には無理でした。できなかったのです。

その理由をいくつか書いておきましょう。

第一に、ファスティングの間もダイエットソーダを飲んでいたこと。そのせいで空腹感が刺激されたのです。これをやめていれば、ひもじい思いはしなかっただろうと思います。

第二に、ファスティングの間に十分な塩分を摂取していなかったことが、疲労とエネルギーの浪費につながったと考えられます。摂るべきだったのはダイエットソーダよりも、海塩を入れたボーンブロス（骨つき鶏もも肉のスープ）です。ボーンブロスを摂っていれば、必要な電解質と満腹感が得られたでしょう。

そして最後に、心構えがなっていなかったことが挙げられます。始めた直後がどんなに辛いかを理解できていなかった上に、空腹（想像と実際の）に対する心の準備もできていなかったのです。間欠的ファスティングへの挑戦が見事に打ち砕かれ、もう次はないと思っていました。

しかし2011年、ロブ・ウォルフをはじめとする間欠的ファスティングの支持者から穏やかな刺激を受けて、私はもう一度〝断食《ファスティング》〟に挑戦することにしたのです。

間欠的ファスティングに成功、高まる野心

2回目の挑戦では、食事の間隔を18～20時間に広げたところ、食事を24時間おきにするよりも、

ずっと楽でした。朝食を午前9時頃に食べ、次の食事を午後2時にして、1日の食事の総量を食べ終えます。ファスティングは午後2時から翌日午前9時の間の約19時間です。さらに、ときどきアレンジして、最初の食事と2回目の食事を摂る時間枠を縮めてみたりしました。このやり方が私にはピタリとはまり、とても快適かつ自然に、ファスティングができるようになっていったのです。

長期間のファスティングが健康増進の手段であることも忘れていませんでした。2009年、ポッドキャスト番組の取材でセイフリード博士に話を聞いたとき、「年に一度の1週間のファスティングが癌予防戦略として有益」と断言していました。もちろん、ほとんどの人にはできないでしょう（本音を代弁すれば、「そんなことはやりたくない」になるでしょう）。

しかし、自分で試してみたらどうなるか？　2011年、間欠的ファスティングが楽にできるようになってきた私は、ファスティング期間を1週間にまで延ばしてみるときだと決心しました。はたして、長めのファスティングをやり遂げることができるだろうか？　当時は確信できなかったけれど、今となっては、思いきって挑戦して本当に良かったと思っています。

間欠的ファスティングに慣れたことに加えて、期間の延長に挑戦する自信を後押ししてくれたことが2つあります。

1つ目は、私のブログの読者の1人が、1年間のスパンで1週間のファスティングを3回行ったこと。彼は前立腺に問題を抱えており、医師のすすめでファスティングを行ったのですが、彼が私に教えてくれたことが、広い視野で物事を見るきっかけになりました。彼の言葉を紹介します。

「ファスティング中に体が経験しているのは、普通に食べているときに体が経験していることと、実質的に同じです。普通に食べているときに経験している空腹感と、ファスティングをしているときの空腹感は、同じものなのです。これは大切なポイントです。『3時間前に食事をしたのに空腹になるのはなぜか』と考えてみるべきでしょう。その空腹感は、1週間まったく食べていないときの空腹感と同じものなのです。空腹感は飢餓《きが》状態ではありません。食べたいという衝動を真に受けることはないのです」

なるほど！　正しく空腹感に向き合うことができれば、ファスティング中に降りかかる誘惑にも抵抗しやすくなるでしょう。

この読者が簡潔に指摘してくれたように、「ファスティングをすることで、空腹感の意味を問い直すことができる。空腹は、食事の有無によって決定されない」――このメッセージから、あなたも何らかの学びを得られるはずです。

ところで、この読者が完璧にやり遂げた1週間単位のファスティングは、前立腺の問題に対処する上で「素晴らしく成功した」そうです。私はそれを知り、ファスティングが強力な治療法であるという確信を深めることができました。

1週間のファスティング挑戦への後押しとなった2つ目は、食事によって体をケトーシス状態にすることのメリットを知っていたことです。ファスティングとケトーシス状態はベーコンと卵のように相性がいいのです。「低炭水化物、中タンパク質、高脂肪」という「ケトン食」を食べる（ケトジェニックダイエット）と、ファスティングがはるかに楽になります。「炭水化物を制限してタンパク質をほどほどに摂る」ことで、血糖値とインスリン値がコントロールでき、「適切な量の健康的な飽和および不飽和脂肪を摂取する」ことで、空腹感が抑えられるのです。ケトーシス状態になると、体に「糖よりも脂肪を燃やせ」というシグナルが送られます。それはまさに、ファスティング中の体がすべきことです。すでにケトーシス状態に入っているならば、体は燃やすべき燃料を燃やしていることになります。だからケトン食がファスティングに役立つのです。

こんなふうに考えてみてください。

あなたの体には現在、少なくとも4万キロカロリー相当の脂肪があり、糖が2000キロカロリー相当しかないとしましょう。すでに脂肪を燃やしている人は、ファスティングを始めたとき、引き続き脂肪が主な燃料になります。しかし糖を燃やしている人は、2000キロカロリーの糖を、すべてなくなるまで燃やし続け、その結果として空腹が引き起こされる状態が、体が脂肪燃焼状態に切り替わるまで続くのです。糖を燃やしている人は、ファスティングのときに、空腹感をかなり早い時点で、しかも激しく感じやすくなります。だから、ケトジェニックダイエット（私の著書〝Keto Clarity〟にくわしく説明されている）を間欠的ファスティングや長期にわたるファスティングの最初のステップにするのが得策なのです。

1週間のファスティングに挑戦したときの私は、まだケトーシス状態になっていませんでした。

しかし、低炭水化物食を長い間続けていたので、体が長期にわたるファスティングになじめるという確信がありました。

長期にわたるファスティング「第1弾」——食事なしの1週間

2011年4月10日の夜、私は40年近く生きてきたなかで最もやりそうにないことを実行しました。1週間のファスティングに挑戦して、体の様子を見ることにしたのです。

多くの人から、「減量目的なのか?」と尋ねられましたが、答えは完全に「ノー」でした。長期にわたるファスティングで落とした体重は（通常の間欠的ファスティングとは異なり）、いったん食事を再開すると、そのまま維持できる可能性は低いです。あと数キロの頑固な脂肪が体からなくなってくれるなら、それに越したことはありませんが、私の主な目的は、1週間食事を抜いたときの自分の調子を観察することでした。

そして私は想像以上に多くのことを学んだのです。

ファスティングで体が感じたこと

最初の3日間が辛かったです。体が、「何か食べさせてくれ」と叫んでいるようでした。周囲がスローモーションで動いているような感覚で、ほとんどの時間を夢うつつで過ごしました。

しかし同時に、思考力が冴《さ》え、食事をしていないにもかかわらず、体は完全に機能していました。率直なところ、ファスティング期間のほとんどは、気分が良かったのです。7日間のうちで最高だったのは4日目と5日目です。多くの人が体験談で語っていたように、新たな活力が湧き出るのを感じることができました。しかし6日目の早い段階で、食べたいという強い欲望に苛《さいな》まれ、7日目に教会で聖体拝領《せいたいはいりょう》を受けたときにはひどい気分で、すべてのエネルギーが体から抜けるレベルまで血糖値が下がったような気がしました。血糖値を測ると50台で、最終日は午後2時頃にはほとんど立てなくなったので、やめどきだと思いました。

血糖値と体重への影響

血糖値を毎日は測定していなかったのですが、60台になったのを数回見ました。80未満ですから、健康的な低炭水化物食のライフスタイルでは一般的なレベルですが、これはまったく食事を摂っていないときに起こったことでした。血糖値をコントロールし、膵臓のインスリン分泌を1週間休ませることは、ファスティングを行う素晴らしい理由になります。

最初の数日は1日に0・45キロほど体重が減り、4日目から7日目にかけて数キロ減量できました。体重を減らすのが目的ではありませんでしたが、実際にかなりの減量効果があったのです。1週間で5・9キロもやせたのですから！　後で知ったのですが、1週間のファスティングで減った体重のほとんどは水分の重量だということ。ファスティングのプロセスにおいて、〝水に溶けている〟グリコーゲンの貯蔵を使い果たすためです。

エクササイズ

信じられないかもしれませんが、ファスティングの週もふだんのエクササイズを続けることに決め、想像以上にしっかり行うことができました。無理をしてはいけないとわかっていたし、妻には、「めまいを感じたらやめる」と伝えていました。それでもバレーボールの試合を2回、ピラティスやヨガのクラスを数回、何の問題もなくこなすことができました。バレーボールのコートでは頭がぼうっとしましたが、前列で走ったりジャンプしたりスパイクをブロックしたりと、かなり上出来なパフォーマンスを見せることができました。

トイレ

汚い話で申し訳ないのですが、これもファスティング経験の大事な一部です。それは、排便についてです。最初の数日はトイレに頻繁に行くことになるかと予想していたのですが、週の後半になっても大量の排便があったのは不思議議でした。何日も食事をしていないのに、何がこんなに出てくるのか？　体内に思いもよらないほど多くの老廃物がたまっていることを実感しました。このファスティングで、少しは体の掃除ができたのかもしれません。

栄養補助食品

ファスティングの間、ふだんのサプリメントは中止しませんでした。何年にもわたり、健康的な低炭水化物食のライフスタイルの一部にしていたマルチビタミン、ビタミンD3、マグネシウム、プロバイオティクス、その他のビタミンを摂り続けました。このルーティンは1週間休ませても良かったかもしれませんが、私はそうしなかったのです。

どう乗りきったか

1日を超えるファスティングは初めての試みだったので、人から聞いた以外に何が起こるのか、さっぱりわからなかったのです。直面した課題の1つが、絶食中の症状——初めてのファスティングで経験したふらつきや倦怠感——を、いかに避けるかです。私は大量の水（ファスティング中のすべての人に重要）を飲みましたが、物足りなくなり、乗りきるためにダイエットソーダを追加しました。今はもう飲んでいませんが、ダイエットソーダはファスティングを乗りきる助けになってくれました（263ページにもあるように、実は、ファン医師はこれには賛成していません。また私の最初のファスティングが非常に辛かったのは、ダイエットソーダが大きな理由だったように思います）。

電解質の不均衡を補うためにブイヨンキューブも摂取しました。後になって、もっと効果的で健康的な方法が「Kombucha（植物性の発酵ドリンク）」と「海塩入りのボーンブロス」を飲むことだと知りました。

周囲の反応

ファスティング体験全体のうちで最も驚かされたのが、SNSでファスティング体験をシェアしたときの周囲からの反応でした。「素晴らしいアイデア」と励ます声もあれば、「自殺行為」「あなたが推奨する低炭水化物食の原則を損なっている」と指摘する人まで、賛否両論、ありとあらゆる意見がありました。まるで私が教会の中でＮＧワードを使ったかのような反応をする人もいたのです。

何を変えれば良かったか？

１週間のファスティングについて、「もっとこうすれば良かった」と振り返ることはしたくありません。私の経験は一個人の経験ではありますが事実であり、目を見張るものであったことは確かでした。当時は、空腹に耐えられなくなったらココナッツオイルを口にする（摂取する）つもりでしたが、結局そこまでせずに済んだので、ココナッツオイルや他の方法で、何かが変わったのかどうかはわかりません。空腹感が解消されたかもしれないし、されなかったかもしれません。今後のファスティングの微調整や改善を考えるきっかけになったと思います。

ファスティングが終了した後、１週間のファスティングを行うきっかけを作った人物に手紙を書くことにしました。セイフリード博士です。彼とは、メリーランド州ボルチモアで開催された肥満に関する会議で直接会っていました。私が今回のことを報告すると、博士は、私がファスティング体験を「乗りきった」ことを喜んでくれました。また、ファスティング中に摂取したビタミンその他については「体に『混合された信号』を送ることになったかもしれず、それがファスティングを困難にした可能性がある」と言い、「癌予防のためのファスティングは蒸留水だけを使ってなされるべきだ」と述べました。そして、私が血中ケトン値――脂肪を燃焼した副産物――を測定しなかったことを残念がりました（これについては後に学習し、1年後に測定を始めました）。博士は、私の血液中のケトン値が上がっていた可能性があるとし、そのことが1週間のファスティングを耐え抜く助けとなったのではないか、と指摘しました。

セイフリード博士は私の実験に感銘を受け、自身の癌に関する教科書〝Cancer as a Metabolic Disease: On the Origin, Management, and Prevention of Cancer〟に取り入れてくれました。

以下は、その引用です。

「ジミー・ムーア氏は、ポッドキャスト配信で、ほぼ水だけのファスティングの7日間の経験についても説明してくれた。ムーア氏は、低炭水化物ダイエットの健康上の利点について紹介する分野で有名なブロガーで、ファスティング中に経験した生理的変化について、専門用語を使わずに文章化している。ムーア氏の手法のほとんどは、ハーバート・シェルトンが考える標準的な手法に倣うものだが、ムーア氏は、ファスティングにブイヨンキューブを取り入れている。鶏肉と牛肉のブイヨンにはカロリーと塩分が含まれているため、グルコース値を腫瘍細胞に最大代謝圧をかけるために必要な最低レベルにまで下げることの妨げになった可能性がある。ただし、ムーア氏のファスティング中の血糖値は、腫瘍の治療に必要な範囲内にまで下がっている。ブイヨンやその他の低カロリー、低炭水化物食による血糖値およびケトン濃度への影響について文章化するには、さらなる研究が必要だ。とはいえ、ムーア氏のポッドキャストからファスティングが有害ではないという認識を得ることは、癌患者にとって重要なことである」

「ファスティング」と「栄養学的ケトーシス」のダブル使い

2012年、私は「栄養学的ケトーシス」の1年間の実験を始めました。「低炭水化物、中タンパク質、高脂肪」の食事によって、体の主な燃料を「グルコース（ブドウ糖）」から「脂肪」へと切り替えることができたのです。実験の一環として、セイフリード博士の提案のように、ケトン体の血中濃度を記録し始めました。

ケトーシス実験の一環としてファスティングをするつもりは、まったくありませんでした。しかし、ケトン体の血中濃度が1・0ミリモルを超えると、自然と自発的にファスティングを始めていたことに気がつきました。実験を始めて数週間という初期の段階で、妻に「最後に食べたのはいつ？」と聞かれたのを覚えています。時計を見て食事記録をたどると、約28時間食べていなかったことに気づきました。食事のことをすっかり忘れていたのです。以前までの自分の食べっぷりを考えてみれば、それはとんでもなくすごいことでした。

いったん体がグルコース燃焼から脂肪燃焼へと切り替わると、「朝食↓おやつ↓ランチ↓おやつ↓夕食↓おやつ↓真夜中のおやつ」という1日の食べ方が、愚かにすら感じられました。お腹が減っていなければ、そんなに何度も食べたくなることはないのです。「もう食べ物のことをしつこく考えなくても大丈夫」と、体がはっきりと告げているのがわかりました。

現代の食文化では、食べる量も回数も必要以上に多いのです。

しかし「低炭水化物、中タンパク質、高脂肪」かつ「適切なカロリー」のきちんとした「ホールフードの食事」を摂ることによってケトーシス状態に入れば、自発的に12時間から24時間のファスティングをすることが可能です。

ここで私が伝えたいのは、**「栄養学的ケトーシス状態」に入ったとき——グルコースではなく脂肪を主なエネルギー源にできる体になったとき——ファスティングがきわめて自然に行えるようになった**ということです。もちろん、この本を読んでいる方の多くは、ケトジェニックダイエットを実践していないでしょうし、栄養学的ケトーシス状態を追求してはいないでしょう。それはそれでいいのです（できればそうすべきですが！）。ファン医師は、ケトーシス状態ではない多くの患者に、ファスティングを治療的アプローチとして用いて多くの成功をおさめています。しかし私自身の経験では、ファスティングはケトーシス状態に入る前には難しく、入った後はごく自然に簡単にできたことを述べておきます。

1週間のファスティング中は、活力と安らぎを与え続けてくれたケトン体のパワーを思い知らされました。ファスティングを始めたときは、私の体はケトーシス状態ではありませんでしたが、ファスティングの途中から体が脂肪を燃やしてケトンを生成していたのです。そして気分がとても良かったです。ファスティングに慣れてしまえば、ごく自然にできるようになり、最初の数回に感じる空腹感や不快感がなくなります。本書に書かれているアドバイスは、辛いことが予想される「最初の数回」を乗りきるときの助けとなるでしょう。

しかし、辛くても不可能ではありません。私の初めてのファスティングはひどい経験でしたが、今では思い立ったら実践することができ、素晴らしい気分になれます。ぜひ、あなたも試して、何が起きるかを観察してほしいと思います。24時間、週7日、365日、食べ物について考えなくて済むと、**ものすごく自由**になれます。それでもまだあやしい感じがするでしょうか？

間欠的ファスティングの途中で空腹になったり気分が悪くなったりしたときは、どうすればいいでしょうか？

何か食べればいいのです。簡単なことですね。

最初の2〜3日間は不快感や空腹感があるのが普通ですが、「軽い不快感」と「人の頭にかみつきたいほどの空腹感」は別物です。活力が消えたまま戻ってこない、自分を見失いそうになる、頭がおかしくなるほどお腹がすく……そんなときは、無理をして続けなくていいのです。ファスティングは肉体的に辛いことであってはいけません。どうしても辛いときはいったんストップして、何か食べて、1週間ほどしたらもう一度試してみましょう。

もちろん、私のブログの読者が言っていたように、空腹を感じるからといって本当に飢餓状態にあるわけではありません。残念なことに、ほとんどの人は体の声に耳を傾けずに、「習慣」や「安らぎ」や「退屈」を理由に食べようとしています。ファスティングに取り組もうという人は、この点を理解することが重要です。

間欠的ファスティング未体験の人には「24時間食事なし」という状態は拷問のように思えるかもしれません。体は1日の特定の時間に食事を摂ることに慣れているので、食事の時間だという何らかの合図を送ってきます。私は以前、それが本当の空腹だと思っていましたが、実際はそうではありませんでした。体の中にあるアラーム時計が、通常通りのなじみの食事のルーティンを維持したがっているだけなのです。

では、食べたいという気持ちに任せて欲求に屈してもいいのでしょうか？

「食べたいなら、食べればいい」と、私はかつてそう思っていたのですが、経験から得た結論は、力強い「ノー」です。自分以外の周囲の人が「食事の時間だから」という理由で食事をしていても、自分の胃は大いに満足した状態を保てているのです。

体重が約181キロだった2004年以前の私は、口にどれだけ食べ物を入れても、常に空腹を感じていました。空腹感をコントロールし、本当の空腹の感覚に気づけたことが、私が得た大きな成功であり、その後もずっと私を支え続けています。

「栄養学的ケトーシス状態」のおかげで、問題なく、快適な1日1～2食を実践し、ファスティング期間をごく自然に過ごせる人は、私を含めてたくさんいます。

ただし、ファスティングをするにあたっては、人づきあいに課題が生じることをお話ししておきます。「友人や家族との食事会のときに、自分が空腹を感じなかったり、長期にわたるファスティングの最中だったりした場合の対処法がわからない」という人もいるでしょう。せっかくの集まりで失礼なことはしたくないし、ホストに気まずい思いをさせたくもありません。覚えておいてほしいのは、**こういった集まりは、食事ではなく人とのつながりを目的としたものである**ことです。あなたは交流することに集中し、他の人には食べたいものを食べてもらえばいいのです。ほとんどの人は、あなたが食べていないことを気にかけないでしょう。たとえあなたが食べているかどうかを気にする人がいたとしても、それはあなたの問題ではなく、その人たちの問題です。

もちろん最良の方法は、食事が重要視されるお祝い事やイベントを避けてファスティングを計画することです。誕生日パーティや結婚式の3日前から、7日間のファスティング計画を始める必要はないですね。日常の突発的な集まりのときは、なるべく普通に振る舞って、食べ物に固執せずに人との交流を楽しむようにしましょう。

長期にわたるファスティング「第2弾」――3週間のファスティング

2012年と2013年にケトジェニックダイエットをきちんと試して成功し、栄養学的ケトーシス状態に対する理解が深まったため、もう一度ファスティングを試してみようと思いました。もちろん、間欠的ファスティングを「試す」必要はありませんでした。ケトーシス状態のおかげで楽に実践できたので、日常的に行っていたからです。

そこで、私は長めのファスティングに再び挑戦して、1週間を超えられるか試してみることにしました。私が医学博士ジェイソン・ファンと出会ったのは2015年9月でした。ファン医師が1000人以上の患者にさまざまなファスティングの計画を提案して健康を改善した実績について知り、1週間を超えるファスティングに興味を持ちました。「今回は連続21日間のファスティングを実践できないだろうか?」と。

2015年9月、私は21日間のファスティングを開始しました。口に入れるのは、水、Kombucha、海塩入りボーンブロスのみで、合計で1日200キロカロリーをはるかに下回ります。最小限のカロリー摂取があるため、正確には純粋なファスティングではありませんが、ファン医師は、この計画でも水のみのファスティングとほぼ同じ効果が得られるとアドバイスしてくれました。私は、自分のPeriscope（ペリスコープ：ライブビデオ配信）をファスティング中に毎日更新しました。予想通り体重がすぐに落ち、血糖値も素早く低下して、血糖の兆候なしに70台、さらには60台後半にまで落ちました。血中ケトン体濃度も確認したところ、最初は非常に低い値でしたが、ファスティング4日目までに2・5ミリモルをはるかに上回ったのです。私は幸福感と驚くほどの活力がみなぎるのを感じました――前回とは違って、長期のファスティングに成功したのです！

ファスティング1日目は非常に楽でした。というのも、ケトジェニックダイエットによってすでに24時間のファスティングに慣れていたからです。最も辛かったのが2日目で、食べることへの欲求は、自分が思っていたよりもはるかに強烈でした。しかし2日目を超えたとき、驚くべきことが起こりました――ファスティングがびっくりするほど簡単になったのです！「ひたすら食べない」ということが楽勝になった瞬間でした。

食べない時間が長ければ長いほど空腹感が募るという概念は、正しくないでしょう。実際は、数日間ファスティングをした後は、おそらくこれまで以上に「安定した気分」を感じることでしょう。そして、「何を、いつ、どこで食べるか」といった、食事にまつわる社会的慣習についてあまり考えなくなることで、心の自由度が増し、他のことに意識が向くのです。「食べたい」という衝動や欲求は、肉体よりも精神的なものが強いことに気づかされることでしょう。

では、私の21日間のファスティングの挑戦はどうなったでしょうか？

合計で17日半継続しましたが、まったく予想外の「旅行のストレス」に妨害されてしまいました。妻と私はサウスカロライナ州マートルビーチの友人との休暇旅行に出かけ、その初日が実験の15日目だったのです。17日目の夜、私の胃は45分間鳴り続けていました！　就寝時刻に近かったので、翌朝まで待って、空腹が消えるかを確認することにしました。しかし空腹がどうにもおさまらないので、当初の目標を数日残して、ファスティングを中止することにしました。私は自分の体の声に耳を傾けました。ファスティングをするときは、常に体の声を聴くことが非常に大切です。

ファスティングのやめどきが明らかになれば、ファスティングを終えるのは大した問題ではありません。私は、これまでの経験の3倍近くの期間のファスティングができたので、とても喜びました。

しかし、ストレスの影響の深刻さも思い知りました。今では、瞑想、オンライン時間の短縮、ヨガ、定期的なマッサージなど、ストレスを減らすための積極的な対策を講じ始めています。私は長年の栄養不足によりインスリン抵抗性がひどいので、多くの人よりストレスの影響を受けやすいと思われます。この「健康の謎解き」ができれば、"Stress Clarity（ストレスの謎を解き明かす）"という新しい本すら、将来出版できるかもしれません（お楽しみに！）。

予想通り、このファスティングで体重が減りました。8・6キロの減量です。それが主な目的ではありませんでしたが、嬉しいおまけですね。

何よりも感激したのは、ファスティングを終えて1か月後に体重をチェックしたときに、7・3キロ減をキープしていたこと。これはかなり嬉しいことでした。

また私は、健康チェックに関してはかなりのオタクなので、17日半のファスティングの前後に一連の血液検査を行い、ファスティングが与えた影響について調べてみました。いくつかの結果は予想できましたが、完全に予想外なものもあったのです。

次に示すのが、ファスティング前と直後の血液検査の結果です。

	ファスティング前	ファスティング後
総コレステロール	295	195
LDL(悪玉)コレステロール	216	131
HDL(善玉)コレステロール	61	50
中性脂肪(TG)	90	68
総LDL粒子数(LDL-P)	2889	1664
小型LDL-P	1446	587
リポタンパク(a)	441	143
空腹時インスリン	13.9	10.0
hsCRP(高感度C反応性タンパク)	1.6	0.94

高度なコレステロール検査を含むこれらの数値のほとんどは、心血管の健康に関連しています。

少し解説しますが、他より抜きん出て変化が目立つものがわかるでしょうか?

そう、コレステロールです。

総コレステロールが、スタチン系製剤などのコレステロール低下薬を使わずに、3週間未満のファスティングで100ポイント低下しています。患者は、心臓発作を起こさないためには、薬物がコレステロールを下げる唯一の方法だと告げられることがしばしばですが、まったく薬物を使わずにコレステロールを低下させる方法が、ここにあるわけです。

善玉コレステロールとして知られるHDLコレステロールは、ファスティング中に予想通り61から50に減少しました。したがって、食事をまったく摂取しない場合、善玉コレステロールに必要な基本物質の1つは、脂肪、特に飽和脂肪です。しかし、総コレステロール数の減少のほとんどは、216から131に低下した悪玉コレステロールです。私の心臓の健康が改善したのは、これだけが理由ではないかもしれません。しかしファスティングによって、それまで医薬品では得られなかった何かが起きたのです。

LDL粒子の実際の数と粒子のサイズを測定したところ、ファスティングを始めたとき、総LDL粒子数（LDL-P）は2889で、小型LDL-P（超悪玉LDL）は1446でした。ファスティング後に、数値はそれぞれ1664と587に減り、大幅な改善が見られました。

しかし、すべての検査のうちで最も驚くべき結果は、心血管疾患の発症の危険因子であるリポタンパク（a）です。ファスティング前の私のリポタンパク（a）は441と非常に高かった（常にそうだった）のですが、これが143に急落したのです。これはファスティングの治療効果の強力な指標と言えるでしょう。

最後の2つの血液検査は、空腹時インスリンと、主要な炎症マーカーであるhsCRP（高感度C反応性タンパク）です。幸いにもこれらの数値はファスティング前から悪くなく、ファスティング後にさらに良くなりました。空腹時インスリンは4ポイント近く減り、hsCRP はほぼ半分に減りました。

全体として、これらの数字は、約3週間のファスティングが大成功だったことを示しています。しかし、私のファスティングへの挑戦は、まだ終わりませんでした。

長期にわたるファスティング「第3弾・第4弾・第5弾」
――さらに1週間、ファスティングサイクル、1か月食事抜き

2015年10月中旬、主要な数値に同様の変化が見られるかを確認するために、1週間にわたってもう一度ファスティングを行いました。興味深いことに、血糖値は再び70台と80台に低下し、体重が6・1キロ減りました。ただし今回は、体重がリバウンドしてしまったのです。おそらく私は、結果をキープするために長い期間ファスティングが必要なタイプの人間なのでしょう。

次のファスティング実験は、2015年12月に行いました。ファスティングをしない日とファスティングをする日を交互に繰り返して、私にどんな効果があるかを見ることにしたのです。6日間ファスティングをし、7日目に食べ、さらに5日間ファスティングをし、13日目に食べ、4日間ファスティングをして、終了。

内容を少し変えるのは楽しかったのですが、3週間近く連続して行ったファスティングのとき

と同じ結果は得られませんでした。血糖値と血中ケトン体濃度が、長期ファスティングに期待するレベルまで改善することはなかったのです。

そうは言っても、体重が8・3キロ減り、1か月後にチェックしたときに2・3キロ減はキープできていました。

しかし私には、ファスティングについてもう1つのアイデアがあったのです。これまでのファスティングの実験のなかで、最も物議をかもしそうな内容です。

2016年1月、私は「1か月間のファスティング」を考えていました。そう、31日間連続で絶食したかったのです。かなりの大仕事ですが、過去2回の長期のファスティングの結果に励まされて、挑戦することにしました。

今回は、DXA法と呼ばれる二重エネルギーX線吸収測定法を使って、ファスティング中の体脂肪と筋肉量の変化を見るのが楽しいだろうと思いました。私のSNSのフォロワーの何人かは、私が数回にわたるファスティング実験で大量の筋肉を失っていないかと心配していたのです。そのため、2016年1月のファスティングの前後に検査を行いました。結果については、この後、くわしく説明します。

今回のファスティングは首尾よく進み、血糖値が再び70台と60台にまで激減し、血中ケトン体濃度が2・5ミリモルをはるかに超える数値になるという見事な改善が見られ、夢心地の気分になりました。11日目には、1時間ごとに血糖値と血中ケトン体濃度をチェックすることにしました。結果は491ページの表の通りです。

かなり壮観な数字なのがおわかりでしょうか。その時点で11日間連続で食事抜きだったにもかかわらず、1日中最高の気分でした。

13日目には、妻の家族と一緒にバージニア州に車で向かっていたため、ファスティングを中断して食事をする必要がありました。ここでまたしてもストレスに苦しめられ、ファスティングをする勢いが鈍ってしまいました。幸いにも1日だけ中断した後の3日間はうまく進んでいましたが、車で帰宅する日に、再びストレスが原因で二度目のファスティング中断となりました。移動中に、空腹、衰弱、けだるい不快感が、レンガの塊のように襲いかかり、この気分を無視してはいけないと思いました。そこで16日目に再び食事をし、翌日にファスティングを再開。そのまま6日間ファスティングをし、22日目に1回中断してから、最後の9日間を終わらせたのです。総計すると、2016年1月の31日間のうち、28日間ファスティングをしたことになります。

血糖値と血中ケトン体濃度は、ときどきファスティングを中断したせいで上下しましたが、それでも10・2キロ減量でき、そのうち6・4キロは翌月もリバウンドしなかったのです。

また、ＤＸＡ法の結果は、なかなか魅力的なものとなりました。スキャンにより、体脂肪が約4・5キロ、一般的に筋肉と解釈される「除脂肪組織」と識別されたものが約4・5キロ減っていました。この「筋肉の喪失」と想定されるものは、すべて躯幹《くかん》エリア（頭と手足を除いた胴体部分）で発生しており、実際には四肢の筋肉が増えていました。ファン医師とこの結果について話し合ったときに指摘されたのは、ＤＸＡ法では臓器組織の脂肪の損失を筋肉の損失と間違える可能性が

時刻	血糖値	血中ケトン体濃度	摂取した食事
7:30 am	66	3.1	
8:30 am	67	3.1	-
8:45 am	-	-	Kombucha
9:30 am	72	3.9	-
10:30 am	70	2.9	-
10:30 am	-	-	海塩入り ボーンブロス
11:30 am	73	2.9	-
12:30 pm	71	2.6	-
1:30 pm	70	3.8	-
2:30 pm	68	4.3	-
3:30 pm	79	3.8	-
4:30 pm	71	3.7	-
5:30 pm	72	4.2	-
6:30 pm	68	3.9	-
7:30 pm	60	4.7	-
8:30 pm	62	4.5	-
9:30 pm	74	3.7	-

あるということ。言い換えれば、筋肉を失ったのではなく、内臓周りの脂肪を失った可能性が濃厚なのです——これは非常にいいことですね！

そこで私は数週間、低炭水化物中心でケトジェニックな食事法に戻りＤＸＡ法を再び実行しました。ファスティング中に「失った」と認識された除脂肪組織はというと、筋肉損失は完全になくなり、ファスティング前と同じ値に戻っていました。測定値は単なるツールにすぎず、誤った仮定につなげてはいけないということです。**実際には、私はトータル28日間のファスティング中**

に筋肉を失ってはいなかったのです。筋肉損失はファスティングの副作用だと一般的に信じられているだけに、これは画期的な結果でした（ファン医師は、ファスティングが筋肉損失を引き起こすという通念について、98ページでくわしく説明しています）。

結論　ファスティングで健康を自らコントロールする

今もなお、自分のファスティング計画を微調整していますが、私の場合、最大限の恩恵を受けるためには長期のファスティングが必要なようです。このことを考慮すると、ストレスの多いときは（たとえ楽しいストレスであっても）ファスティングを行わないことが賢明かもしれません。私にとって、旅行中の長期ファスティングはＮＧ（ただしフライトが4時間未満なら、間欠的ファスティングは楽に行うことができます）、本の執筆や会議に出席するなどの非日常的な活動中も同様です。これは私がファスティングの大冒険から学んだ大きな教訓です。

あなたが、ファスティングを自分で試してみたいという気持ちになったなら、ぜひやってみてください。昼食を抜くことから始めて、数日間連続のファスティングに挑戦してもいいでしょう。とてつもなく素晴らしい恩恵を受けることができるはずです。ファン医師がファスティングの利点について本書であますところなく説明していますが、あえて私が言うなら、「もしあなたが肥満や2型糖尿病に苦しんでいるなら、ファスティングで体重と血糖値に信じられないほどの効果を得られる可能性がある」ということ。私は、ファスティングについてまだ半信半疑だったときでさえ、その結果をこの目で確かめたのですから。

一定時間食事をしないのは、かなりの挑戦でしょう。現代社会では、どこの街角でもすぐに食べ物が手に入るので、なおのこと「食べない」ことは難しいと言えるでしょう。

しかし時流に逆らって、短期間でも食事を控えて、どうなるか試してみたらどうでしょうか？「こんなことが起きたらどうしよう」という不安や迷いはいったん手放して、実際に経験した事実を受け入れてみるのです。

ファスティングで体重と健康問題のすべてが解決するとは言いません。もちろんファスティングが万能薬でもないでしょう。しかしファスティングは、あなたが健康を自分でコントロールするための最も実用的なツールの１つになる可能性があるのです。

自分の健康を自分でかじ取りすること――それこそが、私たち全員が目指すべきゴールです！

※本書の参考文献一覧のPDFファイルが、 以下のURLよりダウンロードできます。
https://bunkyosha.com/contents/fasting-reference

PROFILE

著者

ジェイソン・ファン Jason Fung

医学博士。1973年生まれ。カナダのトロントで育ち、トロント大学医学部を卒業。同大学の研修医を経たのち、カリフォルニア大学ロサンゼルス校にて腎臓専門医の研修を修了。2型糖尿病と肥満に特化した独自の治療を行う「インテンシブ・ダイエタリー・マネジメント・プログラム（集中的な食事管理プログラム）」を開発。クリニックでは、薬物療法ではなく、食生活の改善というシンプルだが効果的な方法に力を入れている。減量と2型糖尿病の治癒を目的として、治療のためのファスティングを臨床現場に取り入れた第一人者。雑誌『ジャーナル・オブ・インスリン・レジスタンス』の編集長（科学部門）、NPO「パブリック・ヘルス・コラボレーション」の理事長も務めている。ベストセラー『トロント最高の医師が教える世界最新の太らないカラダ』『トロント最高の医師が教える世界最有効の糖尿病対策』（ともにサンマーク出版）の著者。カナダ・オンタリオ州のトロントに在住。

ジミー・ムーア Jimmy Moore

作家。健康系ブロガー・ポッドキャスター。180ポンド（約80キロ）という驚異的な減量によって、高コレステロール、高血圧、呼吸器系疾患の処方薬を手放すことに成功した後、2004年にヘルスケアの世界に飛び込む。持ち前のエネルギッシュな性格を活かして、超人気ブログ「Livin' La Vida Low-Carb」の管理人として、また、iTunesの健康ジャンルで指折りの人気を誇るポッドキャスト「The Livin' La Vida Low-Carb Show」のホストとして、活躍中。700人を超える世界的なヘルスケアのエキスパートにインタビューし、健康に関して最高の情報を人々に伝え、正しい決定を下せるようサポートすることに人生を捧げてきた。

監修者

小田原雅人 おだわら・まさと

山王病院糖尿病内分泌代謝内科部長。国際医療福祉大学臨床医学研究センター教授。東京医科大学糖尿病代謝内分泌内科特任教授。1980年、東京大学医学部医学科を卒業。専門は糖尿病、動脈硬化症、脂質異常症など。的確な診断、治療と徹底した生活指導により、多くの糖尿病患者を改善に導いている。テレビなどメディアでも活躍中。

訳者

鹿田昌美 しかた・まさみ

翻訳家。国際基督教大学卒。絵本、小説、ビジネス、子育て本など数十冊の翻訳書あり。ドラッカーマン『フランスの子どもは夜泣きをしない』（集英社）、カチロー『いまの科学で「絶対にいい!」と断言できる 最高の子育てベスト55』（ダイヤモンド社）、アレキサンダー＆サンダール『デンマークの親は子どもを褒めない』（集英社）など。

医者が教える健康断食

2021年6月8日　第1刷発行

著　ジェイソン・ファン／ジミー・ムーア
監修　小田原雅人
訳　鹿田昌美

装丁　森下陽介（文響社）
本文デザイン　高橋明香（おかっぱ製作所）
レシピ監修　小山浩子
校正　株式会社ぷれす
編集協力　渡辺のぞみ
編集　平沢拓（文響社）

発行者　山本周嗣
発行所　株式会社文響社
〒105-0001
東京都港区虎ノ門2-2-5　共同通信会館9F
ホームページ　https://bunkyosha.com
お問い合わせ　info@bunkyosha.com
印刷・製本　音羽印刷株式会社

ISBN978-4-86651-369-0